D1080731

LA MAIN DE DIEU

Philip Kerr est internationalement connu pour la série Bernie Gunther, qui a été unanimement saluée par la critique et couronnée de nombreux prix. Il est passionné de football et un supporter fidèle du club d'Arsenal. Il habite à Londres.

PHILIP KERR

La Main de Dieu

Une enquête de Scott Manson **

TRADUIT DE L'ANGLAIS PAR JOHAN-FRÉDÉRIK HEL GUEDJ

ÉDITIONS DU MASQUE

Titre original :

HAND OF GOD
Publié par Head of Zeus Ltd., Londres.

Ce livre est dédié à Adam et John Thynne

« Un peu grâce à la tête de Maradona,
un peu grâce à la main de Dieu. »

*Diego Maradona, après son premier but
contre l'Angleterre, lors de la Coupe du monde 1986.*

Prologue

Oubliez Mourinho, le « Special One », l'unique. Si j'en crois la presse sportive, moi, je suis le « Lucky One », le chanceux.

Après la mort de João Zarco – lui, c'était le malchanceux –, j'ai eu de la chance, en effet, celle de décrocher le poste de manager par intérim du club de London City et, plus encore, celle de le conserver jusqu'à la fin de la saison 2013-2014. Le club a bel et bien été jugé chanceux de finir quatrième de la Premier League, et tout le monde a considéré que nous avions eu de la veine d'atteindre la finale de la Coupe de la Ligue et la demi-finale de la Coupe d'Angleterre, que nous avons toutes les deux perdues.

Personnellement, j'estimais que nous avions été malchanceux de ne rien gagner, mais le *Times* n'était pas de cet avis :

Vu tout ce qui s'est passé à Silvertown Dock ces six derniers mois – un entraîneur charismatique assassiné, la carrière d'un gardien de but talentueux tragiquement écourtée, une enquête encore en cours des services fiscaux de Sa Majesté sur ce que l'on a appelé le scandale 4F (Free Fuel For Footballers, une sombre affaire de pleins d'essence gratuits, avantages en nature non déclarés), il est certain que London City a eu une chance insolente de réaliser un tel parcours. La bonne fortune du club peut être attribuée pour une large part au travail acharné et à la ténacité de son entraîneur, Scott Manson. L'éloge funèbre éloquent, appuyé, qu'il a tenu à faire de son prédécesseur est vite devenu viral sur les réseaux sociaux et a incité un magazine, le Spectator, *à le comparer à Marc Antoine l'Orateur en personne. Si José Mourinho est le* « Special One », *alors Scott Manson est sans nul doute le* « Clever One », *Scott le Malin, et peut-être même aussi le* « Lucky One », *Scott le Chanceux.*

Je ne me suis jamais considéré comme un veinard, surtout pas à l'époque où je purgeais une peine de dix-huit mois à la prison de Wandsworth pour un crime que je n'avais pas commis.

Et, du temps où j'étais footballeur professionnel, je n'ai cédé qu'à une seule superstition : chaque fois que j'obtenais un penalty, je frappais dans la balle, aussi fort que possible.

D'une manière générale, je ne sais pas si la nouvelle génération de joueurs est plus crédule que nous ne l'étions, nous autres, mais à en croire leurs tweets et leurs messages sur Facebook, les gars qui évoluent aujourd'hui sur les terrains sont aussi attachés à cette notion de bonne étoile que des sorciers-guérisseurs dans un colloque de magie blanche à Las Vegas. Comme ils sont très peu à fréquenter l'église, la mosquée ou la *shul*, il n'est peut-être pas si surprenant qu'ils entretiennent autant de superstitions. En réalité, il se pourrait que la superstition soit la seule religion à la portée de ces âmes bien souvent ignorantes. En tant qu'entraîneur, j'ai fait de mon mieux, et toujours avec doigté, pour gentiment dissuader mes joueurs de céder à ces superstitions, mais c'est un combat perdu d'avance. Qu'il s'agisse d'un rituel d'avant-match, toujours aussi vétilleux que malvenu, d'un numéro de maillot fétiche, d'une barbe porte-bonheur ou d'un T-shirt providentiel à l'effigie du duc d'Édimbourg – si, je vous le jure –, la superstition dans le foot fait autant partie du jeu moderne que le pari, les maillots à compression ou les bandes de contention.

Si le football est pour une bonne part affaire de croyance, il y a des limites : certains actes de foi vont bien au-delà du simple geste de toucher du bois et vous font entrer au royaume de l'illusion et de la pure dinguerie. J'ai parfois l'impression que, dans ce milieu, les seuls à avoir les pieds sur terre sont les pauvres types qui viennent assister aux matchs ; malheureusement, je crois que ces pauvres types qui viennent assister aux matchs sont eux aussi plus ou moins gagnés par le même syndrome.

Prenez Iñárritu, notre milieu de terrain, un garçon extrêmement doué, qui joue en ce moment la Coupe du monde avec le Mexique, dans le groupe A. D'après ce qu'il vient de tweeter à ses cent mille followers, c'est Dieu qui lui souffle comment marquer des buts, mais quand tout le reste échoue, il sort s'acheter une botte de soucis, quelques morceaux de sucre, et il allume une bougie devant une petite poupée-squelette habillée d'une robe verte. Ah, oui, je vois tout à fait comment ça pourrait fonctionner.

Ensuite, vous avez Ayrton Taylor, actuellement à Belo Horizonte, avec l'équipe d'Angleterre. Apparemment, la véritable raison de sa fracture du métatarse, lors du match contre l'Uruguay, serait due à une étourderie : en partant de chez lui, il avait oublié de mettre dans sa valise son petit bouledogue porte-bonheur en argent et de prier saint Luigi Scrosoppi, le saint patron des footballeurs, ses Nike Hypervenom à la main, comme il le fait en temps normal. Et non, vraiment, cela n'avait à peu près rien à voir avec le sale abruti qui, sans vergogne aucune, s'était essuyé les crampons sur le pied de notre Taylor.

Bekim Develi, notre milieu de terrain russe, lui aussi au Brésil, annonce sur Facebook qu'il ne voyage jamais sans son stylo porte-bonheur. Interviewé par Jim White pour le *Daily Telegraph*, il a aussi parlé de son petit Peter, son bébé qui vient de naître, et avoué qu'il avait interdit à sa fiancée, Alex, de montrer Peter à des inconnus avant quarante jours parce que ses parents, soucieux de ne pas voir leur rejeton habité par l'âme ou l'énergie d'un autre en une période aussi cruciale, « attendaient que l'âme du nouveau-né rejoigne son corps ».

Et, comme si tout cela n'était pas déjà assez grotesque, l'un des Africains de London City, le Ghanéen John Ayensu, est allé raconter à un journaliste d'une station de radio qu'il ne pouvait bien jouer que s'il glissait un bout de fourrure de léopard dans son slip, imprudent aveu qui lui a attiré une vague de protestations de la part des militants du WWF, soucieux de la préservation des espèces, et autres défenseurs des droits des animaux.

Dans la même interview, Ayensu annonçait son intention de quitter London City dans le courant de l'été, et c'était pour moi une fâcheuse nouvelle, vue de Londres. Tout comme ce qui est arrivé à notre buteur allemand, Christoph Bündchen, qui s'était fait prendre sur Instagram dans un bar sauna gay au cœur de la riante cité brésilienne de Fortaleza. Christoph, gay non encore déclaré, a affirmé qu'il était entré au Dragon Health Club par erreur, mais sur Twitter, naturellement, on n'est pas de cet avis. Avec une presse – en particulier un torchon comme le *Guardian* – qui meurt d'envie de voir au moins un joueur faire son coming-out tant qu'il est encore footballeur professionnel – un Thomas Hitzlsperger, milieu de terrain allemand du Bayern et d'Aston Villa, a sagement attendu, lui, la fin de sa carrière –, la pression qui pèse sur le pauvre Christoph paraît déjà insoutenable.

En attendant, l'un des deux joueurs espagnols de London City au Brésil, Juan-Luis Dominguin, vient de m'envoyer par mail une photo de Xavier Pepe, notre meilleur défenseur central, dînant dans un restaurant de Rio avec certains des cheikhs propriétaires de Manchester City, suite au match Espagne-Chili. Sachant que ces personnages sont plus riches que Dieu en personne – et certainement plus fortunés que notre propriétaire, Viktor Sokolnikov –, c'est encore une autre source de tracas. Aujourd'hui, il y a tellement d'argent dans le foot que les joueurs se laissent facilement monter la tête. Il suffit du bon chiffre sur un contrat, et pas un seul qui ne fera pas sa Linda Blair dans *L'Exorciste*.

Comme je l'ai déjà dit, je ne suis pas superstitieux mais, en janvier dernier, quand j'ai vu dans les journaux ces photos de la main du fameux Christ Rédempteur qui se dresse sur les hauteurs de Rio de Janeiro frappée d'un éclair, j'aurais dû comprendre qu'au Brésil quelques désastres nous attendaient. Peu après cet éclair, comme de juste, des manifestations de protestation contre les dépenses engagées par le pays pour la Coupe du monde échappèrent à tout contrôle et dégénérèrent en de violentes émeutes dans les rues de São Paulo. Il y eut des voitures incendiées, des boutiques vandalisées, des vitrines de banques fracassées et plusieurs victimes abattues par balles. Je ne peux pas dire que j'en tienne rigueur aux Brésiliens. Dépenser quatorze milliards de dollars pour accueillir la Coupe du monde – une estimation de l'agence Bloomberg – quand Rio de Janeiro n'est même pas dotée d'un réseau d'assainissement, c'est juste incroyable. Or, à l'exemple de mon prédécesseur, João Zarco, je n'ai jamais été très fana de la Coupe du monde, et pas seulement à cause des pots-de-vin, de la corruption et de la politique du secret pratiquée par cet enfoiré de Sepp Blatter – sans parler de la main de Dieu, en 1986. Je ne peux m'empêcher de trouver que le petit bonhomme élu meilleur joueur du tournoi à l'issue de la Coupe du monde argentine était un tricheur, et le fait qu'il ait même pu figurer dans la liste des nommés en dit suffisamment long sur ce tournoi vitrine de la FIFA.

À mes yeux, la seule raison d'un tant soit peu apprécier le Mondial, c'est qu'il fournit à peu près la seule occasion, les États-Unis étant archinuls au foot, de voir le Ghana ou le Portugal démolir les Américains sur au moins un terrain. À part ça, le fait est là : je déteste tout ce qui a trait à la Coupe du monde.

Je déteste, à cause du niveau de jeu presque toujours merdique, des arbitres qui sont toujours en dessous de tout, et les hymnes, c'est encore pire ; je déteste à cause de leurs foutues mascottes (Fuleco le Tatou, la mascotte officielle de la Coupe du monde 2014, est un mot-valise façonné à partir de *futebol* et *ecologia* – non mais, je rêve !), de toute la brochette d'experts d'Argentine et du Paraguay et, mais oui, du Brésil, de toutes les rodomontades de l'Angleterre sur le mode « cette fois-ci, on peut aller au bout », et de tous les nullards qui, ne connaissant rien au football, ont subitement sur ce jeu un avis parfaitement débile, mais que vous êtes tenu d'écouter. Je déteste tout particulièrement les politicards, avec leur manie de grimper dans le bus officiel et d'agiter l'écharpe de l'équipe d'Angleterre en débitant leurs salades habituelles.

Surtout, comme la plupart des managers de Premier League, je déteste la Coupe du monde à cause de tous les désagréments purs et simples qu'elle engendre. Dès la fin du championnat, le 17 mai, et après moins de deux petites semaines de vacances, les joueurs retenus pour accomplir leur devoir sur la scène internationale ont rejoint leurs équipes respectives au Brésil. Le match d'ouverture de l'édition brésilienne étant programmé le 12 juin, la très lucrative compétition de la FIFA ne laisse guère de temps aux joueurs pour récupérer des tensions et des pressions d'une longue saison de Premier League, et leur offre en revanche quantité d'opportunités de récolter de graves blessures.

Ayrton Taylor, apparemment indisponible pour deux mois, paraissait assuré de manquer le premier match de London City de la nouvelle saison, contre Leicester, le 16 août. Pire encore, il allait sûrement louper le premier de nos matchs de barrage du groupe B contre l'Olympiakos, à Athènes, la semaine suivante. Avec notre autre buteur désormais exposé à d'intenses conjectures sur la véritable nature de sa sexualité, c'est exactement ce dont nous avions besoin.

C'est dans des périodes pareilles que j'aimerais avoir quelques Écossais et quelques Suédois de plus dans l'équipe, sachant bien sûr que ni l'Écosse ni la Suède ne sont qualifiées pour la Coupe du monde 2014.

Et je ne saurais dire au juste ce qui est pire : s'inquiéter de la « légère élongation des adducteurs » qui empêcha Bekim Develi de jouer avec la Russie leur match du groupe H contre la Corée du Sud, ou craindre que Fabio Capello, le manager des Russes, n'aligne Develi contre la Belgique avant qu'il ait pu se rétablir convenablement. Vous voyez ce que je veux dire ? On se fait du souci quand ils ne jouent pas, et on s'en fait quand ils jouent.

Comme si ce n'était pas assez pénible comme ça, j'ai un propriétaire de club aux poches aussi profondes qu'une mine d'or de Johannesburg qui est actuellement à Rio, où il cherche à « renforcer notre équipe », à acheter un joueur dont nous n'avons pas réellement besoin, et loin d'être aussi bon que le prétendent tous les experts du café du Commerce et autres commentateurs patentés. Tous les soirs, Viktor Sokolnikov m'appelle sur Skype et me demande mon avis sur un trou du cul de Bosniaque dont je n'ai jamais entendu parler, ou sur le dernier prodige africain que la BBC présente comme le nouveau Pelé – si la BBC le dit, c'est forcément vrai.

Le prodige s'appelle Prometheus Adenuga, et il joue dans l'équipe du Nigéria. Je viens de regarder un montage diffusé dans Match of the Day, la grande émission de foot de la BBC, qui montre les buts et les talents de ce garçon, avec Robbie Williams beuglant *Let Me Entertain You* en fond sonore, ce qui ne fait que tendre à prouver ce que j'ai toujours suspecté : la BBC ne pige tout simplement rien au foot. Le football, ce n'est pas du divertissement. Si vous voulez du divertissement, vous allez voir Liza Minnelli tourner de l'œil et éventuellement tomber de la scène, comme en 2007 à Stockholm. Le foot, c'est autre chose. Écoutez, si vous vous crevez le cul à gagner un match, vous n'en avez rien à foutre de divertir les foules. Le football, c'est trop sérieux pour ça. Cela n'a d'intérêt que si ça compte vraiment. Regardez un match amical de l'Angleterre, et dites-moi si je me trompe. D'ailleurs, maintenant que j'y pense, c'est pour ça que le sport américain n'a aucun intérêt, parce que les chaînes de télévision américaines saupoudrent le tout pour rendre les matchs plus attrayants. C'est des foutaises. Le sport n'est divertissant que si ça compte vraiment. Et, franchement, ça ne compte que si c'est du lourd.

Cela dit, le football tel qu'on le joue au Nigéria n'a rien de très honnête. Prometheus n'a que dix-huit ans, mais étant donné la réputation de tricherie de son pays sur l'état civil de ses joueurs, il pourrait avoir quelques années de plus. L'an dernier, et l'année précédente, il faisait partie de l'équipe nigériane vainqueur de la Coupe du monde des moins de dix-sept ans. Le Nigéria a remporté cette compétition quatre fois d'affilée, uniquement en alignant une flopée de joueurs qui ont bien plus de dix-sept ans. Selon de nombreux blogueurs des quelques sites les plus fréquentés du Nigéria, Prometheus a en réalité vingt-trois ans. Chez certains joueurs africains de Premier League, ces écarts d'âge sont encore plus importants. Selon ces mêmes sources, Aaron Abimbole, qui joue maintenant pour Newcastle United, a sept ans de plus que les vingt-huit mentionnés sur son passeport, alors que Ken Okri, qui jouait pour nous jusqu'à ce que Sunderland nous l'achète fin juillet, aurait même pu avoir la quarantaine. Tout cela explique certainement pourquoi certains de ces joueurs africains n'ont aucune longévité. Ou aucune endurance. Et pourquoi ils sont si souvent revendus. Au bout du compte, personne n'a envie de rester avec de tels poids morts sur les bras.

C'est justement l'une des raisons pour lesquelles je ne deviendrai jamais sélectionneur de l'équipe d'Angleterre. La Fédération anglaise n'a aucune envie d'un type – même d'un type comme moi, qui suis à moitié noir – qui finira par déclarer que le football africain est dirigé par une bande d'enflures, de menteurs et de tricheurs.

Pour l'heure, ce n'est pas l'âge véritable de Prometheus, joueur de l'AS Monaco, qui intéresse les journalistes en mal de copie occupés à gratter la terre du Brésil, c'est son animal de compagnie, une hyène qu'il gardait avec lui dans son appartement de Monte Carlo. Selon le *Daily Mail*, elle avait planté ses crocs dans la tuyauterie de la salle de bains, inondant tout l'immeuble et causant pour des dizaines de milliers d'euros de dégâts. Une hyène en guise d'animal de compagnie, voilà qui, par comparaison, fait paraître bien raisonnables la peinture camouflage de la Bentley Continental de Mario Balotelli et l'aquarium de treize mètres de haut dans la maison londonienne de Thierry Henry.

Je pense parfois qu'un nouvel Andrew Wainstein aurait toute sa place pour lancer un jeu intitulé Football Fantasy Folie, où les participants forment une équipe imaginaire composée de vrais joueurs, avec un barème de points basé sur le prix de leurs baraques et de leurs bagnoles, sur la fréquence de leurs apparitions dans les tabloïds, et des points de bonus attribués pour les épouses et les fiancées les plus extravagantes, les animaux de compagnie les plus fous, les mariages dignes de Cendrillon les plus somptueux, les prénoms de bébés les plus ridicules, les tatouages les plus mal orthographiés, les coiffures les plus loufoques et les séances de baise à la carte.

J'ai acheté le bouquin de sir Alex dès sa sortie, bien sûr, et les pages où il dit sa piètre opinion de David Beckham m'ont fait sourire. Fergie raconte qu'il a balancé sa fameuse chaussure à crampons à la tête de son numéro 7 après le refus de Beckham de retirer

un bonnet en laine qu'il portait sur le terrain d'entraînement du club, à Carrington, parce qu'il n'avait pas envie
de révéler sa nouvelle coupe de cheveux à la presse,
préférant garder le secret jusqu'au jour du match. Je
dois dire que je comprends très bien le point de vue de
sir Alex. Les joueurs devraient toujours s'efforcer de ne
pas oublier que tout dépend des supporters qui contri-
buent à leur payer leur salaire. Il faut qu'ils gardent un
peu plus souvent à l'esprit ce qu'est la vie de ces gens
massés dans les gradins. J'ai déjà suspendu des joueurs
de London City pour avoir débarqué sur notre terrain
d'entraînement de Hangman's Wood en hélicoptère,
et je m'attache toujours à réagir de la même manière
quand ils arrivent dans des voitures qui valent le prix
moyen d'une maison, lequel, à l'heure où j'écris ces
lignes, se monte à deux cent quarante-deux mille livres.
Cette restriction peut paraître bien timide, jusqu'à
ce que vous songiez que la Lamborghini Veneno, le
haut de gamme de la marque, coûte la somme astro-
nomique de deux millions quatre cent mille livres,
soit plus de trois millions d'euros. Pour des joueurs
qui gagnent quinze millions par an, c'est presque de la
menue monnaie. J'ai eu cette idée de fixer un plafond
au prix des voitures de nos joueurs la dernière fois que
j'ai inspecté notre parking et que j'y ai vu deux Aston
Martin One-77s et une Pagani Zonda Roadster, au prix
catalogue supérieur à un million pièce.

Entendons-nous bien, le football est une entreprise
et les footballeurs travaillent dans cette entreprise pour
gagner de l'argent et profiter de leur richesse. Je ne
vois aucun inconvénient à payer des joueurs trois
cent mille livres par semaine. La plupart d'entre eux

triment très dur pour les gagner, qui plus est, les gros salaires ne durent pas si longtemps, et seule une poignée d'entre eux gagnent de telles sommes. Je regrette juste de ne pas avoir été payé autant quand j'étais moi-même joueur. Si un club de football est une entreprise, il incombe aux membres de cette entreprise de soigner leurs relations publiques. Après tout, regardez ce qui est arrivé aux banquiers, qu'aujourd'hui tout le monde ou presque tourne en ridicule et présente comme des rapaces et des parasites. Tout est dans l'image, et je n'ai aucune envie de voir des supporters prendre les grillages d'assaut pour protester contre les inégalités de richesse qui existent entre les footballeurs professionnels et eux. À cet égard, j'ai invité un conférencier du Centre londonien pour l'éthique de la culture d'entreprise à venir parler à nos joueurs de ce qu'il appelle « la sagesse d'une consommation discrète ». Ce qui n'est jamais qu'une autre manière de leur déconseiller de s'acheter une Lamborghini Veneno. Si je fais tout ça, c'est parce que protéger les gars de mon équipe contre toute publicité indésirable devient de plus en plus important pour s'assurer qu'ils livrent le meilleur d'eux-mêmes sur le terrain, puisqu'en réalité je ne vise rien d'autre. J'aime mes joueurs comme s'ils faisaient partie de ma famille. Vraiment. C'est en tout cas dans cet esprit que je m'adresse à eux, même si le plus souvent je me contente d'écouter. C'est de cela que la majorité d'entre eux a besoin : un interlocuteur qui comprenne ce qu'ils essaient de dire, ce qui, je l'admets, n'est pas toujours facile. Bien sûr, modifier leur manière de gérer leur fortune et leur célébrité ne sera pas toujours facile non plus. Je crois qu'encourager tous ces jeunes hommes à agir de manière plus responsable est sans doute aussi compliqué que d'éradiquer leurs superstitions de joueurs. Il faut que ça change, et vite, sans quoi ce sport risque de se couper des gens ordinaires, si ce n'est déjà le cas.

Vous avez entendu parler de football total. Eh bien, ici, nous entrons peut-être dans l'ère du management total. Une bonne partie du temps, je dois cesser de parler football aux joueurs et aborder toutes sortes d'autres sujets. Cela se résume parfois à convaincre des types ordinaires de se conduire en types doués. Dans ce métier, j'ai appris à être psychologue, comédien, à être l'épaule sur laquelle on vient pleurer, un prêtre, un ami, un père et, quelquefois, un détective privé.

1

J'étais parti en vacances à Berlin avec ma fiancée, Louise Considine. Elle est fliquesse, inspecteur au sein de la Police métropolitaine, la police du Grand Londres, la « Met », mais nous ne lui en tiendrons pas rigueur. Surtout parce qu'elle est extrêmement jolie. Rien qu'à voir la photo de sa carte de police, on dirait qu'elle pose pour la publicité d'un nouveau parfum : *Met par Moschino, le pouvoir de vous arrêter*. Louise est d'une beauté très naturelle et possède un tel pouvoir de charmer qu'elle me rappelle toujours l'un de ces elfes royaux du *Seigneur des Anneaux*, Galadriel, ou Arwen. C'est en tout cas l'effet que cela m'inspire. J'ai toujours aimé Tolkien. Et Louise aussi, sans doute.

Nous avons beaucoup marché, beaucoup visité. Pendant la quasi-totalité du temps que nous avons passé là-bas, j'ai réussi à me tenir à l'écart de la télévision et de la Coupe du monde. Je préférais franchement contempler par la fenêtre de notre chambre d'hôtel la vue magnifique sur la porte de Brandebourg, qui compte parmi les plus belles de la ville, ou lire un livre. Je me suis quand même installé devant le petit écran pour voir le tirage au sort de la Champions League sur Al Jazeera. Ça, c'était pour le travail.

Comme d'habitude, ce tirage au sort avait lieu à midi au siège de l'UEFA à Nyon, en Suisse. Le président de notre club, Phil Hobday, était dans le public qui paraissait un peu perplexe et je l'entrevis brièvement, l'air de s'ennuyer ferme. Je ne lui enviais certainement pas cette mission bien particulière. Alors que le moment du tirage approchait, j'appelai Viktor sur Skype, dans son immense suite située au dernier étage du Copacabana Palace, à Rio. En attendant de voir notre petite boule surgir d'une des vasques en plastique et l'invité de l'UEFA la dévisser pour en lire le contenu – une procédure laborieuse et franchement risible –, Viktor et moi discutons de notre dernier transfert : Prometheus.

— Il allait signer avec Barcelone, je l'ai convaincu de venir plutôt chez nous, m'expliqua-t-il. Il est un peu tête de mule, mais avec un talent aussi prodigieux, cela n'a rien de surprenant.

— Espérons qu'il ne nous donnera pas trop de fil à retordre une fois à Londres.

— Oh, je ne doute pas qu'il aura besoin d'un bon officier de liaison pour le conseiller et le guider, qu'il sache ce qu'il fabrique et s'évite des ennuis. Son agent, Kojo Ironsi, a un certain nombre de suggestions à cet égard.

— Je crois préférable que ce soit le club qui nomme quelqu'un, et pas son agent. Il nous faut un interlocuteur qui soit responsable vis-à-vis de nos instances, et pas vis-à-vis du joueur. Sinon, nous ne serons jamais en mesure de le cadrer. J'ai déjà connu ce genre de situation. Les gamins qui sont de fortes têtes et qui croient tout savoir. Les agents de liaison qui se rangent dans le camp des joueurs mentent à leur place et couvrent toutes leurs incartades.

— Vous avez probablement raison, Scott. Ça pourrait être pire, vous savez… En réalité, ce garçon parle très bien l'anglais.

— Je sais, fis-je. J'ai lu ses tweets avant le match du Nigéria contre l'Argentine, dans le groupe F.

Je n'étais pas entièrement d'accord avec Viktor pour considérer que c'était une bonne chose. En réalité, il vaut parfois mieux pour l'équipe qu'un joueur fortement égocentrique ne se laisse pas facilement comprendre. Jusqu'à présent, j'avais résisté à la tentation d'évoquer le destin du Prométhée de la mythologie, puni par Zeus pour avoir volé le feu sacré de l'Olympe et l'avoir restitué aux humains, enchaîné à un rocher pour ce crime. Dévoré le jour par un aigle, son foie se régénérait la nuit, parce qu'évidemment Prométhée était immortel. Quel putain de châtiment !

— Écoutez, Viktor, puisque vous l'avez rencontré, il serait peut-être utile que vous réussissiez à le convaincre d'arrêter de tweeter au sujet de son immense talent. Cela lui évitera d'avoir la presse britannique sur le dos dès qu'il mettra un pied en Angleterre.

— Qu'a-t-il dit ?

— Un truc à propos de Lionel Messi. Il est allé raconter que sur le terrain, ce serait pareil entre eux que Nadal contre Federer, mais qu'il espérait bien avoir le dessus.

— Ce n'est pas si méchant, si ?

— Vik. Messi, ses galons, il les a mérités. Ce type est un phénomène. En Angleterre, si Prometheus veut survivre, il faut qu'il apprenne un peu l'humilité. (Je jetai un œil vers l'écran de télévision.) Attendez. Je crois que c'est notre tour.

London City avait tiré l'équipe grecque de l'Olympiakos, une rencontre qui se jouerait au Pirée, fin août, pour le match aller du barrage. J'annonçai la nouvelle à Viktor.

— Je ne sais pas, c'est bon, ça ? me demanda-t-il. Nous, contre les Grecs ?

— Oui, je pense, même si, évidemment, au Pirée, il fera très chaud.

— C'est une bonne équipe ?

— En réalité, je ne sais pas grand-chose sur eux, admis-je. Excepté que Fulham vient de racheter leur principal buteur pour douze millions.

— Ce qui nous avantage.

— Je suppose, oui. J'imagine que je vais devoir me rendre en Grèce d'ici peu, histoire de les observer. De monter un dossier.

Depuis le début de ma conversation avec Viktor, Louise avait gardé le silence, mais dès que notre entretien sur Skype fut terminé, elle me prévint :

— Ce voyage-là, mon chéri, je crois que tu le feras tout seul. J'y suis allée, à Athènes. Il y avait grève générale et la ville entière était en ébullition. Des émeutes dans les rues, des graffitis partout, les ordures qui n'étaient plus ramassées, une extrême droite agressive, des cocktails Molotov lancés sur des librairies.

Ce jour-là, je me suis juré de ne plus jamais y remettre les pieds.

— Je crois qu'à l'époque c'était pire que maintenant, fis-je. D'après ce que j'ai lu dans les journaux, depuis que le Parlement grec a voté sur la dette, cela semble aller un peu mieux.

— Mouais. Je ne suis pas convaincue. Souviens-toi que pour ça les Grecs ont un mot : *chaos*.

Après la fin du tirage au sort, Louise et moi sortîmes déjeuner avec Bastian Hoehling, un vieil ami qui entraîne la formation berlinoise du Hertha Berliner Sports Club. L'équipe du Hertha BSC ne connaît pas encore la réussite de clubs comme Dortmund ou le Bayern de Munich, mais ce n'est qu'une question de temps et d'argent, et les Berlinois n'en manquent pas. Le stade récemment rénové est l'ancien site des Jeux olympiques de 1936. Avec ses soixante-quinze mille places assises, c'est l'un des plus impressionnants d'Europe. Grâce à l'afflux constant de gens qui viennent s'installer dans la capitale, surtout des jeunes, le club, récemment monté en Bundesliga, jouit de finances solides. La Premier League anglaise est sans rivale, et l'Espagne possède certes les deux meilleurs clubs du monde, mais pour quiconque connaît un tant soit peu la planète football, l'avenir paraît décidément allemand.

Nous retrouvâmes Bastian et son épouse, Jutta, dans la « Sphère », le restaurant en forme de boule piqué au sommet de l'ancienne tour de la télévision est-allemande et, après avoir balayé la vue spectaculaire sur toute la ville, la campagne prussienne environnante, le temps superbe dont nous avions la chance de profiter et la Coupe du monde, la conversation en vint à la Ligue des champions et au tirage au sort qui nous avait donné l'Olympiakos pour adversaire.

— Tu sais, après la Coupe du monde, Hertha effectuera une tournée d'avant-saison en Grèce, m'apprit Bastian. Trois matchs, contre Panathinaïkós, Thessalonique et l'Olympiakos. Les propriétaires du club ont jugé que ce serait bénéfique pour les relations germano-grecques. Pendant une période, l'Allemagne a été très impopulaire là-bas. C'était comme s'ils nous en voulaient de leurs difficultés économiques. Avec un peu de chance, notre tournée sera un moyen de rappeler aux Grecs les bienfaits que leur a apportés l'Allemagne. D'où le nom de notre petite compétition dans la péninsule : la Coupe Schliemann. Heinrich Schliemann était un Allemand, le découvreur du fameux masque mortuaire en or d'Agamemnon, que tu peux admirer au musée national d'Archéologie, à Athènes. L'un de nos sponsors lance un nouveau produit en Grèce et cette tournée contribuera à mettre un peu d'huile dans les rouages. Je crois qu'ils appellent cela un *fakelaki*. À moins que ce ne soit un *miza*.

— Je ne pense pas qu'il puisse s'agir d'un *fakelaki*, remarqua Louise, qui parlait un peu le grec. Le *fakelaki*, c'est la petite enveloppe qu'on remet au médecin pour qu'il prenne bien soin d'un patient.

— Alors ça doit être un *miza*, une valise, rectifia Bastian. En tout cas, c'est un moyen pour l'Allemagne d'investir un peu d'argent dans le football grec. Les deux clubs du Panathinaïkós et de l'Aris Thessalonique sont la propriété des supporters, et c'est

aussi un système auquel les Allemands sont très attachés.

— Vous voulez dire, remarqua Louise, que dans le
football allemand il n'y a pas de personnages comme
Viktor Sokolnikov et Roman Abramovitch ?

Il sourit.

— Non. Et pas de cheikhs non plus. Nous avons des
clubs allemands qui appartiennent à des Allemands,
et gérés par des Allemands. Tu vois, tous les clubs
germaniques sont obligés d'être détenus à hauteur de
51 % au moins par leurs supporters. Ce qui permet
de maintenir des billets d'entrée à un prix raisonnable.

— Cela ne signifie-t-il pas aussi moins d'argent à
dépenser en nouveaux joueurs ?

— Le football allemand croit dans les écoles de
football, lui répondit-il. Au lieu de se payer le tout dernier golden boy, on préfère former les jeunes.

— Et c'est pour ça que vous êtes les meilleurs en
Coupe du monde…

— Je le crois. Nous préférons investir de l'argent
dans l'avenir, pas dans les agents des joueurs. Et, au
lieu de dépendre des caprices de je ne sais quel oligarque louche, tous les dirigeants de clubs doivent
rendre des comptes à leurs membres. (Il eut de nouveau un sourire.) Ce qui signifie que d'ici un an ou
deux, quand Scott ici présent aura été viré par son
patron actuel, il viendra entraîner un club allemand.

— Je n'ai pas à me plaindre, dis-je aussitôt.

Ce qui n'était pas tout à fait vrai, naturellement.
Je n'avais guère apprécié la manière dont avaient
été achetés Prometheus ou, en l'occurrence, Bekim

Develi, sans que je sois du tout consulté. Rien de tel ne se serait jamais produit dans un club de Bundesliga.

— Tu devrais venir avec nous, suivre ce match de l'Olympiakos, Scott. En invité du Hertha, cela te permettrait de te renseigner sur eux en vue de votre match de Ligue des champions. On serait ravi de t'emmener avec nous. Qui sait ? On pourrait même partager quelques réflexions.

— Ce n'est pas une mauvaise idée. Je vais peut-être faire ça. Dès que nous aurons terminé notre tournée d'avant-saison en Russie.

— En Russie ? Ouah !

— Nous avons plusieurs rencontres, avec le Lokomotiv de Moscou, le Zenit Saint-Pétersbourg et le Dynamo Saint-Pétersbourg. Cela va te paraître bizarre, mais je crois que je ne commencerai vraiment à respirer que lorsque tous nos joueurs seront rentrés de Rio sans encombre.

— Je sais exactement ce que tu ressens, Scott. Et c'est pareil pour moi. Il n'empêche, moi qui trouvais que nous prenions des risques en nous rendant en Grèce. Mais la Russie ? Nom de Dieu !

Je haussai les épaules.

— Qu'est-ce qui peut bien aller de travers, avec les Russes ?

— Tu veux dire à part tous leurs supporters racistes et cinglés ?

— Je veux dire à part tous leurs supporters racistes et cinglés.

— Regarde par cette fenêtre, Scott. Ce que tu vois, là, tout en bas, c'est l'ancienne RDA, la République démocratique allemande. Nous sommes à Berlin-Est,

Scott. Cette question que tu viens de poser…
« qu'est-ce qui peut bien aller de travers, avec les
Russes ? », nous nous la sommes posée tous les jours.
Et nous pouvions lui apporter chaque jour la même
réponse. Tout. Avec les Russes, tout est possible.

— Je pense que cela se passera bien. C'est Viktor
Sokolnikov qui a organisé cette tournée. S'il est incapable de s'assurer qu'une tournée d'avant-saison en
Russie se déroule sans soucis, alors je ne vois pas qui
en serait capable.

— J'espère que tu as raison. Mais la Russie n'est
pas une démocratie. Elle fait juste semblant. Le pays
est dirigé par un dictateur qui a été formé par une
dictature, et c'est une dictature qui l'a fait monter en
grade. Alors souviens-toi juste de ceci : dans une dictature, tout peut arriver et, en général, tout arrive.

Parfois, avec le recul, un bon conseil peut finir par
revêtir des accents prophétiques.

2

Pour nous, en Russie, d'entrée de jeu les choses se passèrent mal.

Premièrement, le vol pour Saint-Pétersbourg, à bord d'un avion spécialement affrété par l'Aeroflot, ne décolla de Londres qu'après trois heures d'attente sans éclairage, sans climatisation et sans eau. Peu après le décollage, l'appareil connut une grave avarie, et nous crûmes bien que nous ne « marcherions plus jamais seuls[1] ». C'était comme si nous étions montés dans une attraction de foire mais, à bord d'un Iliouchine IL96, cela devenait l'antichambre de l'enfer. Après une chute libre de plusieurs centaines de mètres, les pilotes finirent par reprendre le contrôle de leur pissotière volante *made in Russia*, et nous annoncèrent que nous nous déroutions vers Oslo « pour un ravitaillement en carburant ».

---

1. *You'll Never Walk Alone*, « Tu ne marcheras plus jamais seul », un air de comédie musicale, est l'hymne de plusieurs clubs de football, Liverpool notamment. *(Toutes les notes sont du traducteur.)*

Pendant toute la descente vers l'aéroport norvégien, l'appareil tremblait comme une vieille caravane et nous pensâmes tous aux Busby Babes, les joueurs de Manchester, et à la catastrophe aérienne de Munich, en 1958, où périrent vingt des quarante-quatre passagers de leur vol. C'est à cet épisode tragique que songent toutes les équipes chaque fois qu'un avion rencontre un problème lié au mauvais temps ou à des turbulences.

Ce qui conduit à se demander pourquoi l'Aeroflot est le sponsor officiel des déplacements en avion de Manchester United.

Tout ceci incita Denis Abaïev, le nutritionniste de l'équipe, à nous inviter à prier, ce qui n'était absolument pas de nature à nous rassurer et à nous convaincre que nous allions survivre, sauf peut-être pour les plus croyants d'entre nous. Titulaire de toute une panoplie de diplômes en sciences du sport, il conseillait, avant de rejoindre London City, l'équipe olympique britannique, tout en travaillant pour l'Institut anglais du sport. Mais il ignorait tout de la psychologie, et s'il a pu apporter du bien-être à un certain nombre de gens, Denis en a déjà terrorisé au moins autant. Après les vingt minutes les plus longues de mon existence, l'avion atterrit en toute sécurité au milieu des acclamations et d'une salve d'applaudissements, et mon cœur put se remettre à battre. Toutefois, à peine entrés dans le terminal de l'aéroport d'Oslo, je pris Abaïev à part et le sommai de ne plus jamais recommencer.

— Tu veux dire de prier pour tout le monde, patron ?

— C'est exact. Ou du moins, pas à voix haute. À part hurler *Allahou Akbar*, agiter le Coran ou sortir un canif, je ne vois rien qui soit plus susceptible de foutre la frousse aux passagers d'un avion que de prier de la sorte, Denis.

— Sérieusement, patron, s'ils n'étaient pas déjà morts de trouille, je n'aurais jamais eu cette idée. Je regrette, ça m'a semblé approprié.

Notre nutritionniste était un homme de haute taille, mince, le regard pénétrant, bientôt la trentaine, les cheveux assez longs et une barbe naissante, ou peut-être juste un reste de vaine tentative de se la faire pousser. Si vous laissiez couler quelques gouttes de lait sur ce début de pilosité, un chat aurait pu venir les lécher. Il avait le teint très mat, des yeux d'acajou et un nez assez long pour y amarrer un bateau. Si Zlatan Ibrahimović, le buteur du PSG, avait eu un petit frère prise de tête, il aurait sans doute eu l'allure de Denis Abaïev.

— Je comprends bien, Denis. Mais si tu dois prier, alors prie en silence. À mon avis, tu t'apercevras que les compagnies aériennes n'apprécient pas trop que les gens s'imaginent que Dieu puisse se charger de ce que le pilote sait généralement très bien gérer tout seul. En fait, je suis même convaincu qu'elles n'aiment pas ça du tout, et moi, c'est pareil. Tu ne t'amuses plus à des trucs religieux auprès de mes joueurs. Compris ? Sauf si on est menés d'un but au Camp Nou. Tu as saisi ?

— C'est la main de Dieu qui nous a sauvés, patron. Tu l'as bien vu.

— Foutaises.

Bekim Develi, qui était debout derrière nous, avait entendu les propos du nutritionniste.

— C'est la volonté d'Allah ! insista Denis.

— Quoi ? s'exclama Bekim. J'arrive pas à y croire. Quel putain de djihadiste. Quelle tête de nœud.

— Bekim, fis-je. Boucle-la.

Après avoir frôlé la mort, le Russe était encore chargé à bloc d'adrénaline – je le sais, je l'étais aussi. Il me poussa et planta son index dans l'épaule d'Abaïev.

— Écoute, mon ami, lui dit-il, d'abord, c'est tout autant la volonté de ton Allah qui nous a foutu la peur de notre vie. C'est ça l'ennui avec vous autres, ça vous va très bien que votre pote Allah s'attribue tout le mérite quand ça se termine bien, mais apparemment vous vous abstenez toujours de le critiquer quand ça se termine mal.

— S'il te plaît, pas de blasphème, fit Denis à voix basse. Et je ne suis pas djihadiste. Bon, je suis musulman, oui, et alors ?

— Je croyais que tu étais anglais, lui rétorqua Bekim. Denis. C'est quoi ça, comme prénom de tête de nœud ?

— Je suis anglais, répondit patiemment l'autre. Et mes parents viennent de la république d'Ingouchie.

— Merde, manquait plus que ça, siffla Bekim. C'est un *arabski*… un putain de LKN.

J'appris par la suite que l'acronyme LKN correspondait à l'une des formules les plus injurieuses qu'emploient les Russes pour désigner tout individu originaire de leurs républiques méridionales – et probablement musulmanes[1].

— La ferme, Bekim, lui ordonnai-je.

---

1. *Litso kavkazskoi natsional'nosti*, ou individu de nationalité caucasienne.

— Tu sais, être musulman ne fait pas de moi un terroriste, se défendit Abaïev.

— Ça, c'est une question de point de vue. Écoute, mon ami, moi, maintenant, je vais te dire. Je sais que tu es le nutritionniste de l'équipe. Ne t'avise pas de me refiler de la viande halal. J'aime tous les animaux. Je n'ai aucune envie de manger une bête qu'on aura égorgée au nom de Dieu. Rien à cirer. Je ne veux que de la viande d'animal tué avec humanité, d'accord ?

— Pourquoi je ferais ça ? Enfin, je suis pas un fanatique.

— Ça, c'est ce que tu nous racontes maintenant. Mais c'est des gens comme toi qui ont massacré tous ces gamins d'une école, à Beslan.

— C'étaient des Ossètes, protesta Denis.

— Rien à battre.

— Ça suffit, Bekim, dis-je. Si tu ajoutes encore un mot, bordel, je te renvoie à Londres.

— Tu crois que j'ai encore envie d'aller quelque part après ce vol à la con ? (Bekim plaqua sa grande main contre sa poitrine, et fit non de la tête.) Seigneur Jésus, il se peut que je ne remonte plus jamais dans un jet, patron. J'avais toujours pensé que Dennis Bergkamp était une chochotte parce qu'il refusait de prendre l'avion. Maintenant, je ne sais plus trop.

Je n'avais jamais beaucoup cru aux amendes infligées aux joueurs. Il faut s'y résoudre, parfois, bien que cela m'ait toujours paru à côté de la plaque, comme de priver un gamin d'argent de poche. Il vaut mieux partir du principe qu'ils tiennent à jouer et à tenir leur place dans l'équipe et, s'ils ne se conduisent pas bien, s'ils ne traitent pas les autres avec respect, c'est de cela qu'il faut les priver. En dernier ressort, exclure un type d'une séance d'entraînement ou d'un match, et le renvoyer chez lui se révèle généralement une forme de punition plus efficace. Soit cette option, soit la menace d'un coup de poing dans la figure.

J'empoignai fermement le Russe par les épaules et je le regardai droit dans les yeux. C'était un grand gabarit, avec une barbe rousse qui lui barrait tout le visage et un caractère à l'avenant, qui lui avait valu son surnom de Diable Rouge. Je l'avais vu flanquer un coup de boule à des joueurs pour moins que ça – sauf que moi, son coup de boule, j'étais tout à fait prêt à le lui rendre.

— Tu te calmes, tu veux ? fis-je. Tu as encore la tête à l'envers, et moi, c'est les tripes. Alors il faut que tu la boucles et que tu te calmes, Bekim. On a tous vécu une expérience carrément effrayante et pour l'instant aucun de nous n'a les idées claires. Mais tu sais quoi ? Je suis content qu'on ait traversé un truc pareil. C'est le genre d'emmerdes qui nous renforcent en tant qu'équipe. Je parle de toi, je parle de moi, et je parle de lui. Oui, Denis aussi. Tu m'as compris, Bekim ?

L'autre hocha la tête.

— Maintenant, je pense que tu dois des excuses à ce type.

De nouveau, le Russe hocha la tête et, l'air un peu ému, se rendant peut-être compte de ce qu'il avait failli perdre, serra la main d'Abaïev et l'attira contre lui. Ensuite, en le tenant toujours serré dans ses bras, ce grand gaillard fondit en larmes.

Assez satisfait de ce résultat, je les laissai entre eux.

3

Prometheus rejoignit l'équipe à Saint-Pétersbourg. C'était un garçon grand, musclé, avec un beau sourire, le crâne rasé, le nez aussi long et large qu'un bouclier de guerrier zoulou et davantage de diamants piqués dans les oreilles que la reine de Saba. Il s'habillait comme une star de gangsta rap et possédait apparemment plus de casquettes de base-ball que Babe Ruth[1] – un look pas si inhabituel chez les garçons de London City. Mais à l'inverse de certains de nos joueurs, après sa Coupe du monde, il ne trahissait aucun signe de fatigue. À l'entraînement, il travaillait dur, faisait exactement ce qu'on lui disait et se conduisait de manière irréprochable. Il s'arrêta même de tweeter. Et chaque fois qu'il m'appelait « monsieur », j'en oubliai presque mes réserves concernant son respect de la discipline. Qui plus est, après notre premier match, j'avais à me soucier d'autres questions plus pressantes.

---

1. Babe Ruth (1895-1948) est considéré comme le plus grand joueur de base-ball de tous les temps.

Le Dynamo Saint-Pétersbourg est une équipe relativement nouvelle, création de ses deux copropriétaires, Semion Mikhaïlov et Pouchkine Kompaniya, patrons d'un géant russe de l'énergie qui fait un peu de tout, de la fabrication d'énormes turbines à l'exportation de pétrole et de gaz et, très probablement, des montagnes d'argent liquide. Situé sur les berges de la Neva, proche du Lakhta Center encore en chantier, et qui sera le gratte-ciel le plus haut d'Europe, le stade Nyenskans peut accueillir cinquante mille spectateurs, ce qui en fait le plus grand de la ville, du moins tant que le tout nouveau stade des plus anciens rivaux du Dynamo, le Zenit, n'est pas terminé. Tout ceci donne l'impression d'une Saint-Pétersbourg moderne et sophistiquée. En réalité, les rues sont criblées de nids-de-poule, les gens ont l'air aussi lamentablement usés que leurs vêtements et, quelques palaces exceptés – trois ou quatre au maximum –, tous les hôtels sont infestés par la vermine.

Le noyau dur de hooligans qui agitent leurs drapeaux nazis font le salut hitlérien, lancent des bananes aux joueurs noirs et provoquent généralement toutes sortes de troubles chaque fois que c'est possible, partout où c'est possible, ne l'est pas moins, infesté. Bekim Develi ayant quitté le Dynamo Saint-Pétersbourg dans des circonstances difficiles six petits mois plus tôt, j'avais pris la décision de ne pas l'aligner ici lors de notre premier match, de peur que sa présence n'enflamme les supporters locaux. En plus, j'imaginais bien que ses adducteurs avaient encore besoin de quelques jours de repos. Pour autant, je n'avais aucune envie de laisser tous mes joueurs noirs au repos, c'eût été céder à l'intimidation, et c'est très exactement ce que visent ces sales racistes. C'était censé être un match amical. De ce fait, peut-être, il y eut moins de cris de singe que d'habitude et, à ma demande, nos joueurs noirs – ils sont plusieurs – refusèrent de réagir à la provocation. Incident prévisible, un hooligan lança une banane sur le terrain, mais Gary Ferguson la ramassa et la mangea, un acte courageux compte tenu de l'état de la plupart des fruits frais en Russie.

Les troubles, quand ils éclatèrent, eurent une origine inattendue.

Le Dynamo défendait bien et cette équipe possédait un joueur, un arrière central, André Cholokhov, dont je notai le nom pour l'avenir ; toutefois, la star du match fut notre ailier gauche arabe israélien de vingt-quatre ans, Soltani Boumediene, qui avait débuté sa carrière à Haïfa et qui, comme Denis Abaïev, était musulman, quoique relativement plus coulant et d'esprit plus laïc.

Le but qu'il marqua à la dernière minute, un coup franc brossé à la trajectoire plongeante remarquable, dans un angle quasi impossible, fut le seul du match. Je l'avais vu tenter ça à l'entraînement, mais rarement le réussir. C'est ce qui se produisit ensuite qui fut la cause de tous nos problèmes. Soltani courut droit vers la caméra de télévision et célébra l'événement en saluant des quatre doigts tendus, un geste qui, sur le moment, pour moi comme pour à peu près tout le monde dans le stade, glissa sans provoquer d'incident. Ce fut seulement à notre sortie du terrain, à la fin du temps réglementaire, que la situation s'envenima.

Nous étions dans le tunnel, le couloir souterrain qu'empruntait l'équipe pour rejoindre notre vestiaire, quand plusieurs membres de la police locale anti-émeute, l'OMON, arrêtèrent Soltani et l'embarquèrent sans ménagement dans un fourgon. Volodia, notre minuscule garde du corps russe, qui discuta avec l'un des policiers, fut informé que le salut de Soltani, les quatre doigts tendus face caméra, était ce qu'on appelait ici un « 4Rabia » – le symbole des partisans du président égyptien Mohamed Morsi, démis de ses fonctions, et des Frères musulmans, organisation interdite en Russie. Volodia nous expliqua aussi que la police avait ordre de ramener Soltani à l'Hôtel d'Angleterre, où nous étions descendus, pour qu'il ramasse ses affaires, avant de le conduire à l'aéroport international Pulkovo, d'où il serait immédiatement expulsé de Russie.

Viktor nous raccompagna à l'hôtel et passa les trente minutes suivantes au téléphone avec le colonel général de la police, au ministère des Affaires intérieures à Moscou, pendant que l'équipe patientait dans les salons. À ce que prétendait le colonel général, les Frères musulmans avaient par le passé approuvé les attentats tchétchènes en Russie, bien qu'il fût établi par la suite qu'aucune preuve tangible n'était venue étayer cette allégation. Mais on ne pouvait nier que le compte Twitter de Soltani affichait le tweet suivant : *Partage affection et fraternité islamique combattante avec amis et famille place Tahrir #R4BIA et #Anticoupd'état*. Tout cela signifiait que la tentative de discussion de Vik avec le colonel général était vaine et que la mesure d'expulsion serait appliquée.

Dès que nous apprîmes la nouvelle, les joueurs et le staff se retrouvèrent devant l'hôtel pour voir Soltani Boumediene menotté monter dans une voiture en direction de l'aéroport. Personne ne dit grand-chose, l'humeur était morose et plusieurs joueurs me confièrent qu'ils étaient tous d'avis de suivre leur camarade et de rentrer à Londres par le premier avion disponible. Vu ce qui se passa ensuite, cela eût peut-être mieux valu.

À ce stade, la presse s'était emparée de l'histoire et, coup de veine exceptionnel, BBC World, qui n'avait plus décroché le moindre scoop depuis vingt ans, s'en mêla. Sans qu'on sache trop comment, la chaîne réussit à convaincre Bekim Develi de lui accorder une interview sur ce qui s'était passé, et mon joueur se fit un devoir de fournir à l'heureux journaliste matière à un papier encore plus juteux qu'il n'aurait cru.

Bekim, le seul Russe de notre équipe, prenait très à cœur ce qui était arrivé à Soltani.

— En tant que citoyen russe, déclara-t-il, j'ai profondément honte de ce qui est arrivé ici, cet après-midi, au stade Nyenskans. Soltani Boumediene est un ami et n'a aucun lien avec les Frères musulmans. Il ne soutient pas le terrorisme. C'est l'un des joueurs les plus imprégnés de l'état d'esprit démocratique que j'aie jamais rencontrés. Sinon, comment aurait-il pu jouer aussi longtemps dans une équipe de football israélienne ? Les Israéliens n'ont jamais trouvé aucun motif d'expulser cet homme quand il jouait avec le club de Haïfa. Les autorités russes se croient mieux renseignées que les Israéliens. Bien sûr, c'est typique de la vie actuelle en Russie : personne n'a aucun droit et on peut arrêter les gens sans procès, sur un simple coup de téléphone. Et pourquoi est-ce devenu comme ça, ici ? À cause d'un homme qui se croit au-dessus des lois, qui fait ce qu'il veut, et qui n'a de comptes à rendre à personne. Tout le monde sait qui est cet homme. C'est Vladimir Poutine, le président de la Russie. Évidemment, ce n'est qu'un homme, mais pour ma part, j'en ai assez de voir ce Poutine se comporter comme le tsar, ou peut-être même comme Dieu lui-même.

Bekim annonça aussi qu'il adhérait à l'Autre Russie, une coalition d'opposants politiques à Poutine. Il suggéra même que le Dynamo Saint-Pétersbourg était affilié au FSB, la police secrète russe, tout comme le Dynamo Moscou avait servi jadis de façade au KGB soviétique.

— À Saint-Pétersbourg, il y a des gens qui agissent en secret, des membres du FSB, tous cul et chemise avec certains hommes d'affaires qui ont besoin de rendre leur argent sale aussi propre que possible, ce qui est même peut-être la raison qui a poussé ces gens à créer le Dynamo Saint-Pétersbourg. Comme un moyen de blanchir leurs gains mal acquis. Un argent qui a été détourné et volé au peuple russe.

Tous ces propos obligèrent Vik à passer plusieurs coups de téléphone supplémentaires, afin d'éviter à Bekim Develi de se faire coffrer à son tour.

4

À Moscou, étape suivante de notre tournée, les choses allèrent de mal en pis. Et cette fois, les racistes ou le président autocrate de la Russie n'y étaient pour rien.

À présent, presque tous ceux qui connaissaient un tant soit peu le football suspectaient fortement Christoph Bündchen, notre jeune buteur allemand, d'être gay. Et, ainsi que les préparatifs des Jeux olympiques de Sotchi l'avaient démontré, la Russie ne pouvait en aucun cas être qualifiée de pays tolérant envers l'homosexualité. Il n'était pas rare que des hommes russes se fassent rosser dans les rues de Moscou tout simplement parce qu'ils étaient soupçonnés d'un peu trop aimer les fleurs. Autrement dit, dès que Christoph toucha son premier ballon, dans le stade de l'Arena Khimki où le Dynamo de Moscou joue à l'heure actuelle ses matchs à domicile en attendant la construction du nouvel Arena VTB, la foule des supporters le siffla de manière suggestive, il y eut des bruits de baisers, et ils furent même plus d'un à exhiber leur derrière pâle et boutonneux.

C'était pénible, de la pure intimidation, et si Christoph s'efforça de les ignorer en marquant un but superbe qui fit paraître Anton Chounine, le gardien pourtant brillant du Dynamo, aussi agile qu'un pin Douglas planté dans sa cage, il ne fêta même pas son but, et je vis bien que ces manifestations de la foule commençaient à l'exaspérer. À la mi-temps, sur la suggestion de notre capitaine, Gary Ferguson, je procédai à son remplacement et demandai à Bekim Develi d'aller clouer le bec de la foule avec un autre but. Ce qu'il fit, à deux reprises, en dix minutes.

En temps normal, quand il marquait, sur notre terrain de Silvertown Dock, il adoptait une espèce de posture du lancier qui m'évoquait Achille ou Léonidas, roi de Sparte, dans le film *300*, ce péplum qui retrace la bataille des Thermopyles. Il lui arrivait même parfois de faire semblant de lancer un javelot invisible vers les supporters de l'équipe visiteuse. Ces derniers temps, il se bornait à leur faire la nique en se mordant le pouce, un geste provocateur qui me laissait perplexe.

— Est-ce une sorte d'insulte à la russe ? demandai-je à notre entraîneur adjoint, Simon Page.

— Quoi ?

— Bekim, qui leur fait la nique en se mordant le pouce. C'est la deuxième fois aujourd'hui qu'il a ce geste.

Natif du Yorkshire, aussi brut de décoffrage qu'un pneu de tracteur croûté de boue, Simon secoua la tête.

— J'en sais foutre rien, m'avoua-t-il. On a tellement de joueurs étrangers dans notre équipe que parfois, pour piger ce qui se passe, bordel, entre toutes

47

ces quenelles, ces foutus R4rabia et ces cornes de cocu, il faudrait être Desmond Morris. Et leur faire un doigt d'honneur, par-dessus le marché ? De mon temps, quand un salopard te chargeait en douce, tu te contentais d'un bras d'honneur, et la plupart des arbitres avaient assez de jugeote pour regarder ailleurs. Aujourd'hui, ils ne loupent rien. Cette foutue télé voit tout. Pour ça, la BBC, c'est les pires. Ils ne ratent pas une occasion de jouer les fouille-merde du politiquement correct, ils adorent.

— Professeur Laurie Taylor, je vous remercie, dis-je. Je n'aurais jamais pu me passer de cette explication.

— Quand Bekim marque, il ne se mord pas le pouce, releva Ayrton Taylor, qui se remettait encore de sa fracture du métatarse et de la grande déception de la Coupe du monde de l'Angleterre. Il suce son pouce. Comme Jack Wilshere.

N'ayant jamais vu Jack Wilshere, le milieu de terrain d'Arsenal, marquer tant de buts que cela – et certainement pas en équipe d'Angleterre –, je restai toujours aussi perplexe.

— Et pourquoi ça, bordel ? s'écria Simon.

— À cause de son bébé qui vient de naître. C'est sa façon à lui de dédier le but à son fils.

— Bordel de Dieu, marmonna Simon. Un tatouage pourrait suffire, non ? Je crois que je préférais encore son numéro de lanceur de javelot. Je trouvais ça plus convenable, pour un homme. Se sucer le pouce de cette façon, t'as l'air d'un con.

— Je crois que je préférais le lanceur de javelot, moi aussi, dis-je.

— Il a laissé tomber le javelot parce que Prometheus lui a signalé qu'il n'appréciait pas, précisa Ayrton. Il lui a dit qu'il trouvait ça insultant envers les Africains.

— Il a dit quoi ?

Simon avait l'air atterré.

— Prometheus lui a demandé d'arrêter son numéro de lanceur de javelot. Enfin, faut être juste, il lui a demandé très poliment.

— Qu'il aille se faire foutre, éructa Simon. Qui c'est, ce gars-là ? Un petit novice qui doit encore prouver qu'il est capable de tenir le choc dans le foot anglais. Bekim, lui, c'est du solide.

En réalité, les tensions les plus graves n'éclatèrent pas sur le terrain, mais dans les vestiaires, après le match. Et les supporters du Dynamo n'y furent pour rien, les fautifs étant nos propres joueurs.

— Ces russkofs qui nous envoient des baisers et nous montrent leur cul, s'exclama Prometheus. Ils nous prennent pour des tantouzes ou quoi ?

— Laisse tomber, mon gars, lui conseilla Gary. Ils cherchaient juste à t'asticoter. À te foutre en rogne.

— Moi, j'aurais dit que ça changeait agréablement des bananes, ironisa Jimmy Ribbans.

— Et moi je n'en suis pas si sûr, répliqua Prometheus. Si les gens veulent me traiter de sale bâtard de Noir, pas de souci. Comme tout le monde peut le voir, je suis noir. Et il se trouve qu'en plus je suis un bâtard. En tout cas, d'après ma mère. Qui plus est, j'aime bien les bananes. Ce que j'aime pas, mec, c'est les folles. Dans mon pays, tu traites quelqu'un de folle, ça suffit pour te faire trucider. C'est parce qu'on est une équipe anglaise qu'ils nous prennent pour des pédés ?

— C'est sans doute quelque chose de ce genre, lui rétorqua Gary.

— Et toi, ça te gêne pas ?

— Et alors, si c'est ce qu'ils s'imaginent, qui en a quoi que ce soit à foutre ? lança Bekim.

— Moi, j'en ai à foutre. J'en ai carrément rien à foutre. Au Nigéria, il y a une nouvelle loi qui dit que si t'es marié avec un homme, tu peux te taper quatorze années de prison.

— Ma femme est mariée avec un homme, persifla Ayrton Taylor. Enfin, aux dernières nouvelles, c'était encore le cas.

— Je veux parler d'un homme marié à un autre homme, insista Prometheus. Des folles, quoi. D'après la charia, les gays qui baisent entre gays doivent être fouettés en pleine rue.

— Et tu es d'accord avec ça, toi ? s'étonna Bekim.

— Bien sûr. Dans mon pays, c'est à peu près le seul sujet sur lequel les musulmans et les chrétiens réussissent à se mettre d'accord. Il se trouve que, chez les Africains, il y a très peu d'homos et d'enculeurs. Franchement, ça semble être uniquement un problème des pays de Blancs.

— Je préférerais que tu t'abstiennes d'employer des termes pareils, fit Gary. Vis ta vie et laisse vivre les autres, c'est ce que je répète tout le temps. Alors si tu la bouclais, mon petit rayon de soleil, et allais te doucher ?

— Je dis juste qu'apparemment c'est seulement dans les grandes villes qu'on a ce problème avec les folles. En Afrique, ce n'est pas franchement un souci.

Durant cet échange, personne ne regardait Christoph Bündchen, qui faisait de son mieux pour ignorer cette conversation, mais il était clair que Bekim ressentait le vif malaise du jeune Allemand avec tout autant d'acuité que lui. Le Russe lança un coup d'œil inquiet à Christoph, avant de revenir sur Prometheus.

— D'où tu tiens ces idées à la con, toi ? lui jeta-t-il. J'ai jamais entendu autant de conneries d'un coup. Pas de gays, en Afrique ? Bien sûr qu'il y en a, en Afrique, des gays.

— Mettez-la en veilleuse, dis-je. C'est valable pour vous tous. Je ne veux plus entendre de discussions concernant les gays dans ce vestiaire. Vous m'entendez ?

— J'aurais cru que le vestiaire était justement l'endroit où il fallait discuter de cette question, rétorqua Prometheus. Je n'ai pas envie de partager des toilettes avec un homo qui pourrait venir me tripoter ou me refiler le sida.

— Boucle ta grande gueule, Prometheus, lui ordonnai-je. Et si je te revois frimer comme ça pendant un match, je te sors du terrain et je te colle une semaine de salaire d'amende.

Vers la fin du match, il s'était amusé à jongler quelques longues secondes, se payant visiblement la tête du défenseur avant de faire une passe à Bekim, qui avait marqué. Au vu du résultat final, la faute de comportement n'était pas si énorme, mais je cherchais absolument à changer de sujet.

— Toi, mon gars, je crois que t'es à la masse, jeta Bekim à Prometheus. Tu viens peut-être d'intégrer une équipe de football anglaise, mais c'est clair qu'il te reste encore à intégrer la civilisation.

— C'est valable pour toi aussi, Bekim, lui répliquai-je. Mets-la en sourdine.

— Et moi je pense que si tu prends la défense des folles tordues, c'est peut-être que t'en es une aussi, lâcha Prometheus à Bekim. Et en plus t'es raciste. Moi, pas civilisé ? Va te faire foutre, le Soviet.

Bekim se leva.

— Qu'est-ce que t'as dit ?

— Ça suffit, m'écriai-je.

Prometheus se leva à son tour et lui fit face.

— Tu m'as entendu, pauvre pédale.

— *Ya tobi sit po gor loi*, fulmina Bekim, s'exprimant en russe.

Quand il était en colère, il se mettait toujours à parler russe. Il n'était pas surnommé le Diable Rouge pour rien.

— *Ti menya zayebal. Dazhe ney du mai, chto mozhesh, me-njya khui nye stavit.* Te figure pas une seconde que tu vas pouvoir te foutre de ma gueule comme ça, espèce d'animal.

— Hé, vous deux, petits cons, vous voulez vous conduire correctement ? hurla Simon.

À présent, je m'étais interposé, face à Bekim, je l'avais saisi par les poignets, et Gary Ferguson bloquait Prometheus, ce qui n'empêcherait pas deux types aussi solidement bâtis de se foutre sur la gueule. C'est parfois ce qui arrive, dans les vestiaires. Il y a trop d'énergie, trop de testostérone, trop d'exaspération, trop de coups de gueule, trop de postures. Cela ne peut pas s'expliquer, si ce n'est que quelquefois ça tourne au vinaigre. Il y a une minute, ils se lançaient des insultes, et maintenant, ils cherchent à se boxer la figure. Je faisais de mon mieux pour tenir Bekim par les poignets, mais il était trop fort pour moi, il y eut un craquement sonore, l'avant-bras du Russe venait de toucher le Nigérian à la tempe, et Prometheus s'effondra comme un portemanteau trop chargé. Il se releva presque aussitôt, empoigna la barbe rousse du Russe et voulut lui flanquer un coup. Il manqua sa cible et son poing frappa Jimmy Ribbans, qui s'écarta en titubant, la bouche dégoulinante de sang, avant de se retourner et de décocher un violent direct au visage de Prometheus.

Je dois admettre qu'au fond de moi j'espérais que tout ceci mettrait un peu de plomb dans la tête du Nigérian. Cependant, il fallait aussi le reconnaître, pour que Prometheus cesse d'être homophobe, il semblait peu probable que le boxer suffise.

— Tu m'as frappé, bordel ? beugla-t-il à Bekim alors qu'on le maîtrisait une seconde fois. Bordel, tu m'as frappé ?

— Tu n'as eu que ce que tu méritais, et depuis longtemps, mon pote, fit Bekim.

— Je vais te jeter un sort, pédale. Tu vas voir, je vais me gêner. Je connais un sorcier, il va te torcher ton cul de tantouze, bien comme il faut. Je vais te faire trucider. Je vais te cramer ta bagnole, bordel. J'irai violer ta femme et je la forcerai à me sucer la queue.

— Va te faire mettre, *chyernozhopii*. Allez vous faire foutre, toi et la guenon qui t'a mis au monde.

Ce second échange d'insultes déclencha une deuxième volée de coups de poing et de coups de pied.

— Du calme, hurlai-je, alors que le reste de l'équipe et du personnel d'encadrement séparait les combattants. Le prochain qui joue des poings est suspendu. Le prochain qui en insulte un autre est suspendu. Je suis sérieux. Je vous suspends tous les deux, sans solde, et ensuite je vous colle une semaine de salaire d'amende. Et après vous avoir collé la saison entière sur le banc de touche, quand l'envie me prendra de régler votre cas, je vous virerai tous les deux, bordel. Je veillerai à ce que tous les clubs d'Europe sachent quelle paire de crétins vous faites, si bien que personne ne voudra plus vous racheter. Je ferai en sorte que vous ne bossiez plus jamais dans le foot. Est-ce clair ?

— Et si ça ne suffit pas, moi, je vous réduirai tous les deux en bouillie, ajouta Simon. Et là, ce sera autre chose que les disputes de femmelettes qu'on vient de voir ici.

Rares étaient ceux qui doutaient qu'il en fût aussi capable. La menace de ce grand gaillard du Yorkshire n'était nullement du bluff. Quand il retirait ses lunettes et sa prothèse dentaire supérieure, c'était l'un des personnages les plus effrayants du métier.

— Rien que pour vous remettre la tête à l'endroit, vous mériteriez d'être virés. J'ai jamais rien entendu de pareil. Et vous prétendez être des équipiers ? J'ai vu des matchs de l'Old Firm[1] plus cordiaux que ce qui vient de se passer ici. Quelle paire d'abrutis !

---

1. L'Old Firm désigne les deux clubs rivaux de Glasgow, le Celtic FC et le Rangers FC, dont les derbys, depuis 1909, ont été émaillés de bagarres légendaires entre supporters.

5

En dépit de mon expérience terrifiante à bord d'un quadriréacteur de l'Aeroflot, je déteste plus encore voler en hélicoptère qu'en Iliouchine, même s'il s'agissait du luxueux Sikorsky-92 de Viktor Sokolnikov qui, un mardi matin du mois d'août, peu après le retour de l'équipe de Russie, quitta l'héliport de Londres Battersea en direction de Paris. Il y avait à bord Sokolnikov, Phil Hobday, président de London City, et moi.

Chaque fois que je vole en hélico, je ne songe pas une seconde au temps que nous gagnons, mais à Matthew Harding, le millionnaire vice-président du Chelsea FC, qui trouva tragiquement la mort en hélicoptère, en 1996, après un match à l'extérieur contre les Bolton Wanderers. Prétendre que les hélicoptères sont moins aérodynamiques que les avions, ce sont des sornettes, les pales de ces engins continueront de tourner, même en cas de panne moteur – c'est du moins ce que m'a soutenu Vik –, il n'en reste pas moins que ces aéronefs exécutent davantage de manœuvres dangereuses que les avions, notamment décoller et atterrir dans des zones très urbanisées, et en plus dans des régions du monde subissant de fortes intempéries. D'après moi, mourir en hélicoptère serait déjà assez pénible comme ça. Trouver la mort dans un endroit comme Bolton, ce serait vraiment l'horreur.

Nous volions vers Paris pour aller déjeuner avec le Ghanéen Kojo Ironsi qui, en plus d'être l'agent et l'entraîneur de Prometheus Adenuga, était le propriétaire de la fameuse King Shark Football Academy, ou KSA, à Accra, au Ghana. Vik détenait déjà une participation dans King Shark, toutefois, Ironsi, que la rumeur disait à court de liquidités, cherchait à lui en céder une plus grosse part, et j'étais du déplacement pour aider le milliardaire propriétaire de London City à justement estimer ce que pouvait valoir cette école. C'était du moins ce que je croyais. J'avais reçu des rapports sur les joueurs, de la part d'un coach indépendant basé en Afrique, que j'étais censé invoquer si Sokolnikov décidait que Kojo se révélait trop gourmand.

Tous les joueurs qui avaient transité par la King Shark Academy – y compris Prometheus et plusieurs autres pointures – étaient liés par contrat avec la KSA. En d'autres termes, le club qui se portait acquéreur et eux-mêmes reversaient à l'école un pourcentage de leurs indemnités de transfert et de leur salaire. Le Ghanéen se prétendait philanthrope, œuvrant au profit de jeunes Africains talentueux qui, sans cela, auraient le plus grand mal à se créer des opportunités de jouer pour les meilleurs clubs ; or, vu de l'extérieur, on avait plutôt l'impression que ces joueurs étaient pour ainsi dire asservis à KSA et à Kojo pour le reste de leur vie professionnelle.

— À partir de quel montant serait-ce trop cher payé ? demandai-je à Vik quelque part au-dessus de la Manche.

— Quelle que soit la somme qu'il réclame, ce sera toujours trop, remarqua Phil Hobday. Ça, c'est une donnée de base. Ce serait comme de vouloir acheter un tapis à un serpent marocain.

— Quand même, il y a de bons joueurs, sur cette liste, nuança Vik. Vous ne seriez pas d'accord, Scott ?

— Certainement. Parmi les meilleurs Africains évoluant en ce moment en Europe, plusieurs sont passés par KSA. C'est du moins ce qu'affirme Kojo.

— D'après mes avocats, tous ces contrats sont en béton, dit Viktor. Et on ne peut contester tous les droits juteux que les principaux clubs continuent de verser sur les comptes de KSA dans des banques suisses. Je possède déjà une part de 25 % dans la structure. Je subodore qu'il souhaite me voir augmenter ma participation, jusqu'à 49 %. Ce pour quoi je pourrais être disposé à lui payer dix millions d'euros. Bien sûr, il va me réclamer le double. Peut-être davantage.

— Alors je ne saisis pas pourquoi vous avez besoin de ma présence, fis-je.

— Je n'ai aucune envie en me réveillant un matin de me retrouver accusé de détenir une participation dans une société qui ferait du trafic d'enfants. Vous pourriez l'interroger à ce sujet.

— Je n'aurais aucune difficulté à le questionner là-dessus. J'ai moi-même pas mal de doutes à ce propos.

— À supposer que je sois satisfait et que je me décide, que j'aie envie d'en acquérir une part plus importante, j'aurai besoin de vous pour m'aider à faire entendre raison à Kojo, du point de vue de quelqu'un qui connaît les joueurs et leur valeur réelle sur le marché. Et un joueur en particulier : notre jeune ami

Prometheus. Nous devrions nous servir des problèmes permanents de discipline de ce garçon comme d'un bâton pour taper sur Kojo. Vu ?

— Je crois voir. Vous souhaitez que j'explique à ce type qu'à ce jour Prometheus s'est révélé décevant.

— Ce qui est vrai, renchérit Phil. Franchement, c'est un sacré casse-couilles. Je n'ose même pas calculer le temps que j'ai consacré à m'occuper de sa foutue bagnole.

Dès son arrivée à Londres ou presque, Prometheus avait dépensé quatre cent mille livres dans une Mercedes MacLaren SLR, mais il subsistait un menu problème, que la police du Grand Londres avait vite relevé : en réalité, le Nigérian n'avait pas de permis de conduire. À Monaco, il ne roulait que d'un bout de la principauté à l'autre, soit même pas deux kilomètres, en dépassant rarement le cinquante à l'heure – franchement, là-bas, il n'est pas possible de rouler beaucoup plus vite –, ce n'était pas un problème. À Londres, les choses étaient différentes. Prometheus risquait déjà une suspension du permis qu'il ne possédait pas encore, et la confiscation de sa voiture, ce qui eût constitué un record, tous clubs de football londoniens confondus.

— Il n'empêche, c'est un bon joueur, souligna Sokolnikov. Je suis certain que Scott est capable d'en tirer le meilleur parti.

— J'aimerais partager vos certitudes, Vik.

— Comment ça se passe entre Bekim et lui ? s'enquit-il.

— Pas beaucoup mieux que pendant notre séjour en Russie. À l'entraînement, Prometheus l'a bouclée. Il n'empêche, il a retweeté à plusieurs reprises les déclarations d'un évêque catholique nigérian qui a publiquement félicité le président du pays, Goodluck Jonathan, d'avoir promulgué une loi contre l'homosexualité. Ce qui n'arrange pas le climat.

— Tant que Bekim ne suit pas ce que Prometheus fabrique sur Twitter, je ne vois pas où est le problème, estima Vik. On ne peut se sentir insulté par ce que tweete un autre que si on le suit sur Twitter, non ?

— Le problème, Vik, intervint Phil, c'est que tout ce que Prometheus retweete est repris par les tabloïds. Que Bekim lit comme tout le monde. Sans parler de Christoph Bündchen. Et bien sûr, ils n'ont pas oublié ce qui est arrivé au jeune Allemand au Brésil. Les journaux tentent de monter le moindre incident en épingle, comme toujours.

Après un silence, Phil reprit :

— Est-il gay, ce garçon ?

C'était à moi qu'il posait la question, mais ce fut Viktor qui répondit.

— Bien sûr qu'il est gay, s'écria-t-il. Non seulement il est gay, mais il vit avec un homme, en plus !

— Pour être juste, dis-je, Harry Koenig n'est qu'un colocataire. C'est un joueur allemand de l'équipe réserve des Queens Park Rangers, un club de deuxième division, et l'agent de liaison s'est organisé pour que Christoph vive avec lui, afin de lui éviter de se sentir seul.

— Peut-être bien. En réalité, Harry est gay lui aussi.

— Comment le savez-vous ? m'étonnai-je

— Parce que je les ai fait pirater par un drone.

— Pirater par un drone ? Qu'est-ce que ça signifie ?

— Je possède une entreprise de drones militaires, me précisa Sokolnikov d'un ton détaché. Le plus petit est à peu près de la taille d'un pigeon. Il suffit qu'un drone suive la personne un peu partout, se pose sur son rebord de fenêtre, enregistre tout ce que vous voulez. L'appareil peut se recharger en se posant sur les lignes téléphoniques. J'ai fait pirater tous nos joueurs par des drones. Je ne débourse pas les sommes que je leur verse sans chercher à savoir le maximum sur eux. Détendez-vous, Scott, ce n'est pas illégal.

Viktor n'éprouvait visiblement aucun remords.

— Eh bien, si ça ne l'est pas, il me semble que cela devrait l'être.

Je me demandai si j'avais été moi aussi piraté par un de ces drones. Cela faisait paraître les écoutes téléphoniques très démodées.

— Je les ai aussi tous soumis à une évaluation psychiatrique. Saviez-vous que trois de nos joueurs sont des psychopathes ?

— Lesquels ? demandai-je.

— Ce serait de la divulgation. N'ayez pas l'air si choqués, messieurs. Des psychopathes, cela peut être utile, en particulier dans le sport. Il ne faut pas en conclure qu'ils vont tuer quelqu'un. (Il eut un petit gloussement.) Du moins, pas tout de suite.

Je me demandais s'il se référait inconsciemment au pilote de notre hélicoptère, qui décrivait un cercle autour de notre site d'atterrissage d'une exiguïté invraisemblable, comme une abeille étudiant les charmes d'une fleur d'un jaune inhabituel, marquée d'un grand stigmate en forme de H. Je fermai les yeux et j'attendis que nous nous posions.

— Haut les cœurs, Scott, s'écria Vik. Il se pourrait que cela n'arrive jamais.

— J'espère sincèrement que non.

6

Une flottille de Range Rover noirs attendait sur l'héliport pour nous conduire dans le centre de Paris. Vingt minutes plus tard, nous remontions les Champs-Élysées à vive allure. Tout paraissait très différent, depuis ma dernière visite, en mai 2013, quand, invité par David Beckham, je m'étais rendu dans la capitale pour voir le PSG l'emporter sur Lyon, ce qui assurait au club parisien son premier titre de champion de France depuis 1994. Le lendemain, la fête tournant au vinaigre, une émeute avait éclaté et je m'étais dépêché de regagner l'hôtel George V pour échapper à la brûlure des gaz lacrymogènes. Des boutiques avaient été pillées, des voitures incendiées et des passants menacés de violences, trente personnes avaient été blessées, parmi lesquelles trois officiers de police. Tous ceux qui estiment que les supporters anglais ne savent pas se conduire auraient dû être là pour voir ça. En matière d'émeute, les Français n'ont rien à apprendre de nous, et c'est probablement pour cela qu'il y a toujours tant de présence policière dans les rues de Paris. La capitale française compte plus de flics que l'Allemagne nazie.

Le restaurant, c'était Taillevent, rue Lamennais. Une salle austère, assez froide, lambrissée de chêne clair, aux murs peints en beige clair, où l'on servait une clientèle qui ne songerait pas une seconde dépenser moins de cent cinquante euros pour un déjeuner. Le personnel accueillit Viktor Sokolnikov comme s'il venait de descendre d'un éléphant en or massif, un diamant piqué sur le front. Kojo Ironsi était déjà là, tout comme l'autre invité de Vik, un gérant de fonds spéculatif américain du nom de Cooper Lybrand.

Kojo me plut davantage que je ne m'y serais attendu. Cooper Lybrand ne me plut pas du tout. Kojo parla de ses garçons et de ses clients. Cooper ne parla que des chimpanzés et autres guignols dont il avait tiré avantage dans une affaire après l'autre. Ils visaient tous deux la même chose : l'argent de Sokolnikov.

Ironsi était élégamment vêtu et s'exprimait poliment, et il avait une réputation bien méritée de veiller sur les clients de KSA. Ancien gardien de but de l'Inter de Milan et footballeur africain de l'année, le rire facile et des mains de la taille de deux pelles, il n'était pas compliqué de voir pourquoi les joueurs avaient confiance en lui. On disait qu'il ne reculerait devant rien pour certains de ses clients les plus réputés, au motif que s'ils ne pouvaient jouer, ils ne pourraient payer. La rumeur voulait qu'il ait un jour porté le chapeau à la place d'un très fameux buteur de la Premier League anglaise qui avait failli se faire pincer en possession de cocaïne.

Il ne tarda pas à aborder le sujet de la querelle qui s'envenimait entre Bekim Develi et son client, Prometheus.

— Pourquoi ne réglez-vous pas cette histoire entre ces deux-là ? demanda-t-il à Vik. Parlez à votre ami Bekim. Ils devraient se serrer la main et se réconcilier, ne pensez-vous pas ? Pour le bien de l'équipe.

— C'est certain qu'ils devraient. Je laisse ce genre d'intervention à Scott, ici présent. Après tout, le manager, c'est lui.

— J'aurais cru que la solution du problème était évidente, fit Kojo. Je veux dire, trouver le moyen de les convaincre de se serrer la main.

— Je suis heureux que vous soyez de cet avis, dis-je. Pour l'heure, ils n'ont qu'une envie, se serrer le cou et secouer très fort. J'accueille volontiers toute suggestion de votre part sur la meilleure façon de rétablir des relations diplomatiques entre eux.

— Facile. Vendez Bündchen. Payez-vous un autre buteur.

Je souris et fis non de la tête.

— Je ne crois pas, monsieur Ironsi. Christoph est un jeune footballeur très talentueux. L'un de nos meilleurs joueurs. Promis à un avenir extrêmement brillant.

Kojo était un grand gaillard au crâne dégarni, au sourire décidément facile. Il haussa les épaules.

— Bon, alors vous, pouvez-vous parler à Bekim Develi ? Le raisonner, pour que le bon sens finisse par l'emporter ?

— Je raisonnerai Bekim si vous raisonnez Prometheus. Pour être franc avec vous, ce n'est pas commode. Qui plus est, l'attitude de ce garçon envers les gays va le rendre très impopulaire auprès des médias, si ce n'est pas déjà le cas. Je pense que le mieux serait encore qu'il fasse une sorte de déclaration exprimant ses regrets pour toute offense qu'il aurait pu causer à la communauté des lesbiennes, gays, bisexuels et transgenres.

— Je suis d'accord, acquiesça Kojo. Je vais l'appeler dès cet après-midi, avant de m'envoler vers la Russie. Voir ce que je peux faire.

— Je suis très heureux de vous l'entendre dire. S'il accepte d'agir en ce sens, je suis certain de réussir à amener ces deux-là à se serrer la main.

— Je suis content que ce soit réglé, fit Kojo.

Je n'étais pas certain que ça le soit, mais j'avais envie d'accorder aux talents d'intercesseur d'Ironsi le bénéfice du doute.

— Vous allez en Russie ? lui demanda Vik.

— Oui. Il est possible que quelqu'un là-bas veuille prendre une participation dans King Shark, si vous refusez.

Si le Ghanéen s'imaginait que c'était là un moyen d'aiguiser l'intérêt de Viktor, ce dernier n'en laissa rien paraître.

— Si vous établissez un partenariat avec les Russes, vous avez intérêt à être prudent, se contenta-t-il de commenter. Il y a parmi ces rouges quelques clients assez coriaces.

— Et qui n'ont pas particulièrement le sens de l'éthique, hein ?

— C'est exact.

— Merci pour le tuyau. J'apprécie tout à fait.

— Puisque vous avez évoqué l'éthique, reprit Vik, Scott formule quelques réserves relatives au statut même des écoles de football africaines. N'est-ce pas, Scott ?

Je haussai les épaules.

— Je dois dire que oui, franchement. Je pense que nous savons l'un et l'autre qu'il existe sur le continent africain de nombreuses écoles qui n'ont aucune autorisation d'exercer.

— Rien qu'à Accra, on dénombre au moins cinq cents structures de ce genre, dit Kojo, pour la plupart gérées par des hommes sans scrupules qui ne possèdent aucune expérience du jeu. Elles exigent presque toutes des versements de la part des parents qui sortent leurs enfants de l'école pour leur permettre de se consacrer au football à plein temps. L'idée étant que compter un footballeur professionnel au sein de la famille… au moins un qui joue en Europe… c'est pour ces familles comme gagner à la loterie. Certains vendent même leur maison pour acquitter ces frais. Ou payer le voyage de leur garçon jusqu'en Europe pour une période d'essai dans un grand club. Des pratiques qui ne transpirent jamais, bien entendu. Oui, ce qui arrive est très triste.

— Je ne dis pas que votre école fait partie de ces établissements sans licence, nuançai-je prudemment. Cependant, je m'interroge sur le fait que les joueurs de KSA restent liés à vous par contrat, à vie.

Ironsi secoua la tête.

— Il vous suffira de quelques vérifications et vous constaterez que King Shark Academy est l'une des meilleures écoles d'Afrique. La Confédération du football africain a qualifié la KSA de modèle pour toutes les écoles de la discipline. Nous ne réclamons pas de frais, nous offrons une instruction digne de ce nom, en plus du football, c'est pourquoi nous enregistrons presque un million de candidatures par an, venues du continent entier, pour tout juste vingt-cinq places au grand maximum. Nous pouvons donc nous permettre de n'accepter que les garçons les plus prometteurs. Comme nous ne percevons pas de frais de scolarité, il semble équitable d'attendre un certain retour sur notre investissement. Et pour être honnête, je ne pense pas que vous entendrez aujourd'hui dans le métier quiconque est un pur produit de KSA se plaindre. Ni ceux des trois ou quatre écoles similaires, d'ailleurs. En fait, Manchester United vient de prendre une participation majoritaire dans Fortune FC, un des établissements concurrents du nôtre en Afrique du Sud. Des clubs néerlandais comme l'Ajax et Feyenoord cherchent à faire de même en Afrique de l'Ouest. La question est en fait de savoir si London City peut se permettre de ne pas posséder la moitié de King Shark. Vous connaissez mon prix, Vik, et vous savez l'opportunité que cela représente. L'avenir du football professionnel se situe en Afrique. Ces garçons ont soif de succès. Plus soif que quiconque en Europe. Presque par définition, dirais-je.

Vik opina.

— Merci de votre franchise, Kojo. Je vais réfléchir à ce que vous venez de me dire, soyez-en sûr. Écoutez, j'ai une idée. Nous avons un match de Ligue des champions contre l'Olympiakos, au Pirée, le 19 août. Pourquoi ne venez-vous pas en Grèce, votre épouse et vous ? Vous êtes mes invités. Vous pourriez séjourner à bord du *Lady Ruslana*, dans le port du Pirée. Je vous ferai part de ma décision à ce moment-là.

— Merci, j'en serais ravi, répondit Kojo.

— C'est valable pour vous aussi, Cooper.

— Merci, Vik, fit le gestionnaire de fonds. J'apprécierais, moi aussi. Je n'ai jamais assisté à un match de *soccer*, comme on dit chez nous.

Kojo, Phil et moi laissâmes Vik discuter avec Cooper Lybrand d'un investissement dans son fonds spéculatif, une possibilité qu'étudiait la compagnie de l'Ukrainien. Comme beaucoup d'interlocuteurs que fréquentait Vik, Lybrand était le genre d'homme que j'aurais été heureux de ne plus revoir, surtout après l'avoir entendu prononcer ce mot redoutable : « *soccer* ». J'adore l'Amérique. J'adore même les Américains. Pourtant, chaque fois qu'ils appellent le football ainsi, *soccer*, j'ai envie de les tuer. Et Cooper Lybrand ne faisait pas exception à la règle.

7

J'avais beaucoup trop mangé et j'étais content de prendre l'air.

C'était un après-midi radieux et chaud et Phil et moi flânions sur les Champs-Élysées où il entra dans la boutique Louis Vuitton acheter un sac pour son épouse, à moins que ce ne soit pour sa petite amie. Avec Phil, on ne savait jamais trop : il était aussi lisse que la pochette Hermès qui débordait de sa poche-poitrine.

— Kojo est un complet escroc, évidemment, remarqua-t-il. Mais il a tout à fait raison. Nous ne pouvons nous permettre de ne pas prendre une participation majoritaire dans son école.

— Je croyais qu'il ne voulait vendre que pour faire de Viktor son associé à part égale.

— Possible, mais en affaires, ce n'est pas la méthode de Vik. Il préfère que les choses lui appartiennent.

— Cela ne m'a pas échappé.

— Il aime garder le contrôle.

Je ne relevai pas. Je commençais à mesurer le degré de contrôle que Vik voulait détenir sur toute chose.

— Kojo a aussi raison concernant Christoph, reprit Phil. J'ai bien peur que nous ne soyons obligés de le vendre avant la fin août, Scott. C'est le moyen le plus rapide de régler cette querelle stupide entre Bekim et Prometheus.

— Le vendre ? Tu plaisantes, n'est-ce pas ? Ce garçon est une future star.

— Nous le savons l'un et l'autre, la seule raison pour laquelle Bekim se montre si insistant dans cette affaire, c'est parce qu'il sait que Christoph est gay. Ce qui est parfaitement compréhensible. C'est se comporter en bon camarade... défendre un jeune joueur de la sorte. C'est même admirable. Mais ce n'est tout bonnement pas pragmatique. Nous devons veiller à tout prix à ce que ces deux-là s'entendent.

— Pourquoi ne pas vendre Prometheus ? C'est lui qui a provoqué tout ce désordre. C'est lui qui a un problème de comportement. Écoute-moi bien, si ce n'est pas sur ce sujet, ce sera à propos d'autre chose. Tu disais toi-même qu'il était casse-couilles. Toute cette histoire avec sa voiture. Et ce n'est que le début. Venant de lui, on doit s'attendre à d'autres écarts de ce genre. Par comparaison, Mario Balotelli a l'air d'un chouchou du prof des Petits Chanteurs de Vienne. Vik n'aurait jamais dû acheter ce Prometheus Adenuga.

— Pour ma part, je serais très heureux de ne plus le revoir. En revanche, nous ne pouvons pas le vendre, Scott. Vik ne voudrait rien entendre. Et si peu de temps après l'avoir acheté, les gens flaireraient un lézard. En plus, si nous en obtenions la moitié de ce qu'il vaut, nous aurions de la chance. Christoph, c'est une autre histoire. Après certains buts qu'il a marqués pour nous et en équipe d'Allemagne, nous aurions de fortes chances de le vendre avec un bénéfice considérable. N'oublie pas que, pour l'acheter, nous avons versé au Augsburg FC tout juste quatre millions l'été dernier. Si nous réussissions à conclure cette vente avant que son homosexualité soit connue, nous pourrions en obtenir vingt millions. Peut-être davantage. Vu le climat dans le vestiaire, je pense que tu n'aurais pas trop de mal à persuader ce garçon de déposer sa demande de transfert. Ce serait bon pour lui, et une bonne affaire pour nous. En réalité, tout cela pourrait se dénouer tout à fait bien, franchement. Cela nous procurerait une occasion idéale de nous conformer aux lignes directrices du fair-play financier de l'UEFA.

— J'aurais présumé que les experts-comptables de Vik auraient trouvé un moyen de contourner ces règles. Après tout, c'est ce qu'ont fait les comptables de tous les autres clubs jusqu'à présent.

— En attendant de maximiser les recettes commerciales avec des contrats de sponsoring, m'expliqua Phil, nous allons devoir réaliser un bénéfice de dix millions de livres au cours des deux prochaines années, rien que pour obéir aux lignes directrices de l'UEFA. Ou, pour le formuler autrement, ces mêmes lignes directrices vont nous permettre d'afficher trente-sept millions de livres de pertes sur les trois prochaines saisons.

— Nous n'avons pas vraiment besoin d'un nouveau buteur, pas avec Ayrton et Christoph dans l'équipe. En l'occurrence, il aurait été plus judicieux de ne pas faire l'acquisition d'Adenuga.

— Tu as le droit d'être de cet avis. D'après les clauses de l'accord entre Vik et Kojo, Prometheus était gratuit.

— Quelles clauses ? Je ne comprends pas. Soit nous l'avons acheté, soit nous ne l'avons pas acheté.

— Disons que nous l'avons acheté sans l'acheter. À titre officiel, oui, à titre officieux, non. Il est chez nous dans le cadre de ce que tu pourrais appeler un dépôt-vente. Il nous a été prêté.

— Cela ressemble étrangement aux TPO, le genre d'accord de tierce propriété interdit en Premier League depuis 2008[1].

— Interdit, oui. Applicable, non. Les TPO sont en fait très courants en Europe continentale et en Amérique du Sud. Et comme ils sont fréquents, il est très facile de faire appel à un bon comptable, même s'il est anglais, pour les contourner. Sur le papier, Prometheus nous a coûté vingt-deux millions de livres, sur lesquels, en temps normal, Kojo Ironsi aurait touché une commission de onze millions. Or, il devait déjà dix millions à Vik, donc sa commission réelle a été réduite à tout juste un million de livres. Et comme le solde de la commission de transfert est en réalité lié à la performance du joueur, tout ce que Vik doit verser, c'est une somme de cent mille livres par semaine à Prometheus, sur lesquels Ironsi prélève 50 %. En fait, nous payons ce garçon encore moins que ça, parce que dans tous les cas de figure, un quart de la part de Kojo revient à Vik. (Phil eut un geste désabusé.) Donc, tu vois, Prometheus ne nous coûte presque rien. En réalité, c'est un peu plus compliqué que cela, mais en

---

1. En tierce propriété (TPO, *third-party ownership*) : un club cède une partie de ses droits économiques sur un joueur à un ou plusieurs fonds privés.

résumé, c'est ainsi que ça marche. La véritable raison pour laquelle Vik a acheté Adenuga, c'est qu'à ce prix-là c'était donné.

— Alors c'est pour cela que nous avons doublé Barcelone en obtenant qu'il signe.

— Précisément.

Très mal à l'aise, je ravalai ma salive. La tentation de dire à Vik et Phil d'aller se faire foutre était forte, et se renforçait de jour en jour. J'avais encore dans l'oreille les propos de Bastian Hoehling, à Berlin : « D'ici un an ou deux, quand Scott ici présent aura été viré par son patron actuel, il viendra entraîner un club allemand. » Je commençais à croire que cela ne prendrait pas si longtemps.

— Que se passe-t-il ? me demanda-t-il. Tu as l'air écœuré.

— Le beau jeu, comme on dit, grognai-je avec amertume. Seigneur, quelle rigolade ! J'ai parfois l'impression que le seul truc qui va droit dans le foot, ce sont ces lignes à la con sur la pelouse. Tout me paraît aussi tordu que dans le cricket pakistanais.

— Le football est un business comme n'importe quel autre, Scott, en particulier à l'extérieur du terrain. Et, dans les salles de conseil d'administration, le jeu n'a rien de beau. (Il secoua la tête.) C'est un jeu, mais un jeu à somme nulle, avec des acheteurs et des vendeurs, de l'offre et de la demande, et des profits et des pertes.

— Évite juste de raconter ça aux supporters, dis-je. Parce que moi, oui, je peux à la rigueur te pardonner d'être un aussi bel enfoiré. Mais eux, sûrement pas.

8

— Peter, fit Bekim. Pierre, quoi. En souvenir de Pierre le Grand. Enfant, le tsar était roux, lui aussi.

— Et ce sera encore un petit diable rouge, c'est certain, dis-je. Tout comme son papa.

J'avais l'œil rivé à une photo sur l'écran de l'iPhone, celle d'un tout petit bébé aux cheveux roux.

— Oui, Pierre, c'est ravissant, m'empressai-je d'ajouter, de peur que le Russe ne prenne ombrage de ce que je l'aie qualifié de petit diable. Tu dois être très fier, Bekim.

— Très fier, confirma-t-il. Être père, c'est être béni, je trouve. Un jour, peut-être, Scott, tu auras des enfants, toi aussi. Je l'espère. J'aimerais que tu puisses ressentir ce que je ressens en ce moment.

J'acquiesçai.

— Un jour, peut-être. Pour l'heure, j'ai déjà amplement de quoi m'occuper rien qu'en veillant sur mes joueurs. Je ne vois pas vraiment où je trouverais le temps d'assumer le rôle de père.

— C'est vrai, admit-il. Tu es un peu comme notre père. Sauf que tu n'es pas si vieux.

— Je suis très content de te l'entendre dire, fis-je.

— Parfois, on se conduit comme des gosses. Cette histoire idiote entre Prometheus et moi. Tu dois nous prendre pour des idiots.

— Je ne te prends pas pour un idiot, Bekim. Permets-moi de te formuler la chose clairement. Je ne te tiens pas du tout pour responsable de ce qui s'est passé.

Le Russe hocha la tête.

— Et maintenant ce jeune Allemand qui s'en va, reprit-il. Je n'arrive pas à y croire. C'est tellement dommage. Parce que d'après moi, Christoph est l'un des joueurs les plus talentueux de ce club.

— D'accord avec toi, dis-je. J'étais tout à fait opposé à ce qu'on le vende. Et j'ai prévenu Sokolnikov et Hobday que pour réaliser cette vente, il faudrait me passer sur le corps. Là, c'est Christoph qui a demandé son transfert.

— Tu ne peux pas le convaincre de changer d'avis ?

— Crois-moi, j'ai essayé. Sa décision est prise.

— Tu sais pourquoi il veut s'en aller, bien sûr.

— Oui.

— À cause de ce crétin antihomo, cet enfoiré de Prometheus.

— Oui. Je sais.

— Mon agent m'a demandé de faire la paix avec lui. De lui serrer la main.

— Je sais. Tu vas accepter ?

— Je suppose, oui. Si Christoph est déterminé à quitter le club, alors je ne vois plus aucune raison de refuser. Pour le bien du groupe, tu comprends. Et pas parce que j'apprécie ce type. Je ne l'aime pas du tout. Ou plutôt, je n'aime pas ce qu'il a au fond du cœur.

D'ailleurs, je crois ce sentiment réciproque, pas toi ? Il me hait, lui aussi.

Je ne relevai pas. Il semblait peu judicieux de discuter d'une inimitié que j'espérais maintenant surmontée.

— Prometheus a tweeté qu'il regrettait d'avoir offensé la communauté gay, dis-je. Ce qui, dans l'affaire qui nous occupe, est tout de même utile, tu ne trouves pas ?

— Ce que je regrette, moi, c'est que cela ne puisse pas convaincre Christoph de changer d'avis.

— Non, en effet, ça n'en prend pas le chemin. Quoi qu'il en soit, jusqu'à présent, ce ne sont pas les offres de rachat pour ce garçon qui manquent. Barcelone en a proposé trente millions de livres.

— Alors il devrait accepter. Le Barça est un super club. Et Gerardo Martino est un super entraîneur. Bien qu'il soit encore difficile d'être un *maricón* dans certaines régions d'Espagne.

Nous étions dans mon appartement de Chelsea. Bekim n'habitait pas très loin, à St. Leonard's Terrace, un magnifique bâtiment du XIXe siècle classé monument historique d'une valeur de sept millions de livres, qui se dressait au fond d'une allée privée accessible en voiture et jouissant d'une vue magnifique sur les pelouses ondoyantes de Burton's Court. À l'intérieur, des meubles rouges étaient assortis à des murs rouges, comme on aurait pu s'y attendre de la part d'un personnage que l'on avait surnommé le Diable Rouge. Même les fleurs dans les vases étaient rouges.

— Tu es venu discuter de Christoph, Bekim ? Ou y avait-il autre chose ?

— Il y a autre chose, oui. J'ai entendu dire que tu partais en Grèce. Pour aller observer l'Olympiakos, au Pirée.

— Oui. Le Hertha Berlin joue un match amical d'avant-saison contre eux. Ils m'ont invité à les accompagner pour les voir jouer. Je vais aussi surveiller leur gardien numéro 2, Willie Nixon. Maintenant que Didier Cassell est hors jeu, il va nous falloir acheter un gardien remplaçant, et sans tarder. Si jamais Kenny Traynor était blessé, on serait foutus.

Didier Cassell avait été le gardien titulaire de London City jusqu'à ce qu'un accident le contraigne à arrêter sa carrière. Il s'était cogné la tête contre le poteau de sa cage lors d'un match contre Tottenham, en janvier dernier. Après s'être partiellement rétabli, il n'était que récemment sorti de l'hôpital.

— Tu sais que j'ai une baraque en Grèce, continua Bekim. Sur l'île de Paros. En fait, ce n'est pas très loin du coin d'où je suis originaire, en Turquie. Avant qu'on aille s'installer en Russie.

Je secouai la tête.

— J'ignorais ça.

— Je l'ai achetée quand je jouais à l'Olympiakos. C'est à trente petites minutes d'avion d'Athènes. Très paisible. Quand je suis là-bas, les gens du coin me laissent tranquille… En fait, je crois qu'ils ne savent pas du tout qui je suis… tu ne peux pas t'imaginer comme c'est merveilleux. J'y vais plusieurs fois par an. D'ailleurs, il faut que tu descendes à l'Hôtel Grande-Bretagne. C'est le meilleur d'Athènes. Et tant que tu es là-bas… oui, c'est la raison qui m'a amené à venir te voir aujourd'hui… il faut que tu rencontres une jeune femme que je connais, et que tu l'emmènes dîner. Elle s'appelle Valentina et c'est la plus belle femme de tout Athènes, bien qu'elle soit d'origine russe. Je vais t'envoyer un SMS avec son numéro et son e-mail. Sérieux, Scott. Tu ne seras pas déçu. À côté d'elle, n'importe quelle autre femme paraît vraiment très ordinaire, et elle est d'une compagnie très agréable. Tu devrais l'emmener chez Spondi, le meilleur restau de la capitale. Je sais qu'elle aime bien cet endroit.

Je connaissais la réputation d'homme à femmes de Bekim. Avant de rencontrer son actuelle fiancée, Alex, la mère de son enfant, il avait fréquenté toute une série de filles très glamour, notamment le top model de chez Storm, Tomyris, et la chanteuse Hattie Shepsut. Dans une interview au magazine *GQ*, il avait admis avoir couché avec un millier de femmes, ce qui, si c'était vrai, signifiait qu'il fondait son opinion de son amie Valentina sur un échantillon statistique très représentatif, de quoi le prendre très au sérieux.

Develi ressortit son iPhone.

— Attends, me dit-il. J'ai une photo d'elle dans mon téléphone.

D'un mouvement du doigt, il fit défiler plusieurs photographies, avant de trouver celle qu'il cherchait.

— Là. Qu'est-ce que t'en penses ?

— Je vais voir un match de foot, pas tester les putains locales.

— C'est pas une putain. Crois-moi, si tu ne l'emmènes pas au moins dîner, tu ne te le pardonneras pas. Si je ne pensais pas que tu trouverais sa compagnie des plus charmantes, je ne te la recommanderais pas. Elle est très sophistiquée, très instruite. Et elle s'y connaît en art. Chaque fois que je la vois, j'apprends un truc nouveau.

— Si elle est si sophistiquée, comment se fait-il qu'elle connaisse un abruti dans ton genre ?

— Qu'est-ce ça peut faire ? Regarde-la, mec. Elle est super-bien balancée. Un visage capable de déclencher la guerre de Troie, hein ? fit Bekim en souriant à belles dents. Les journalistes parlent toujours du « secret le mieux gardé » de tel ou tel pays. Il m'arrive parfois de lire cette formule dans les journaux. Eh bien, elle, c'est le secret le mieux gardé d'Attique.

— D'Attique ?

— C'est la très ancienne région qui englobe Athènes.

— Je vois. Alors, quand je serai en Attique, il faut que je demande Hélène de Troie, c'est ça ?

Bekim sourit de nouveau.

— C'est exact. Tu ne dirais pas non, hein ?

— Non, je ne crois pas.

— La vie, ce n'est pas que le football, Scott. Même pour toi. Tu ne dois pas oublier ça.

—. Tu as raison. Je l'oublie, parfois. Avec deux matchs par semaine… trois si nous passons le tour préliminaire de la Ligue des champions… il ne me reste pas beaucoup de temps pour vivre.

— Dans le jeu qui est le nôtre, c'est facile d'oublier tout le reste.

— Oui. C'est facile.

— Je vais la prévenir que tu arrives, tu veux ? Et que tu descendras au Grande-Bretagne, place Syntagma. Le bar et le restaurant sur le toit ont la plus belle vue d'Athènes. Tu l'emmèneras là-haut, avant de l'inviter chez Spondi, et tu mettras la note sur mon compte.

— Ah oui, tiens, pourquoi pas ?

J'acceptai, rien que pour lui faire plaisir, comme si j'avais affaire à un enfant, et puis j'oubliai toute cette histoire.

— Fais gaffe, Scott, ajouta-t-il, et là, je ne te parle pas de la très jolie Valentina. En Attique, il y a deux équipes, et elles se livrent une rivalité farouche. L'Olympiakos et le Panathinaïkós, et elles se haïssent. Ce sont d'éternelles ennemies, comme disent les Grecs. Parfois, quand elles jouent l'une contre l'autre, le match ne se termine pas, tant la foule des supporters est violente. Quand tu iras voir jouer l'Olympiakos, tiens-toi à distance de la porte 7, d'accord ? Là-bas, ce sont les supporters les plus durs. Ultra-violents. Comme ceux des Glasgow Rangers et du Celtic. En pire. (Il sourit.) Tu fais la moue. Je vois bien que tu ne me crois pas. Oui, je sais que tu es moitié écossais et tu t'imagines qu'il ne peut rien y avoir de pire que l'Old Firm. Mais n'oublie pas qu'en Grèce la moitié des hommes de moins de trente ans sont chômeurs. Et là où il y a un tel chômage de masse, tu as toujours des hooligans super durs. Pareil que dans l'Allemagne de Weimar. Pareil qu'en Amérique du Sud. Il y a aussi des matchs arrangés, parce qu'il y a toute une mafia du foot. En Grèce, Scott, être un sportif honnête, c'est compliqué. Et si tu es interviewé par un journal, souviens-toi de la boucler. Parce que ceux qui causent de ce genre de choses, ils dégustent. Fais attention, c'est tout. Je t'en prie, Scott, sois prudent.

Une réelle inquiétude perçait dans sa voix et, après son départ, je me demandai si ce n'était pas en réalité la véritable raison de sa visite. Cela lui aurait assez correspondu. À bien des égards, c'était un homme très secret, comme je le découvris plus tard.

9

Je m'envolai pour Athènes, la veille du match du Hertha contre l'Olympiakos, dans la soirée. Il était plus d'une heure du matin lorsque le taxi me déposa devant l'Hôtel Grande-Bretagne, qui se révélait à tous égards aussi impressionnant que dans la description de Bekim. L'immense hall dallé de marbre était spacieux, élégant et, surtout, il y faisait merveilleusement frais. Dehors, sur la place Syntagma, il faisait encore dans les vingt-cinq degrés. À l'intérieur de l'hôtel, les gens étaient bien habillés, d'allure prospère, et on pouvait aisément oublier que la Grèce affichait un taux de chômage de 26 % et une dette égale à 175 % de sa richesse. Ou que la place Syntagma avait vu certaines des émeutes les plus violentes qu'ait connues l'Europe, au moment où le Parlement hellène votait des mesures d'austérité qui, espérait-on, satisferaient la Banque centrale européenne, et en particulier les Allemands, lesquels apportaient l'essentiel des capitaux nécessaires au renflouement du pays. Pourtant, alors que je me dirigeais vers le comptoir de la réception, tout cela semblait très lointain.

La réceptionniste de service m'enregistra puis me tendit une enveloppe qui avait été déposée dans ma case courrier. À l'intérieur, il y avait un message rédigé à la main sur un papier à lettres parfumé :

Bekim m'a dit à quelle heure vous arriviez à Athènes et comme j'étais à deux pas de votre hôtel j'ai eu envie de passer vous dire bonjour. Je suis au bar Alexander, derrière la réception. Je vous attendrai jusqu'à 2 h 15. Valentina (0 h 55).
P.-S. Si vous êtes trop fatigué de votre voyage, je comprendrai tout à fait, mais s'il vous plaît, faites-moi retourner ce mot par le chasseur.

Je montai dans ma chambre avec le bagagiste, en réfléchissant à ce que j'allais décider ensuite. Je n'étais pas particulièrement fatigué : à Athènes, il est deux heures plus tôt qu'à Londres et, ayant dédaigné d'avaler le repas sous plastique servi à bord, j'avais maintenant envie d'un plat plus substantiel qu'une poignée de cacahuètes du minibar. Les Grecs ont tendance à dîner très tard le soir, et j'étais certain de pouvoir encore trouver un endroit où l'on me servirait, en revanche, j'étais moins sûr d'avoir envie de m'attabler seul. À coup sûr, une compagne de table séduisante remplacerait agréablement mon iPad. Je me brossai donc les dents, changeai de chemise et descendis la retrouver au rez-de-chaussée.

Malgré ce que m'avait raconté Bekim, je pensais encore aller à la rencontre d'une prostituée. Et d'une, il fallait tenir compte de la réputation priapique de ce garçon, et de deux, il ne fallait pas oublier la nationalité de la dame. Je ne sais pourquoi tant de femmes russes deviennent des prostituées, mais le fait est là. À mon avis, elles s'imaginent que c'est le seul moyen de sortir de Russie. Après notre tournée d'avant-saison, je n'avais aucune envie non plus de remettre les pieds dans ce pays. La compagnie des prostituées ne m'a jamais gêné – après un séjour en taule pour un crime que vous n'avez pas commis, vous apprenez à ne plus juger personne –, je m'élève juste contre l'idée de coucher avec elles. Cela ne me rend pas meilleur que Bekim ou qu'aucun des types qui, dans le football, succombent à toutes les tentations qu'un salaire hebdomadaire de cent mille livres rend si accessibles. J'étais juste plus âgé, peut-être un peu plus sage et, à dire vrai, un peu moins affamé de chattes que je l'avais longtemps été. On vieillit, et le sommeil compte davantage que ce qu'on appelle, d'un terme bien risible, la libido.

Le bar Alexander paraissait tout droit sorti d'un vieux film hollywoodien. Le comptoir en marbre mesurait à peu près dix mètres de long, avec des tabourets dignes de ce nom, dans le style beuverie de week-end solitaire, et plus de bouteilles que dans un entrepôt des douanes. Derrière le comptoir trônait une tapisserie d'un homme monté sur un char : Alexandre le Grand, supposai-je. Des membres de sa suite portaient à hauteur de son char une urne grecque qui ressemblait beaucoup au trophée de la Coupe d'Angleterre, ce qui expliquait probablement pourquoi tout le monde avait l'air si content.

Repérer Valentina ne fut pas compliqué : elle était la seule dans un fauteuil gris qui ait des jambes longues jusqu'aux aisselles, vêtue d'une minirobe en tweed et chaussée d'escarpins Louboutin à hauts talons. Les Louboutin sont toujours faciles à identifier ; je compris que la minirobe était un modèle Balmain à trois mille livres uniquement parce que j'aimais acheter en ligne et ce mois-ci était l'un des rares où je n'avais rien acheté à Louise sur Net-à-Porter. Les cheveux blonds retenus par un chignon flou donnaient à Valentina une allure royale. Si c'était une prostituée, elle n'était pas du genre à vous accorder une réduction en cas de règlement en espèces.

Dès qu'elle me vit, elle se leva, me lança un sourire aussi éblouissant qu'un phare au xénon, prit ma main dans la sienne et la serra. Elle avait une poigne étonnamment ferme. Je jetai un regard autour de moi, au cas où quelqu'un d'autre aurait été aussi prompt à me reconnaître que Valentina. On ne saurait se montrer trop prudent, de nos jours : avec un téléphone portable, n'importe qui se change en Big Brother.

— Je vous ai reconnu grâce à la photo que m'a envoyée Bekim, me confia-t-elle.

Je résistai à la tentation immédiate de lui débiter un compliment un peu niais. Généralement, quand on rencontre une vraie belle femme, tout ce qu'on peut espérer c'est essayer de garder sa langue dans sa bouche. Je me souvenais de Bekim me montrant sa photo d'elle sur son iPhone. J'avais un peu de mal à relier une vision aussi passe-partout et ordinaire qu'une photo dans un téléphone à la déesse incarnée que j'avais devant moi. Toutes mes envies de dîner s'étaient évanouies. Je crois que je n'aurais même pas été capable de prononcer le mot « appétit ».

Nous prîmes place et elle fit signe au barman d'approcher ; il vint immédiatement, comme s'il la surveillait, lui aussi. Même Alexandre le Grand avait du mal à détacher d'elle ses yeux de tapisserie. Je commandai un cognac, ce qui était stupide parce que c'est un alcool qui ne me réussit guère, mais bon, c'était ce qu'elle buvait et, en cet instant bien particulier, il semblait impératif de s'accorder sur tout, elle et moi.

— J'habite pas très loin d'ici, m'expliqua-t-elle.

— J'ignorais que l'Olympe était si proche, dis-je.

Elle sourit.

— Vous pensez à Thessalonique.

— Non, dis-je. Je pense à la mythologie grecque.

J'avais du mal à m'empêcher de lui verser encore quelques propos sucrés dans l'oreille ; c'était sans doute le genre de sottises qu'elle entendait tout le temps.

— Avez-vous dîné ?

Je secouai la tête.

— Il n'est pas trop tard pour trouver une table, dit-elle. Spondi est à cinq minutes d'ici en taxi. C'est le meilleur restaurant d'Athènes.

Le serveur revint avec les cognacs.

— Ou alors nous pouvons dîner ici. Le restaurant du jardin sur le toit a la plus belle vue d'Athènes.

— Le jardin sur le toit, ça me semble très bien, dis-je.

Nous y montâmes avec nos verres. Le plateau rocheux qui dominait la ville et qui formait le site du Parthénon, désormais éclairé par les projecteurs, offre l'une des vues les plus spectaculaires du monde, en particulier de nuit, depuis le toit du Grande-Bretagne, lorsque vous dînez avec une créature ressemblant à l'une des divinités majeures qui furent jadis vénérées en ces lieux. Toutefois, je gardai cette dernière réflexion pour moi, parce que toutes les femmes n'apprécient pas ce genre de ringardises. Et franchement, au bout de deux minutes, je remarquais à peine qu'il existait une Acropole. Nous commandâmes le repas. Je ne me souviens pas de ce que j'ai mangé. Je ne me souviens de rien, excepté tout d'elle. Pour une fois, Bekim n'avait pas exagéré ; je ne crois pas avoir jamais rencontré de femme plus belle. Si elle avait eu le moindre talent balle au pied, je lui aurais proposé de l'épouser sur-le-champ.

— À quelle heure est le match, demain ? demanda-t-elle.

— 19 h 45.

— Et comment avez-vous prévu de passer la journée ?

— Je pensais aller visiter.

— Je serais ravie de vous montrer la ville, me proposa-t-elle. En plus, il y a une chose que je veux vous faire voir.

— Ah ?

— C'est une surprise. Si je passais vous prendre à 11 heures ?

— Ça marche.

— Faites de beaux rêves, me dit-elle lorsque nous prîmes congé sur les marches de l'hôtel, et je savais que c'était pour ainsi dire acquis.

En règle générale, je ne me souviens pas de mes rêves. Cette fois-ci, j'espérais que ce serait le cas, surtout si Valentina y tenait le premier rôle.

10

Le lendemain matin, je pris un taxi pour Glyfada, au sud d'Athènes, où j'allai partager un petit déjeuner avec Bastian Hoehling et l'équipe du Hertha à leur hôtel, un gratte-ciel dans le style des années 1960 proche de la plage, peut-être un peu trop près de la route à quatre voies qui file vers le nord et le Pirée. Apparemment, les fans de l'Olympiakos avaient passé la nuit à foncer devant l'hôtel klaxons hurlants pour empêcher le camp berlinois de dormir. Les joueurs du Hertha avaient l'air épuisés et plusieurs d'entre eux souffraient aussi d'une vilaine intoxication alimentaire. Bastian et le médecin du club avaient envisagé de réclamer l'ouverture d'une enquête, mais on voyait mal ce que la police aurait pu faire, hormis leur indiquer comment dire « toilettes » en grec.

— Tu crois vraiment que c'était volontaire ? demandai-je, préférant du coup ignorer l'omelette que le serveur avait apportée à notre table.

Bastian, qui ne se sentait lui-même pas bien, haussa les épaules.

— Je ne sais pas, nous sommes apparemment les seuls clients de l'hôtel à souffrir de ce virus non identifié. Il y a ici un groupe de concessionnaires automobiles qui tiennent leur séminaire, et ils sont visiblement en pleine forme.

— Ce qui coupe court aux conjectures, dirais-je.

— C'est un match amical, reprit-il, alors je n'ose imaginer à quoi ça ressemblera quand vous jouerez contre ces types en Ligue des champions. Tu aurais intérêt à amener votre chef et votre nutritionniste, sans parler de votre médecin.

— Le médecin actuel de l'équipe est sur le point d'accepter un engagement au Qatar.

— Alors tu ferais bien de t'en dégoter un nouveau. Et vite.

— Tu as peut-être raison.

— Je crois ces types capables de tout, insista Bastian. Les journaux semblent traiter cette compétition comme si c'était la Grèce contre l'Allemagne. L'entraîneur de l'Olympiakos, Hristos Trikoupis, nous a qualifiés de « bande à Hitler ».

— Cela me surprend, dis-je. Hristos était à Southampton avec moi. C'est un type correct.

— Rien ne me surprend, me répliqua Bastian. Plus après Thessalonique : ces salopards ont jeté des cailloux et des bouteilles sur notre gardien. Nous avons dû faire notre échauffement dans un coin du terrain assez éloigné de la foule. Si je m'appelais Himmler et pas Hoehling, je ne me sentirais pas plus impopulaire, dans ce pays. Voilà ce que c'est que le berceau de la démocratie.

— Vous êtes allemands, Bastian. Vous devez avoir l'habitude de ce genre de situation, maintenant. C'est la première leçon à retenir dans le football professionnel : les matchs amicaux, ça n'existe pas, surtout quand des Allemands sont de la partie. Il n'y a que la guerre, et c'est une guerre totale.

Parce que je parlais allemand, j'usai de la formule *totaler Krieg*, célèbre invention de Josef Goebbels durant la Seconde Guerre mondiale, et, en m'entendant la prononcer, quelques membres de l'équipe du Hertha lancèrent des coups d'œil nerveux dans ma direction, comme le font les Berlinois quand ils entendent ce genre de logorrhée nazie.

— Si j'étais toi, Bastian, ajoutai-je, je jouerais le match de ce soir dans le même registre. C'est le seul langage que ces Grecs comprennent et respectent. Tu te souviens du reste de ce qui était écrit sur la banderole de Goebbels, au Sportpalast ? *Totaler Krieg – kürzester Krieg*. La guerre totale – la plus courte des guerres.

— Je pense que tu as raison, Scott. On devrait les écraser. Expédier ces enflures hors du terrain.

Je hochai la tête.

— Avant qu'ils n'en fassent autant avec vous.

Après le petit déjeuner, je retournai à l'Hôtel Grande-Bretagne, dans le centre d'Athènes. À 11 heures exactement, j'étais assis dans une grande ottomane couleur fauve, dans le salon de l'hôtel, occupé à envoyer un SMS à Simon Page au sujet de notre premier match de la nouvelle saison de Premier League, le 16 août, un match à l'extérieur contre Leicester City, équipe promue. Simon était à Hangman's Wood, sur le point d'entamer la séance d'entraînement de 8 heures du matin, et je lui conseillai de ne pas y aller trop fort, car je craignais que certains de nos joueurs soient encore fatigués après avoir rempli leurs obligations de la Coupe du monde, sans parler de cette tournée en Russie, à la fois désastreuse et totalement inutile.

— Avez-vous bien dormi ?

Je levai les yeux et découvris Valentina, debout devant moi. Elle portait une chemise blanche unie, un jean J Brand bleu et moulant, de confortables sandales en peau de serpent et une paire de Ray-Ban Wayfarer en acétate noir. Je me levai et nous nous serrâmes la main.

— Oui, merci.

— Prêt ? dit-elle.

— Où allons-nous ?

— Voir quelqu'un que vous connaissez.

Nous prîmes un taxi en direction du Musée archéologique national, un trajet de cinq minutes vers le nord par rapport à l'hôtel. Le musée était conçu comme un temple grec, un peu moins délabré que celui situé au sommet de l'Acropole, mais pas loin de tomber en ruine et, comme beaucoup d'édifices publics en Grèce – ou bon nombre de bâtiments privés –, couvert de graffitis. Des mendiants erraient comme autant de chats et de chiens égarés dans le parc guère entretenu qui s'étendait en face de l'entrée, et je tendis à un vieil homme toutes les pièces que j'avais dans ma poche.

— C'est l'un de mes réflexes, chez moi, en Angleterre, dis-je en voyant la mine sceptique de Valentina. Ça porte chance. Si vous ne donnez rien, vous n'aurez rien. Le football est cruel, parfois très cruel. Il faut veiller à faire ce qu'il faut pour se concilier les dieux du football. Si l'on n'est pas optimiste, il ne faut pas songer à être dans ce sport, et être optimiste, cela signifie qu'on n'a pas le droit d'être cynique. Il faut croire dans les êtres humains.

— Vous ne me donnez pas l'impression d'être quelqu'un de superstitieux, Scott.

— Ce n'est pas de la superstition, dis-je. Pour ce qui est de la chance et d'une préparation soignée, adopter une démarche équilibrée, c'est savoir se montrer pragmatique. En réalité, c'est ce qu'il y a de plus intelligent. D'une certaine manière, la chance favorise les gens intelligents.

— Nous verrons bien, non ?

— Oh, je pense que le Hertha va gagner. En fait, j'en suis sûr.

— Est-ce parce que vous êtes à moitié allemand ?

— Non. C'est parce que je suis intelligent. Et parce que je crois dans la *totaler Krieg*. En un football qui ne fait pas de quartier.

L'intérieur du musée recélait les trésors de la Grèce antique, notamment le fameux masque en or d'Agamemnon, que Bastian Hoehling avait mentionné à Berlin. On eût dit un objet fabriqué par un enfant avec le papier doré emballant une barre de chocolat. C'est un autre trésor que Valentina m'avait emmené voir. Dès que je le vis, j'en eus le souffle coupé. C'était une statue en bronze grandeur nature de Zeus qui avait été repêchée en mer bien des années auparavant. Ce qui me frappa le plus, ce n'était pas la représentation du mouvement et de l'anatomie humaine, mais la tête de Zeus, avec sa barbe pleine et sa coupe de cheveux façon nattes africaines.

— Nom de Dieu, m'exclamai-je. C'est Bekim.

— Oui. (Elle rit, avec ravissement.) Pour ce bronze, il aurait pu servir de modèle, dit-elle. N'est-ce pas ?

— Et même la posture, continuai-je ; en pleine course, avec ce geste de lancer un javelot ou de jeter un éclair, c'est exactement la manière qu'a Bekim de célébrer le but qu'il vient de marquer.

— Je pensais que cela vous plairait.

— Il est au courant ?

— S'il est au courant ? (Elle rit de nouveau.) Bien sûr. C'est son secret. Il s'est laissé pousser la barbe pour ressembler à cette statue, et quand il marque, il pense toujours à Zeus. (Elle haussa les épaules.) Je ne sais pas s'il se prend réellement pour un dieu, mais je n'en serais pas du tout surprise.

Je fis plusieurs fois le tour de la statue, le visage fendu d'un sourire béat, en me représentant Bekim adoptant cette même posture.

Et pourtant, si parfaite que soit cette statue, quelque chose en elle semblait faux. Plus je l'observais, plus il me semblait que la main gauche tendue n'était pas juste, qu'elle était rattachée à un bras trop long de plusieurs centimètres. Un peu plus tard, j'achetai la carte postale, mesurai la longueur approximative du bras et me rendis compte qu'en fait, si ce bras avait été le long du corps, la main serait arrivée à hauteur du genou du dieu. Le sculpteur s'était-il trompé ? Ou l'angle de positionnement originel de la statue requérait-il un bras tendu pour éviter une impression de perspective tronquée ? Il était difficile de l'affirmer avec certitude, toutefois, pour mon œil critique, la main du Dieu me semblait se tendre un peu trop loin.

Elle opina.

— J'ai repensé à ce que vous disiez tout à l'heure, au sujet de la chance.

— Oui ? Et alors ?

— Je pense que vous allez avoir de la chance, dit-elle, et, prenant ma main dans la sienne, elle me la serra, sans ambiguïté.

— Quand ?

— Cette nuit.

Je portai sa main à ma bouche et l'embrassai. Les ongles étaient courts, quoique impeccablement vernis, tandis que la peau de sa paume était comme d'un cuir très doux, ce qui me fit un effet étrange.

— Et moi qui croyais que vous parliez de football.

— Qui a dit que je n'en parlais pas ?

Je souris.

— Cela signifie que vous venez au match, je présume.

11

Le stade Karaiskakis, dans l'ancien port du Pirée, donnait l'impression d'une version réduite de moitié de l'Emirates, à Londres, avec une capacité de seulement 33 000 spectateurs. Impression renforcée par le fait qu'Emirates Air était un sponsor de l'équipe de l'Olympiakos et par leur tenue rouge et blanc, bien que leur maillot ressemble plus à celui de Sunderland qu'à celui d'Arsenal. Si le match n'avait pas rempli le stade, les fans soutinrent dignement leur équipe. Les gars de la porte 7, ou la Légende, comme ils aimaient qu'on les appelle, firent très fortement entendre leur présence, résolument intimidatrice, derrière la cage du gardien allemand. Torse nu, armés de gros tambours, ils étaient menés par une sorte de directeur des opérations qui resta le dos tourné au terrain pendant presque tout le match, afin de pouvoir convenablement orchestrer leurs chants obscènes et leurs sourdes mélopées néandertaliennes. De temps à autre, des fusées d'un rouge éclatant étaient tirées dans le stade, ce dont la police et la sécurité ne tenaient aucun compte – les forces de l'ordre si discrètes qu'elles en étaient presque invisibles. J'étais surpris de constater le peu d'envie de la police locale de se mêler de ce qui se déroulait à l'intérieur de l'enceinte : conséquence de certaines lois obscures liées à la protection de la vie privée, les forces de l'ordre avaient interdiction d'utiliser les caméras de sécurité à l'intérieur du stade pour identifier de potentiels fauteurs de troubles.

Valentina et moi étions assis dans une zone VIP immédiatement derrière l'abri de touche allemand. À quatre-vingts euros le billet dans un pays où le revenu mensuel moyen était de tout juste six cent cinquante euros, on aurait pu s'attendre à ce que ces supporters, en majorité d'âge mûr ou même assez vieux, soient mieux éduqués. Il n'en était rien. Ne parlant pas un traître mot de grec, je fus vite capable grâce à Valentina de distinguer et de comprendre des termes qui, en Angleterre, auraient certainement valu à leurs auteurs de se faire rapidement expulser de n'importe quelle enceinte sportive. Des invectives comme *arápis* (nègre), *afrikanós migás* (négro), *maïmoú* (singe), *melitzána* (aubergine), *píthikos* (nain).

L'homme assis dans le siège voisin du mien devait avoir la fin de la soixantaine, ce qui ne l'empêchait pas, à intervalles réguliers, lorsqu'il cessait de tirer sur son Cohiba ou de croquer des graines de cardamome, de bondir au sommet du muret, de se pencher par-dessus l'abri des joueurs allemands pour beugler « *Germaniká malakas* » au malheureux Bastian Hoehling.

— Je n'arrête pas de les entendre crier *Germaniká malakas*, dis-je à Valentina. *Germaniká*, je saisis. Mais que signifie *malakas* ?

— Ça veut dire branleur, me répondit-elle. C'est un mot très répandu, en Grèce. Impossible à éviter.

J'avais du mal à condamner cet homme pour le choix de son langage. Comme je l'apprendrais, lors d'un match de football à la grecque, on pouvait récolter des épithètes pires que celles-là. C'est un jeu plein de passion, souvent suivi par autant d'imbéciles que de gens intelligents. Dans le football, on peut certes encourager le respect, et j'y étais tout à fait favorable, mais on ne peut empêcher les gens d'être ignorants.

Le match fut âprement disputé, les Grecs paraissant sincèrement surpris que les Berlinois s'en prennent à eux avec tant d'agressivité. L'Olympiakos eut beau se battre farouchement sur chaque ballon, il fut rapidement mené au score grâce à une tête superbe d'un des talentueux joueurs du Hertha, Adrian Ramos, ce qui me permit de comprendre pourquoi le Borussia Dortmund tenait tant à s'assurer les services du Colombien après que leur buteur-vedette, Robert Lewandowski, les eut quittés pour rejoindre le Bayern de Munich au début de l'été. Curieusement, les gars de la porte 7 ne marquèrent même pas l'ombre d'une pause. En fait, ils continuèrent de hurler comme s'il n'y avait jamais eu de but allemand.

Entre-temps, tâchant de faire abstraction de la foule, je pris des notes tactiques dans un vieux Filofax que j'utilisais toujours à cette fin :

Grecs faibles en défense sur coups de pied arrêtés. En apparence athlétiques et en bonne forme physique, mais de petite taille ce qui les rend moins aptes à rivaliser dans le jeu aérien quand de bons centres déboulent. Bekim Develi ou Prometheus

peuvent leur créer des problèmes s'ils sont correcte-
ment servis. Develi a tendance à se décaler naturel-
lement vers la droite, une disposition naturelle qu'il
faudrait sans doute encourager car Miguel Torres,
le latéral droit probable d'Olympiakos, opère plus
en position d'ailier droit que de défenseur – surtout
si Hernán Pérez ne joue pas, ce qui était le cas ce
soir. Si Develi se ménage des espaces, ou s'il déporte
Sambou Yatabaré (très vraisemblablement milieu
droit), il est capable de permettre à Jimmy Ribbans
de percuter. J'espère que notre arbitre sera meilleur
que celui d'aujourd'hui. Je ne serais pas surpris que
ce penalty lui ait valu une petite prime, à celui-là.

— Cela fait des siècles que je n'étais plus allée à
un match de football, fit Valentina alors que les hooligans de la porte 7, le bras tendu dans un salut nazi,
entonnaient un autre de leurs chants ignobles : « *Pósoi
Evraíoi ékanes aério símera ?* » (Combien de juifs
vous avez gazés aujourd'hui ?)

— Je peux comprendre pourquoi. (Je jetai un regard
autour de moi.) À ce que je vois, vous êtes à peu près
la seule femme ici.

Thomas Kraft, le gardien titulaire du Hertha, se sentant trop malade pour jouer, j'avais là une bonne occasion d'évaluer leur second gardien, Willie Nixon, un
Américain. J'ai toujours admiré les gardiens de but américains : ce sont généralement de superbes athlètes et Nixon
ne faisait pas exception, assurant quelques arrêts qui main-
tinrent son équipe dans le match. Et puis il était jeune.

Quelques minutes plus tard, je crus que j'aurais
une chance de voir de quelle étoffe ce Nixon était

réellement fait quand l'Olympiakos obtint un penalty, si incroyable que l'arbitre avait dû le sortir de son chapeau de magicien. Le défenseur allemand, Peer Pekarik, avait fauché l'un des joueurs grecs juste à l'extérieur de la surface de réparation – sauf que le ralenti sur grand écran montrait qu'il se trouvait au moins à trente centimètres de Kyriakos quand ce dernier était tombé à terre, souffrant apparemment d'une fracture du tibia. L'incident était certes très fâcheux, toutefois le joueur qui tira le penalty, au nom assez invraisemblable, puisqu'il s'appelait Pelé, expédia la balle à une telle hauteur, au-dessus de la barre transversale, qu'il avait dû se prendre pour un rugbyman. Sa tentative fut saluée par un chœur tapageur de huées et de sifflets moqueurs et, autour de moi, plusieurs supporters hurlèrent *ilíthia maïmoú* (singe stupide).

Je m'étais longtemps demandé pourquoi Socrate s'était senti obligé de boire la ciguë ; j'imagine qu'il avait dû lui aussi manquer un penalty pour l'Olympiakos.

À la mi-temps, les Berlinois affichaient deux buts d'avance. Ils marquèrent à nouveau immédiatement après la reprise, et ce fut sur ce score que s'acheva la rencontre : 3-0. Le Hertha avait remporté ses trois matchs de sa tournée dans l'archipel hellène et la Coupe Schliemann, créée par les sponsors du club germanique, revint donc aux Allemands, ce qui semblait une issue très germanique. Cependant, ce n'était pas Willie Nixon, le gardien, qui m'avait le plus impressionné, mais leur charismatique capitaine, Hörst Daxenberger. Aussi fort qu'un cheval de course, du haut de ses cent quatre-vingt-treize centimètres, il m'évoquait un autre capitaine, aussi grand : Patrick Vieira, en blond.

Comme l'échauffement d'avant-match, la cérémonie de remise du trophée Schliemann eut lieu dans un angle du terrain très éloigné des insultes et autres projectiles hellènes, et Valentina et moi rejoignîmes le groupe du Hertha pour une célébration discrète, au champagne, dans le tunnel des joueurs. Malgré le côté futile de la compétition à laquelle ils avaient pris part, j'étais heureux pour ces gars venus d'Allemagne ; en tout état de cause, ils avaient passé un assez rude moment, et ils étaient contents de rentrer à Berlin. J'enviais presque Bastian Hoehling de réintégrer un club dont les propriétaires et la direction sportive étaient animés d'un tel souci égalitaire. On pourrait dire que les Allemands avaient eu plus qu'assez d'autocrates et de dictateurs. Par contre, ils n'en avaient visiblement pas plus qu'assez de Valentina qui, s'avérait-il, parlait très bien l'allemand ; flûtes de champagne en main, ils voletaient autour d'elles comme des abeilles autour d'un pique-nique. Elle faisait cet effet-là aux hommes. S'il ne s'agissait peut-être pas de la plus belle femme de Grèce, c'était certainement l'une des plus attirantes.

Une heure plus tard, nous rentrions à l'hôtel dans une limousine aimablement fournie par le Hertha.

Un peu surpris, je constatai qu'aucune somme d'argent n'avait jamais été réclamée ou proposée, et ce fut seulement après mon retour à Londres que j'appris que ma nuit avec Valentina ne devait rien à la bonne fortune et tout à Bekim Develi, lorsque le Russe au poil roux laissa échapper qu'il avait payé cinq mille euros, versés avant ma venue à Athènes, pour que je puisse profiter de Valentina.

12

Par un chaud après-midi du mois d'août, nous arrivâmes au King Power Stadium de Leicester pour notre premier match de la nouvelle saison. Un peu à l'ouest de l'entrée principale, des skiffs se croisaient sur la rivière Soar comme autant de cygnes high-tech. Pleins d'un optimisme déplacé d'être remontés en Premier League, les supporters de Leicester se montrèrent bruyants mais accueillants, et très loin de la réception hostile à laquelle nous pouvions nous attendre en Grèce la semaine suivante. Je me demandai si ces supporters conserveraient cet état d'esprit bon enfant quand ils seraient confrontés aux tarifs pour aller soutenir le club à l'extérieur, à Londres et Manchester. Il était grand temps que des groupes télévisuels comme Sky et British Telecom insistent pour qu'une part des droits payés à la Premier League soit enfin allouée au subventionnement du prix des billets : pour un supporter devant son petit écran, il n'y a rien de pire que de voir des gradins vides.

Je n'avais pas encore résolu notre problème de gardien de but – nous avions toujours besoin de remplacer

Didier Cassell –, et s'il y avait un joueur que j'enviais à Nigel Pearson, l'entraîneur de Leicester City, c'était son portier, Kasper Schmeichel, fils du célèbre gardien Peter Schmeichel. Kasper avait joué pour Manchester City et Leeds United avant de rejoindre les Foxes – le petit nom de Leicester – en 2011. À vingt-sept ans, il avait aussi joué pour son pays, le Danemark, en plusieurs occasions, et j'avais le sentiment que, comme son père, qui avait joué pour Man U jusqu'à l'âge de trente-neuf ans, Kasper avait encore ses meilleures années devant lui. Il restait quatorze jours avant que la période des transferts estivaux ne se referme, et j'envisageais sérieusement de demander à Viktor Sokolnikov si nous ne pourrions pas faire une offre pour le Danois.

Les doutes éventuels que j'aurais pu nourrir quant aux aptitudes de Schmeichel furent promptement levés quand, dès la cinquième minute de la partie, on nous accorda un penalty. Prometheus propulsa le cuir directement dans le coin inférieur droit de la cage, et la manière dont le Danois réussit à le toucher de la main nous parut relever à tout le moins du miracle. Cet arrêt aurait déjà été assez impressionnant en soi, or, après avoir claqué le ballon en plein sur le même Prometheus, le gardien des Foxes se lança ensuite à l'autre extrémité de sa cage, dans l'angle opposé, où il réussit *in extremis* à empêcher le Nigérian de reprendre la balle victorieusement. L'autre aspect, presque aussi important que cette agilité du Danois, ce fut sa manière de prendre habilement l'ascendant psychologique sur notre attaquant, avant même que celui ne frappe. Après que Prometheus eut placé la balle au point de penalty, Schmeichel était calmement sorti de son but, avait ramassé le ballon, l'avait essuyé sur son maillot, avant de le balancer avec insolence à l'Africain, qui, furieux, avait fait signe à l'autre, d'un revers de main, de retourner dans sa cage. Pour un tel geste, certains arbitres auraient averti le gardien d'un carton jaune ; mais pas dès la première journée de championnat. Cela avait toutes les apparences d'un bras de fer mental, et si tel était le cas, cela fonctionna.

Un penalty manqué n'est jamais bon pour le moral d'une équipe, et la nôtre essuya un nouveau coup dur quand notre capitaine, Gary Ferguson, marqua contre son camp pour donner à Leicester un avantage d'un but à la mi-temps. Ce genre de sale tour peut arriver, on apprend à en faire fi. Ce qui m'inquiéta davantage, ce fut de voir Prometheus réprimander son capitaine. Je ne sais pas lire sur les lèvres, cependant je crois que Gary répliqua à ce gamin avec quelques épithètes bien senties. Comment put-il se retenir de lui mettre une beigne, ça me dépasse. Quand vous êtes capitaine, mieux vaut toujours joindre le geste à la parole.

— Laisse tomber, Gary, lui ordonnai-je d'une voix forte dans le vestiaire. On joue au football, pas au quidditch, bordel. Si tu es un défenseur qui fait bien son boulot, il y aura toujours des circonstances où tu marqueras contre ton camp. C'est de la pure statistique. Un ballon que tu dégages de ton but partira neuf fois sur dix dans la mauvaise direction parce qu'on n'est pas au billard et il n'y a pas d'angles parfaits. Tu as contré avec le genou, la balle a ricoché dessus, c'est tout. Personne, avec un tant soit peu de cervelle dans le crâne, ne peut t'en vouloir d'un but pareil.

Je me tournai vers Prometheus qui était occupé à changer ses chaussures Puma evoPOWER de couleur rouge, un rouge de boîte aux lettres anglaise, contre une paire qui paraissait fabriquée dans du vieux papier journal : *Pourquoi toujours Puma ?* était-il inscrit en gros sur le côté de la chaussure.

— Tu as fini de frimer avec tes godasses à la con ?

J'avais enfin attiré son regard.

— Dans le foot, tout le monde commet des erreurs, continuai-je. C'est comme ça, c'est le jeu. Si personne n'en commettait, ce sport serait d'un ennui total, autant que le groupe de l'Angleterre pour l'Euro 2016. Et je ne connais rien qui soit d'un ennui plus total que ce groupe. Ce que je ne veux plus jamais voir, dans ce groupe, c'est un joueur qui s'arroge le droit de pointer les fautifs du doigt. Surtout quand on n'est soi-même pas exempt de torts. Pointer du doigt, tirer les oreilles, botter le cul et engueuler les autres comme du poisson pourri… ça, c'est mon boulot, bordel. Ou celui de Gary, en cours de match. Et si je vois la chose se reproduire dans cette équipe, je plante les crocs dans le cul du coupable, comme une hyène. Mon boulot me plaît et je n'ai aucun besoin qu'on m'aide à dire ce qu'il faut dire. C'est clair ?

— Pourquoi tu t'en prends à moi, mec ? s'étonna Prometheus. J'ai rien fait. Tout ce que j'ai dit au capitaine ici présent, c'est que ses gros genoux blancs poilus d'Écossais allaient nous faire perdre le match s'il faisait pas gaffe. C'était genre une vanne, quoi, tu vois ?

Il n'était pas étonnant que Fergie ait balancé des chaussures à travers son vestiaire. À cet instant, j'avais envie de lui arracher des mains cette chaussure Puma ridicule et de la lui fourrer au fond du gosier.

— Ferme ta gueule, marmonna Gary.

Bekim secoua la tête en silence. D'autres se contentèrent de nous tourner le dos, comme s'ils n'avaient pas envie de voir ce qui allait se passer ensuite.

Je souris.

— C'était genre une vanne, d'accord, sauf que c'était carrément pas drôle. Tu lances pas de vannes à un de tes collègues qui vient de marquer contre son camp, pour la simple raison qu'il pourrait trouver ça un tout petit peu indélicat. Ce n'est jamais drôle quand quelqu'un marque contre son camp, à moins que ce ne soit un joueur du camp d'en face. Je ne devrais pas avoir à te mettre aussi clairement les points sur les i, mon garçon… et ne m'interromps plus, ou alors je prie Gary de te flanquer un coup de ses gros genoux blancs d'Écossais dans tes petites couilles noires et sans poils de Nigérian. À supposer que tu en aies, des couilles. Compris ?

Adenuga ne répondit rien, ce qui semblait indiquer qu'il avait saisi le message. Bien carré sur mes deux jambes, je balayai la pièce du regard. Selon moi, personne d'autre ne méritait de reproche particulier. Leicester avait su saisir sa chance, et cela s'arrêtait là.

— C'est un fait, dis-je, que le premier week-end d'une nouvelle saison, les promus réussissent souvent bien. Ils tentent leur va-tout contre l'une des grosses pointures du championnat. Et qu'est-ce qui les en empêche, puisqu'ils ont terminé leur championnat de deuxième division avec… combien de points, déjà ? Quatre-vingt-six ? Ils méritent de jouer en Premier

League, et s'ils étaient incapables de nous sortir un bon match aujourd'hui, alors qu'ils sont tous en forme et reposés parce que seuls deux d'entre eux ont eu à remplir des obligations internationales, c'est qu'ils n'en seront jamais capables. Je vous garantis que si vous rejouez cette même équipe en fin de saison, vous les écraserez. Alors s'ils ont le vent en poupe aujourd'hui, n'en soyez pas surpris. Vous, gardez le cap, et gardez la balle. Faites-la tourner. Je veux des passes. Du football Toblerone, comme ce qu'on a répété à l'entraînement. Qu'ils viennent se perdre dans nos triangles magiques[1]. Si nécessaire, rendez-les impatients d'avancer et de gagner le match, au point qu'ils auront envie de jouer haut. Et c'est là que vous vous trouverez l'ouverture en contre.

Cela aurait dû se dérouler ainsi, mais tel ne fut pas le cas. Nous perdîmes 3-1, suite à deux buts de Jamie Vardy et David Nugent. Cela faisait longtemps que je n'avais pas vu un tandem de frappeurs aussi puissants au sein d'une équipe fraîchement montée en première division. À 16 h 40, Leicester prenait la tête de la League, à la différence de buts.

London City était avant-avant-dernier.

---

1. Formant une succession de triangles, comme ceux d'une barre Toblerone, les joueurs conservent la maîtrise du ballon.

13

Le logiciel d'AP (analyse de performances) est extrêmement utile. Je me demande souvent ce que faisaient les entraîneurs, sans tablette. Pour tout entraîneur, les montages vidéo des séquences clefs d'un match sur un iPad constituent un outil essentiel, et j'aime assez les visionner rien qu'avec deux ou trois joueurs, dans l'autocar du retour, parce que je n'ai pas toujours envie de procéder devant l'équipe au complet. D'après mon expérience, un joueur qui commet une erreur n'a aucun besoin de la voir indéfiniment repasser sur un écran devant ses camarades. Il sait bien qu'il a foiré. Et moi je sais, d'expérience, combien cela peut s'avérer humiliant. Cette fois-ci pourtant, j'envoyai les images de mon iPad sur les écrans télé du car, pour que tout le monde puisse écouter ce que j'avais à dire. Parfois, une petite humiliation fait aussi du bien à l'âme.

— Puis-je avoir toute votre attention, s'il vous plaît ? dis-je dans le micro alors que notre bus démarrait et s'éloignait du King Power Stadium. Vous bouclez vos grandes gueules, d'accord ? Qu'est-ce que vous vous racontez ? Qu'ils étaient super bons ? Que ce type,

Vardy, est un rapide ? Que leur gardien était super fort ? Qu'il est tout pareil que son papa ? Arrêtez vos salades. Ce n'est pas pour cela qu'on a perdu, aujourd'hui.

« Là-bas, vers l'ouest du King Power Stadium, c'est la rivière Soar. Et là je désigne ma droite, pour tous ceux d'entre vous qui n'ont pas l'air de savoir distinguer leur droite de leur gauche, ou leur cul de leur coude. On raconte qu'en 1485, après la bataille de Bosworth, l'équipe victorieuse des Tudor jeta le corps du roi Richard III dans l'eau de cette rivière qui a l'air bien dégueulasse. Sauf qu'évidemment cela ne peut pas être vrai puisqu'on a récemment retrouvé son squelette sous un parking dans le centre de Leicester. J'imagine que le pauvre sagouin avait perdu son ticket de parking et n'arrivait plus à en ressortir. Quoi qu'il en soit, je suis certain que plus d'un d'entre vous doit maintenant savoir ce qu'a ressenti ce pauvre Richard. Moi, je sais en tout cas. Perdre dans cette putain de ville de Leicester, c'est pas marrant.

« Rien n'arrive sans raison et parfois la raison ne saute pas immédiatement aux yeux, parce que de petites actions peuvent avoir de grandes conséquences. C'est ce que les scientifiques appellent la théorie du chaos. Ou ce que les juristes et les philosophes appellent la causalité ou la causation. Les historiens se dépatouillent aussi avec ce genre de merdier : la cause de la Première Guerre mondiale n'est pas seulement que l'archiduc François-Joseph se soit fait tirer dessus à Sarajevo, ça, ce n'était que la goutte d'eau qui a fait déborder le vase. Vous voyez ? Quand vous jouez au football professionnel, ça vous éduque drôlement. Ce dont certains d'entre vous ont grand besoin. Je suis ici pour vous aider. C'est exact, les gars. Vous voulez apprendre quelque chose ? Venez donc me trouver.

« Être entraîneur de foot, c'est un peu semblable à l'activité de tous ces gens que je viens de mentionner, c'est même être un peu détective… si ce que nous faisons ici dans ce bus, c'est examiner le cadavre déjà puant de ce match, à la recherche d'une explication de notre défaite. Parce que ce n'est jamais aussi évident que vous le pensez. Laissez-moi vous montrer pourquoi nous avons perdu. Nous pouvons déjà oublier ce but contre notre propre camp. Comme je l'ai dit, c'était juste de la malchance. Alors, à la place, nous allons plutôt observer de plus près le premier but qu'ils ont marqué ; le but de James Vardy. Ce type court toujours avec une énergie débordante et, quand il joue, il soulage Nugent, il lui évite beaucoup de pression. Gary a trouvé que Vardy lui donnait beaucoup de fil à retordre, aujourd'hui. Même chose pour nos quatre défenseurs. Vardy est un buteur, mais selon moi il a naturellement sa place du côté gauche, d'où est venu le but. Franchement, il ne jouait pas à son poste, et c'est pourquoi vous avez eu du mal à le marquer. C'était un beau but, une belle frappe. Mais, s'il a marqué, c'est parce que aucun de vous n'a cru qu'il aurait l'espace nécessaire pour tirer. Maintenant, nous savons que si. Je l'ai déjà dit et je vais me répéter : plus vous gardez vos distances par rapport à un buteur comme lui, moins vous intervenez, plus il accélère le tempo, et plus il accélère le tempo, plus il a de chance de la mettre au fond. Alors n'essayez pas de rivaliser avec lui à chaque appel. Vous n'y arriverez pas, car il pense plus vite que votre corps ne se déplace. Il n'y a rien de plus rapide que la vitesse de la pensée. Gardez plutôt l'œil sur la balle, faites en sorte de le tacler et, si nécessaire, de l'envoyer chez le chirurgien orthopédique.

« Cela dit, si nous remontons le cours de l'action et si nous observons ce qui se passe une bonne minute ou deux avant qu'il n'inscrive son but, Kenny dégage la balle à la main sur Gary, qui passe à Kwame, qui ne voit rien d'autre à faire que de la balancer à John… sauf que la balle n'a tout simplement pas assez de vitesse pour que ça se fasse en toute sécurité, et sa passe à Zénobe n'arrivera jamais à destination, même au bout d'un mois de Sky Super Sundays[1]. Nugent intercepte la balle et d'un petit piqué sert Vardy qui se tourne d'un côté, et puis de l'autre, et encore d'un autre, et tout le monde reste à distance, comme si vous aviez affaire à un pestiféré, bordel, jusqu'au moment où vous vous figurez tous qu'il n'a pas assez d'espace pour armer son tir, et vous vous relâchez un peu, à ceci près qu'il a tout juste assez d'espace, et il marque.

« Regardez encore une fois, avant que Vardy ait pu flairer la balle, ce que je dis, c'est ceci : Kenny, avant de dégager ce ballon, tu n'as pas vu que Prometheus avait des hectares d'espace au milieu du terrain ? Tu as une meilleure vue qu'un Indien comanche, tu es aussi l'un des frappeurs les plus précis qui soient, ton dégagement du pied aurait pu aisément parvenir à Prometheus, alors pourquoi as-tu dégagé à la main ? Dégager de la sorte, ça ne fonctionne que si leur buteur a du béton dans les semelles. Or, aujourd'hui,

---

1. L'émission sportive dominicale de la chaîne Sky.

leur buteur filait à la vitesse d'un lévrier, nom de Zeus. Non, attendez, laissez-moi terminer.

« Toi, Kwam, on ne joue pas à se débarrasser de la patate chaude, là. Quand tu délivres une passe, tu dois réfléchir à ce que l'autre va faire de la balle quand il va la recevoir. C'est bien beau que tu tâches de créer des espaces, pourtant, toi, là, tu ne sais pas quoi faire de ceux dont tu disposes déjà.

« Ensuite, John, tu n'attends pas le ballon. Ça, en tout cas, c'est évident. Et pourquoi tu ne l'attends pas ? Tous autant que vous êtes, à chaque instant du match, vous devez attendre le ballon. A-T-C-P-D-B. Attendez-Toujours-Ce-Putain-De-Ballon. Mais là, comme aucun de vous deux ne pense à ce ballon, vous essayez juste de vous en débarrasser, si bien que la passe à ce pauvre Zénobe n'est qu'une manœuvre désespérée.

« Souvenez-vous de ce que j'ai dit avant le match, de ce que je répète avant chaque rencontre : penser à ce ballon de façon créative, cela veut dire savoir ce que vous allez en faire avant même de le recevoir. Et cela suppose de savoir lire les positions des autres joueurs autour de vous comme si c'étaient des pièces d'échecs, de visualiser l'espace autour d'eux et ce qu'ils risquent d'en faire mieux qu'ils ne le pourraient eux-mêmes. L-L-P et T-D-E. Lire-Les-Positions et Trouver-Des-Espaces.

J'attendis encore une seconde, avant de lâcher mon argument surprise.

— Voici la vraie raison pour laquelle nous avons foiré et qui a permis à Jamie Vardy de marquer. Pour mieux comprendre, nous allons revenir à la seconde même où Kenny dégage sur Kwame. Une seconde avant, il lève le nez, il aperçoit Prometheus au milieu de tout cet espace, et il va manifestement lui envoyer cette balle d'un long dégagement en cloche. Au centre de cet espace, il a donc bien repéré son joueur. Mais ensuite il change d'avis. Pourquoi ? Parce que avec sa vision d'Indien comanche, il lit la position du joueur en question et s'aperçoit que Prometheus Adenuga lui tourne le dos. Je vais mettre l'action sur pause, et je vais faire avancer l'image, au ralenti, pour que vous le constatiez par vous-mêmes. Notre Prometheus, il est là. Vous le voyez ? Observons sa nuque. Il offre sa nuque à Kenny pendant combien de secondes… voyons un peu, maintenant. Nom de Dieu, ça nous fait dix secondes.

« A-T-C-P-D-B. Attendez-Toujours-Ce-Putain-De-Ballon. Attendez-Toujours-Ce-Putain-De-Ballon. Mais, Prometheus, toi, tu regardes ailleurs… et je ne sais pas ce que tu peux bien regarder pendant ces dix secondes, bordel, mais c'est pas ce satané ballon. Dès lors, se demande Kenny, à quoi servirait de lui expédier une balle à l'autre bout du terrain ? Prometheus, lui, il se prélasse au soleil. Il doit penser à sa petite hyène, son animal de compagnie. C'est pour ça que Kenny dégage à la main. Parce qu'il n'a pas le choix. Et cela, messieurs, c'est la véritable histoire de ce but à la con de Jamie Vardy.

Prometheus se leva de son siège, battant des bras tel un pingouin en colère. Il avait le visage si tremblant qu'un de ses clous sertis de diamants lançait des éclairs, comme une petite lampe torche.

— C'est ma faute s'il a marqué ? s'écria-t-il. J'étais à des kilomètres de ce mec quand il a marqué.

— Tu n'as peut-être pas bien écouté ce que je disais. Peut-être qu'en plus d'avoir un souci dans les muscles de la nuque, t'as aussi un souci aux oreilles.

— Pourquoi ce serait toujours moi qui merde dans cette équipe ?

— À toi de me le dire, mon bonhomme.

Le Nigérian secoua la tête.

— C'est pas juste, se lamenta-t-il.

— Tu as raison. Ce n'est pas juste envers les gars de cette équipe que tu les laisses si méchamment tomber. Mais si tu ne regardes même pas où va la balle, moi, je ne sais pas comment qualifier ton attitude. A-T-C-P-D-B. Attendez-Toujours-Ce-Putain-De-Ballon. Mais peut-être que toi, tu es différent, mon garçon. Tu serais peut-être le seul individu sur cette planète à avoir développé des yeux derrière la tête. Peut-être serais-tu capable de suivre la balle tout en donnant l'impression de regarder d'ailleurs. C'est un bon truc, ça, sauf que je ne vois pas en quoi cela viendrait aider tes coéquipiers. Parce que dans ce jeu, tout est là. Tout.

Prometheus s'assit pesamment et frappa du poing le dossier du siège devant lui, heureusement inoccupé.

De Leicester à l'est de Londres, il y a deux heures de route. J'attendis que nous soyons à mi-chemin, sur l'autoroute M11, juste au nord de Harlow, avant de quitter mon siège et d'aller m'asseoir à côté de lui. Il dégageait une forte odeur d'après-rasage et d'embrocation. Sur son iPad Air, il était en pleine partie d'Angry Birds. Il avait des écouteurs Monster Beats dans les oreilles et les câbles rouge vif qui lui pendaient des oreilles évoquaient deux filets de sang lui dégoulinant du crâne jusque dans le cou. Le lourd martèlement des basses paraissait en effet assez puissant pour faire saigner les oreilles de n'importe qui.

En me voyant, il soupira, retira les écouteurs de ses esgourdes et comme un adolescent blasé attendit en silence la séance d'engueulade en tête à tête qui allait suivre, supposait-il.

— Tu sais, dis-je, la vie est pleine de conflits. C'est ce qui la rend intéressante. Les gens ont tout le temps des prises de bec et comme le football est un jeu à haute intensité, les prises de bec y sont assez intenses, elles aussi. Du temps où je jouais avec Arsenal, je me souviens de notre capitaine, Patrick Vieira, un grand gaillard, qui m'a pris par la peau du cou en me prévenant que si je ne me secouais pas, il allait s'occuper de me corriger. Et il parlait sérieusement, en plus. Il était originaire du Sénégal, et au Sénégal, on ne profère pas ce genre de menace si on ne le pense pas sérieusement. Franchement, c'était le meilleur joueur que j'aie jamais vu à ce poste. Je veux dire, il avait tellement de talent… plus que je n'en ai jamais eu. Mais en plus, j'avais peur de lui, et du coup je me suis corrigé tout seul. Sur le moment, c'était exactement ce qu'il me fallait. Quelqu'un comme lui, qui soit prêt à me parler comme mon grand frère et à me pointer mes défauts.

« Mais la chose importante dans la vie, c'est que nous sachions apprendre de nos erreurs et qu'après nous soyons en mesure de rétablir une véritable entente entre nous tous. Une équipe, ce n'est que ça et rien d'autre. C'est comme une grande famille, tous frères. Beaucoup de testostérone et beaucoup de bagarres. Sauf qu'on se bagarre et qu'après on se pardonne nos fautes et nos erreurs respectives. Parce que nous sommes tous frères.

« Prometheus, quand nous étions en Russie, tu nous as dit que ta mère n'avait jamais connu ton père. Tu te qualifiais toi-même de Noir et de bâtard. Et tu y crois vraiment, j'imagine. Je pense que c'est ta position par défaut. Tu te crois méchant. Tu te figures peut-être que tu seras un meilleur joueur en étant encore plus méchant. Moi, je suis ici pour te dire que ce n'est pas la meilleure manière de procéder. Pas pour un vrai professionnel. Bon, pour ma part, j'ai eu de la chance. J'ai encore mon père. Patrick Vieira, lui, n'a pas eu cette chance. Ses parents ont divorcé quand il était encore très jeune et il n'a jamais revu son paternel. Il ne s'est pas laissé entamer par la chose. Je vais te dire, je n'ai jamais croisé un type aussi discipliné que lui. Immensément talentueux, comme je te l'ai dit, et surtout très discipliné.

« Tu es l'un des jeunes joueurs les plus naturellement doués que j'aie jamais vus. Et je pense que tu es loin d'être aussi méchant que tu sembles le penser. Tu peux être un grand joueur, quel que soit le club où tu choisiras d'aller. Mais le talent ne suffit pas. Pour tirer le maximum de ton talent, il te faudra de la discipline, tout comme Patrick Vieira. Comme nous tous, à franchement parler.

Et je hochai la tête.

— Ici s'achève la leçon.

— Merci, patron.

Je lui tendis la main.

Prometheus sourit, et me la serra.

— A-T-C-P-D-B, me dit-il.

Je lui souris à mon tour.

— Attendez-Toujours-Ce-Putain-De-Ballon. Et comment !

14

Le lundi matin suivant, l'équipe s'envolait pour Athènes, où régnaient des températures aussi caniculaires que lors de ma visite. Les tempéraments s'étaient encore plus échauffés : les enseignants, les tribunaux et même les cabinets médicaux étaient en grève. Heureusement, nous avions amené notre propre toubib de Londres. Il s'appelait Chapman O'Hara, sorti du rang du personnel médical du club, alors en pleine croissance, pour prendre en charge les questions de santé de l'équipe. Nous avions aussi amené Denis Abaïev, le nutritionniste, et, côté cuisine, notre responsable des déplacements, Peter Scriven, avait embauché une équipe spéciale de chefs locaux, tous des fans du Panathinaïkós, et donc ennemis jurés de l'Olympiakos, car je n'avais certainement pas oublié ce qui était arrivé au Hertha, dans l'hôtel où résidait leur équipe, à Glyfada. S'il y avait bien un risque que je ne voulais pas courir avant un match de Ligue des champions, c'était de me retrouver avec une équipe sur le carreau pour cause d'intoxication alimentaire.

L'hôtel Astir Palace occupait une magnifique péninsule ponctuée de pins, à Vouliagmeni, au cœur de la Riviera athénienne, une grosse demi-heure au sud d'Athènes. Peter Scriven avait bien choisi : la seule voie d'accès était une route privée protégée par une barrière de sécurité et par une guérite gardée en permanence, ce qui signifiait que les supporters un peu trop débordants d'enthousiasme pris d'une envie de foncer sous nos fenêtres klaxon hurlant ne pourraient s'approcher de l'endroit. L'hôtel en lui-même avait – peut-être – connu des jours meilleurs. Il ne possédait pas la classe du Grande-Bretagne, et encore moins de vue imprenable sur des monuments historiques. La cuisine était fort simple, le bar mal approvisionné et, quoique pléthorique, le personnel ne manifestait que lenteur et indifférence. En revanche, les installations étaient idéales pour accueillir une bande d'adolescents trop vite grandis : un bungalow individuel pour chaque joueur, une vaste salle de technogym bien équipée, une belle piscine avec vue sur la mer et plusieurs plages privées. Il y avait même un terrain de football à cinq. Enfin, devant l'hôtel, il y avait un héliport et une petite marina où l'hélico et la chaloupe de Vik se tenaient déjà prêts à assurer une navette permanente avec le *Lady Ruslana*, au mouillage à une centaine de mètres du rivage, en face de l'établissement. Le yacht évoquait une petite île d'un blanc de nacre.

Naturellement, toute l'équipe avait interdiction de se rendre à Athènes ou à Glyfada pour explorer la vie nocturne. Et j'avais glissé quelques billets aux types qui gardaient la barrière de sécurité de l'hôtel pour m'assurer qu'aucune représentante du sexe féminin ne viendrait rendre visite à un membre du groupe. Avant le dîner, j'emmenai Bekim Develi et Gary Ferguson au Pirée, à une conférence de presse organisé au centre médias du Karaiskakis Stadium. De prime abord, les questions les plus épineuses émanèrent de la presse anglaise, ce qui n'était guère surprenant, après notre défaite 3-1 à Leicester, puis les Grecs s'en mêlèrent, avec leurs propres préoccupations, et la situation se compliqua un peu lorsqu'un journaliste demanda pourquoi l'Allemagne semblait avoir une telle dent contre la Grèce.

— Que voulez-vous dire ?

— Pourquoi les Allemands nous haïssent-ils ?

Choisissant d'ignorer le comportement des supporters hellènes envers les gars du Hertha FC, je répondis qu'à mon avis il n'était pas vrai que les Allemands haïssaient les Grecs.

— Au contraire, ajoutai-je. J'ai beaucoup d'amis allemands qui adorent la Grèce.

— Alors pourquoi les Allemands tiennent-ils à tout prix à nous crucifier, en échange d'un prêt de la Banque centrale européenne ? Nous sommes déjà à genoux. Maintenant, on jurerait qu'ils veulent nous voir ramper sur le ventre pour obtenir ce plan d'aide de la Banque centrale.

Je secouai la tête et rappelai que je n'étais pas au Pirée pour répondre à des questions de politique et me dérober avec une réponse aussi sincère aurait sans doute suffi. Mais ensuite, Bekim, élevé en Russie mais né en Turquie, l'ennemi ancestral de la Grèce, mit les pieds dans le plat. Il enchaîna quelques remarques fort peu diplomatiques au sujet des dépenses publiques et de l'État grec qui n'avait peut-être pas besoin d'entretenir la plus vaste armée d'Europe, et l'atmosphère se dégrada très nettement. Le fait qu'il parle couramment le grec ne fit qu'envenimer les choses car nous pouvions difficilement présenter ses propos sous un jour plus positif et imputer la tonalité de sa réponse à Ellie, notre interprète. S'entendant demander si une grande manifestation prévue devant le Parlement le soir de la rencontre l'inquiétait, Bekim répliqua qu'il serait grand temps que les manifestants consacrent leur énergie à sortir la Grèce de l'ornière où elle s'était enlisée. Mieux encore, ils pourraient s'occuper de nettoyer la capitale qui, à son avis, avait fortement besoin qu'on lui prodigue quelques égards.

— Depuis presque vingt ans, vous avez vécu au-dessus de vos moyens, ajouta-t-il, en anglais, à l'intention de la presse anglaise. Il est amplement temps que vous régliez la facture.

Plusieurs journalistes grecs se levèrent et dénoncèrent avec colère ses propos. À ce moment-là, Ellie suggéra qu'il valait sans doute mieux abréger la conférence.

Dans la voiture qui nous reconduisit à l'hôtel, je me maudis d'abord et avant tout d'avoir amené Bekim à la conférence de presse.

— La première fois, en Russie, c'était un choix malencontreux, dis-je. Une deuxième fois, de ma part, cela s'apparente carrément à de la négligence pure.

— Désolé, chef, fit-il. Je ne voulais pas te causer de problèmes.

— Tu es possédé du démon ou quoi ? Bon Dieu, leurs supporters sont déjà assez pénibles quand il s'agit d'un match amical. Et toi, tu t'arranges pour que celui de demain soit encore plus brutal.

— De toute manière, ce sera brutal, insista-t-il. Tu le sais comme moi. Leurs supporters sont des enflures et ils n'ont aucun besoin de ce que j'ai dit pour mal se conduire. Et puis écoute, tout ce que je leur ai raconté, ils le savent déjà.

— Nous sommes une équipe de football, dis-je, pas un groupe de pression. Non content de foutre les Russes en rogne lors de notre visite en Russie, on dirait maintenant que tu as réussi à en faire autant avec les Grecs. C'est quoi ton problème ?

— J'aime ce pays, dit-il. Ce qui se passe ici me dégoûte. La Grèce est un si beau pays, qui se la fait mettre profond par une bande d'anarchistes et de communistes.

Il haussa les épaules et regarda par la fenêtre les murs couverts de graffitis des rues que nous empruntions, les innombrables magasins à l'abandon et immeubles de bureau inoccupés, les monceaux d'ordures jamais ramassées, les rues criblées de nids-de-poule, les mendiants et les laveurs de pare-brise armés de leur raclette aux feux rouges et sur les talus en bordure des routes. La Grèce était peut-être un pays superbe, mais Athènes était hideuse.

— J'adore, murmura-t-il. J'adore vraiment.

— Putain, ça me dépasse, s'écria Gary. Regardez-moi l'état où ils sont. C'est rempli d'alcoolos et de parasites aux crochets des services sociaux. Si je n'avais pas vu ça de mes propres yeux, jamais je n'y aurais cru. Seigneur, j'en ai vu des villes crasseuses dans ma vie. Enfin, Athènes… bordel, Bekim, t'appelles ça une capitale ? Je paries que Toxteth[1] est en meilleur état que leur capitale de merde.

— Hé, chef, rigola Bekim. J'ai une bonne idée. Après le match, pourquoi tu ne laisserais pas Gary faire sa propre petite conférence de presse ?

---

1. Banlieue de Liverpool à forte criminalité, souvent théâtre d'émeutes.

15

Le lendemain matin, avant le petit déjeuner et alors que le thermomètre se cantonnait encore autour des vingt degrés, nous avons eu une séance d'entraînement allégée. Le terrain d'Apilion était situé du côté de Koropi, à vingt minutes de route au nord de l'hôtel, sur une vaste étendue de terres très rurales au pied du mont Hymette, qui domine du haut de ses plus de mille mètres la périphérie orientale de la conurbation d'Athènes. Dans l'antiquité, son sommet était un sanctuaire de Zeus ; de nos jours, c'est juste un émetteur de télévision, une base militaire, et une vue sur Athènes que seule peut surpasser celle qu'on a par le hublot d'un jet.

Un drapeau vert orné d'un trèfle blanc signalait qu'Apilion était le terrain d'entraînement du Panathinaïkós FC ; entouré d'oliviers et d'amandiers, de figuiers de Barbarie, d'orchidées sauvages et de troupeaux de moutons et de chèvres pelés. Après l'atmosphère congestionnée du Pirée et du centre d'Athènes, l'air y était limpide et pur. De temps à autre, l'un des fermiers locaux tirait au fusil sur des oiseaux, les dispersant dans le vent comme une poignée de graines et faisant sursauter nos joueurs à la mentalité plus urbaine. En dépit de cela et de la présence de plusieurs journalistes qui campaient le long de la clôture soigneusement grillagée de l'enceinte, Apilion ressemblait à une oasis de calme. Pour les gens du « Pana », rien n'était trop beau ; à l'instar de l'Old Firm de Glasgow, tout ce qui leur importait, c'était de nous aider à malmener leur plus ancien ennemi, l'Olympiakos. C'était comme ça, dans le football. Ton ennemi est mon ami. Il ne suffit pas que votre équipe réussisse ; toute victoire est toujours rehaussée par l'échec d'un rival, et peu importe contre qui joue ce rival. Le Panathinaïkós aurait soutenu une équipe de la Waffen-SS pour peu qu'elle ait battu les Rouge et Blanc d'Olympiakos.

— Bordel de Dieu ! s'exclama Simon Page, le nez levé vers le drapeau lorsque nous descendîmes du bus. On est en Irlande ou quoi ? (Il frappa dans ses mains et cria aux joueurs :) On se dépêche d'entrer sur ce terrain d'entraînement, et vous regardez où vous mettez les pieds, pour le cas où vous écraseriez un trèfle à quatre feuilles. J'ai l'impression qu'il va nous falloir un maximum de chance, ici.

Je ne pouvais guère lui contester cela, car le nouveau médecin de l'équipe, le docteur O'Ḥara, retournait à Londres auprès de sa femme tombée malade. Antonis Venizelos, notre contact du Panathinaïkós, essayait encore de nous trouver un médecin de remplacement, en cas d'urgence.

— La grève des médecins ne facilite pas la chose, expliqua-t-il un peu plus tard. Même les praticiens qui ne sont pas employés par le secteur public sont réticents à l'idée de travailler aujourd'hui. Des opérations doivent être annulées. Des patients sont renvoyés chez eux. Ne vous inquiétez pas, monsieur Manson. Le stade Karaiskakis est juste à côté de l'hôpital privé Metropolitan. Bien qu'il se situe au Pirée, c'est un très bon hôpital.

Il alluma une cigarette mentholée avec les mains les plus poilues que j'aie jamais vues et leva les yeux vers les hauteurs du mont Hymette.

— J'ai une autre information qui pourrait avoir une influence importante sur le match.

— Ah ? Laquelle ?

— Je viens de l'apprendre au téléphone, dit-il. Aujourd'hui, l'équipe de l'Olympiakos a touché son salaire, en totalité. Cela va les mettre de très bonne humeur. Du coup, ce soir, je crois qu'ils vont se donner à fond.

— En temps normal, quand sont-ils payés ?

— Cela pourrait faire deux ou trois mois que ces salauds d'Américains n'avaient plus touché leur salaire.

— Quel enfer, dis-je.

Antonis se fendit d'un grand sourire et fit sauter dans sa bouche quelques graines qu'il mâchait comme du chewing-gum et qui lui rafraîchissaient l'haleine. Il était bel homme, avec une cicatrice de la taille de celle d'Alan Hansen[1] sur le front. Elle lui chevauchait le sourcil gauche comme de minuscules

---

1. L'Écossais Alan Hansen, défenseur des équipes de Liverpool et d'Écosse entre 1971 et 1991, commentateur de l'émission Match of the Day, à la BBC, jusqu'en 2014.

rails de tram, lui donnant vaguement une allure de Cyclope.

— Exactement. À l'heure actuelle, c'est l'enfer pour tout le monde. Du moins en Grèce, mon ami. Ce qui arrive dans ce pays n'arrive nulle part ailleurs. Souvenez-vous de ça. À la fin du mois, vos gars sont payés, comme tous les autres citoyens d'Angleterre, non ? En Grèce, la fin du mois et le jour de paie risquent toujours d'être repoussés de plusieurs semaines… et peut-être davantage… si vous voyez ce que je veux dire. Nos professeurs d'université n'ont plus été payés depuis des mois.

— Je ne vois pas nos lascars continuer très longtemps sans être payés, admis-je alors que Simon et quelques autres joueurs de City regagnaient le bus de l'équipe. C'est tous des machines à sous, comme tout le monde dans le foot en Angleterre aujourd'hui.

— Ça, tu l'as dit, grommela Simon.

— Parfois, fit Antonis, les gens de ce pays travaillent des mois sans être payés, avant de découvrir au bout du compte que leur employeur a mis la clef sous la porte et n'a plus de quoi verser les salaires. En Grèce, être payé ce que vous êtes censé toucher, c'est comme de gagner à la loterie.

— Au fait, pourquoi traitez-vous Olympiakos de salauds d'Américains ? demandai-je.

Antonis Venizelos eut un sourire sarcastique.

— Parce que les bateaux de guerre américains venaient régulièrement jeter l'ancre dans le port du Pirée. Et, voyez-vous, quand leurs matelots descendaient à terre, ils couchaient toujours avec les putains du Pirée. C'est pourquoi nous traitons ces gens-là de fils de pute ou de salopards d'Américains, bien qu'à franchement parler toutes les femmes du Pirée soient des putains. Et nous ne sommes pas les seuls. En Grèce, tout le monde déteste l'Olympiakos. C'est une bande de tricheurs et de menteurs. (Il haussa les épaules.) Croyez-moi, mes amis, ils en racontent de bien pires sur notre compte.

— Ah ça, c'est un peu difficile à croire, lâcha Simon. Mais d'ailleurs, eux, que disent-ils ?

Venizelos secoua la tête, comme si ce qu'on pensait du côté de l'Olympiakos ne pouvait pas vraiment compter.

— Parce que nous sommes athéniens, ils croient que nous nous jugeons meilleurs qu'eux. Que nous sommes des snobs. Ce que nous sommes, naturellement, dès lors qu'il est question de l'Olympiakos. Ils nous traitent de *lagoi*, de lièvres, car ils pensent que nous fuyons la bagarre. Mais là, ils prennent leurs désirs pour des réalités. Ce qui n'est pas surprenant. Ce n'est qu'une bande de *gavroi*. (Il sourit.) C'est une sorte de tout petit poisson qu'on trouve dans le port et qui mange la merde de tous les bateaux qui sont à quai.

Simon et moi échangeâmes un regard surpris face à un tel degré d'animosité de la part d'un homme qui, pour le reste, paraissait parfaitement civilisé et plein d'urbanité. Rien qu'à voir la tête de notre grand bonhomme xénophobe du Yorkshire, je savais ce qu'il en pensait. Depuis notre arrivée à Athènes, il me l'avait assez souvent répété : « Foutus Grecs. Ils n'ont pas pires ennemis qu'eux-mêmes. Je pourrais me sentir désolé pour ces enfoirés s'ils étaient pas tous à ce point bolchos. »

— Bons footballeurs, quand même, se contenta de remarquer Simon à cet instant. Combien de fois ont-ils remporté le championnat grec ? À trente-six reprises, n'est-ce pas ? Et la Coupe de Grèce, vingt-trois fois ? Et cette année, ils auraient de nouveau gagné le championnat s'ils n'avaient pas eu tous ces points supprimés par la Fédération de football grecque. Raison pour laquelle nous allons jouer contre eux le barrage qualificatif.

Antonis se renfrogna et détourna le regard.

— On peut apprendre à n'importe qui à jouer au football, répondit-il simplement. Même à un *malakas* du Pirée. C'est pour ça qu'ils sont forcés de tricher. Vous avez beau être favoris pour ce match, ne sous-estimez pas l'aptitude de ces *gavroi* aux coups bas. Ce soir, vous n'allez pas juste jouer contre onze hommes. Il y en aura seize, si vous incluez les cinq arbitres du match. Et la foule des fans, bien sûr ; n'oubliez pas qu'on les a surnommés la Légende[1]. Cette foule, c'est comme un joueur de plus, et elle est brutale. L'endroit où vous irez ce soir n'aura rien d'amical. Et vous pouvez oublier toutes vos notions anglaises de beau jeu. En Grèce, le beau jeu n'existe pas. Il n'y a rien de beau, ici. Il n'y a que… de la colère. (Il hocha la tête.) En Grèce, c'est la seule chose que nous possédons en quantité illimitée.

---

1. Seul club au monde ayant remporté son championnat cinq années de suite, et à cinq reprises, l'Olympiakos est surnommé *Thrylos* (la Légende).

16

Chaque fois que vous voyez un entraîneur de football arpenter sa zone technique en hurlant des encouragements et en multipliant les signes à son équipe comme un bookmaker pris de folie, cela donne un grand moment de télévision – les caméras adorent voir « la pression inscrite sur le visage de l'entraîneur ». À dire vrai, les joueurs ne devraient jamais regarder l'entraîneur, uniquement la balle, et d'ailleurs, avec le vacarme de la foule, ils entendent rarement grand-chose, excepté le sifflet de l'arbitre, à moins que vous ne soyez un Sam Allardyce. La plupart du temps, vous patrouillez vos dix mètres solitaires uniquement pour sauver les apparences. Le simple spectacle de votre souffrance montre à quel point cela vous tient à cœur. En outre, il est plus compliqué de virer un entraîneur en nage, avec de la boue jusqu'aux genoux de son costume Armani, sans parler de quelques crachats dans le dos.

Occuper sa zone technique au Pirée, c'est encore plus intimidant, avec trente mille Grecs qui aboient dans votre dos, et, à dire vrai, cela pourrait se révéler plus mortel que quelques crachats qui vous atterrissent dessus. Posez la question à l'arbitre assistant grec touché par une chaise volante lors de la Coupe de Grèce 2011. L'idée de m'aventurer hors de l'abri de touche, au Karaiskakis, par une soirée du mois d'août étouffante de chaleur, me faisait le même effet que de quitter la sécurité des murailles de Troie pour affronter Achille en duel – ce n'était pas recommandé. À l'Olympiakos, ce ne sont pas seulement les supporters déchaînés qu'il faut surveiller : en 2010, malgré une victoire 2–1 après quelques décisions d'arbitrage discutables, le propriétaire du club, Evangelos Marinakis, agressa deux joueurs du Panathinaïkós, Djibril Cissé et Georgios Karagounis, à la fin de la rencontre.

Aussi, quand Bekim Develi, après cinq minutes en première période, marqua des vingt-cinq mètres d'un tir digne d'un diagramme de calcul de trajectoire d'officier d'artillerie, je ne fus pas surpris d'être touché à l'épaule par un jet de banane. Alors qu'il rendait hommage à son nouveau-né de fils en suçant son pouce, je tombai ma veste en lin déjà trempée de sueur et courus à la limite de ma zone technique pour interrompre son cérémonial d'une simple poignée de main.

Tout avait commencé bien gentiment, les deux équipes se regroupant au centre du terrain, main dans la main, avec vingt-deux enfants dans leur rôle de mascottes locales, sur l'air de *Zadok the Priest – Sadoq le prêtre –*, de Haendel. Qu'est-ce qui pourrait mieux contribuer à créer une image édifiante des valeurs familiales de l'UEFA et de la quête honorable de la victoire dans un sport de compétition ? Et pourtant, je me demande parfois si aucune équipe de football européenne n'a conscience que la musique de Haendel a été composée tout spécialement pour le sacre d'un roi anglais. Ce fut suivi par une minute de presque silence en hommage à je ne sais quel sportif grec décédé dont j'avoue n'avoir jamais entendu parler. Bon, pourquoi pas ? Avant un match de football, n'importe quelle minute de silence me paraît une bonne idée, spécialement en Grèce – tout est bon pour faire taire ces foutus tambours et les chants guerriers des extrémistes de la porte 7. Rien qu'en écoutant ce vacarme épouvantable, masculin, débordant d'agressivité et de testostérone, vous vous croiriez de retour à Rorke's Drift en 1879, face à dix mille Zoulous.

J'ignorai la banane qui, le ralenti le montra plus tard, provenait des places VIP. J'imagine que les VIP sont tout aussi racistes que les autres. Le projectile ne me fit aucun mal, pas autant qu'une chaise. Vous réussissez à ignorer à peu près n'importe quoi quand vous menez un à zéro au bout de cinq minutes de jeu en Ligue des champions ; compte tenu de ce que je ressentais à cet instant précis, j'aurais pu ignorer une sagaie plantée entre mes omoplates. Je regagnai le banc de touche et fis une flexion des deux biceps en signe de triomphe.

Dans le désastre qui suivit aussitôt, la banane fut presque immédiatement oubliée. En effet, dès la reprise du jeu, Bekim Develi manqua une passe facile de Jimmy Ribbans, tomba à genoux comme en pénitence pour son erreur, puis s'effondra face contre terre dans le rond central, sous les quolibets bruyants et pleins de mépris des Grecs. Quelques secondes plus tard, Zénobe Schuermans et Daryl Hemingway se mirent à multiplier les signes frénétiques en direction de notre abri de touche. Le kiné du club, Gareth Haverfield, n'eut pas besoin que je le sollicite davantage ; il attrapa son sac à malices et sprinta sur le terrain.

— Qu'est-ce qui lui prend ? s'écria une voix près de moi – c'était Simon. Il a eu un coup de chaleur, tu crois ?

Je hochai la tête.

— Il a dû avoir un étourdissement, oui. Il fait incroyablement chaud, ici.

— Vingt-neuf degrés, remarqua Simon. En ce qui le concerne, je ne sais pas, moi, je me sens comme un poulet vindaloo. J'espère qu'il ne s'est pas évanoui. S'il s'est évanoui, il va devoir sortir. Il a peut-être été cogné par quelque chose. Une pièce de monnaie, pourquoi pas.

— Possible. Dans ce pays, ils jettent l'argent par les fenêtres depuis des années. Ça change de la banane.

Au risque peut-être de recevoir une autre banane, je me dirigeai d'un pas inquiet vers la limite de la zone technique. Je chaussai mes lunettes. Je suis un peu myope – davantage de nuit, quand j'accuse un peu de fatigue. Ce que je réussis à voir de la scène n'était pas très clair : Bekim Develi, qui donnait l'impression de vouloir flanquer une tête à la pelouse et Gareth, qui s'efforçait de le retourner sur le dos, sans succès. Quand l'arbitre courut vers le banc de touche de l'Olympiakos et leur cria quelque chose qui poussa toute leur équipe médicale à foncer sur le terrain, je compris que cela n'augurait rien de bon. D'instinct, sans attendre la permission de l'arbitre, je les suivis, d'abord à pas lents, comme si je n'étais pas tout à fait sûr de savoir ce que je fabriquais, et puis en pressant un peu plus l'allure, car je commençais à pressentir la gravité des choses.

À présent, Develi avait totalement cessé de bouger, l'un des toubibs grecs lui avait découpé son maillot avec une paire de ciseaux et lui administrait des compressions thoraciques. Gareth, notre kiné, lui pratiquait le bouche-à-bouche tandis qu'un auxiliaire médical déroulait frénétiquement un tube respiratoire. Même la foule semblait s'être rendu compte qu'il se passait quelque chose et fit silence.

En me voyant, Gary Ferguson, qui s'était accroupi à côté de son coéquipier, se leva et vint vers moi. Il avait les joues mouillées, mais pas de transpiration.

— Qu'y a-t-il ? lui demandai-je, me sentant déjà gagné par la nausée. Qu'est-ce qu'il a ?

— Il est mort, patron. Voilà ce qu'il a, bordel.

— Quoi ? Ce n'est pas possible. Comment ?

— J'en sais rien. Une minute avant, il cavalait comme s'il allait tous les écraser, et la minute d'après, il est au sol. Vu la manière dont il est allé au tapis, j'ai cru qu'on lui avait tiré dessus.

L'arbitre, un Italien qui s'appelait Merlini, nous rejoignit et, l'espace d'un instant, je crus qu'il allait m'ordonner de sortir du terrain. Au lieu de quoi, il secoua tristement la tête.

— Je suis vraiment désolé, dit-il. Cela ne se présente pas bien, j'en ai peur. Ils apportent tout de suite un défibrillateur sur le terrain. Ils l'auraient bien emmené à l'hôpital, de l'autre côté de la rue, mais ils craignent de le déplacer.

— Seigneur, marmonna Gary.

Du coin de l'œil, je vis Kenny Traynor, la tête dans les mains, et Soltani Boumediene, le visage enfoui dans le creux de l'épaule de Xavier Pepe. Très agité, Prometheus parlait à l'un des joueurs de l'Olympiakos. Jimmy Ribbans paraissait agenouillé en prière pour son collègue qui venait d'être fauché. J'aurais pu moi-même m'agenouiller pour prier, or, je savais que la petite amie de Bekim regardait probablement le match, chez elle, et s'il était une chose dont elle n'avait pas besoin, c'était de me voir donner l'impression que j'avais renoncé à tout espoir.

Je levai les yeux vers l'écran géant, puis consultai ma montre.

Merlini parut lire dans mes pensées.

— Il est dans cet état depuis plusieurs minutes, maintenant, dit-il. Je ne sais pas quoi faire. Je crois qu'il vaut mieux que j'en parle avec les autres officiels. Et avec les types de l'Olympiakos. Il faut que je leur explique ce qui s'est passé, à eux aussi.

— J'aurais intérêt à causer au reste de l'équipe, me dit Gary après que Merlini se fut éloigné. S'il veut faire reprendre le match, on va devoir se ressaisir, et assez vite. Et qui est-ce qu'on va faire entrer pour le remplacer ?

— Iñarritu, dis-je, hébété.

Gary s'éloigna tandis qu'un des toubibs grecs finissait de fixer les deux larges électrodes autocollantes du défibrillateur sur la poitrine à présent immobile de Bekim.

« Ne touchez pas le patient », ordonna une voix de femme, à l'accent américain, à l'intérieur du boîtier jaune qui ressemblait plus à un jouet d'enfant qu'à un engin capable de ramener à la vie un homme comme Bekim Develi. Et ensuite, ce fut : « Choc recommandé. En charge. Reculez. »

— *Stékeste*, s'écria l'un des Grecs d'une voix forte.

Tout le monde s'écarta de Bekim. « Appuyez sur le bouton clignotant choc », continua la voix de la machine.

— *Stékeste*, répéta le toubib grec, puis il appuya sur la commande de délivrance du choc électrique.

Le corps de Develi fut parcouru d'une brève secousse, puis demeura immobile.

« Premier choc délivré, annonça la voix de la machine. Vous pouvez toucher le patient sans danger. Commencez RCP maintenant. »

Le Grec traduisit aux autres personnes présentes autour de Bekim puis il entama les compressions thoraciques, aidé de Gareth qui pratiquait le bouche-à-bouche, deux insufflations toutes les trente compressions, selon les règles. Les deux hommes étaient trempés de sueur, non seulement à cause de la chaleur régnant sur le stade, mais aussi à cause de l'effort que ces gestes exigeaient d'eux : tenter de ramener un homme d'entre les morts. Et tout cela sous les regards de plus de trente mille spectateurs.

« Continuez une minute trente secondes », ordonna la machine.

— Bon Dieu, fit Simon qui se tenait maintenant à côté de moi au centre du terrain. Il a eu une crise cardiaque, ou quoi ?

— Pire que ça, je pense, dis-je. Il semble que son cœur se soit totalement arrêté de battre. Et pour l'instant, ils essaient de le faire redémarrer.

— Ce n'est pas possible ! s'écria Simon. Pas lui. Pas Bekim. Ce gars n'a que vingt-neuf ans et il pétait le feu.

— Pour le moment, il ne semble pas qu'il passera le cap des trente, lâchai-je.

« Arrêtez CPR. Arrêtez maintenant. Ne touchez pas le patient. Analysez rythme cardiaque. Ne touchez pas le patient. Choc recommandé. Reculez. »

— *Stékeste*, répéta le toubib grec.

« Appuyez sur le bouton clignotant choc. »

Une fois encore, le corps de Bekim fut parcouru d'une secousse spasmodique, puis demeura immobile. D'autres secouristes entrèrent sur le terrain avec une civière pour l'emmener dès qu'on pourrait le transporter sans risque. Tout cela paraissait déjà inutile.

— Il faut le conduire à l'hôpital, dit Simon. Il faut que quelqu'un appelle une ambulance, bordel.

— Ils font ce qu'il faut, lui répondis-je. S'ils arrêtent le défibrillateur, le conduire à l'hôpital ne servira plus à rien.

— De toute manière, si leurs foutus médecins sont en grève, ça servira à rien, jeta Simon.

À présent, la nouvelle que Bekim se trouvait dans un état grave était parvenue au petit contingent de supporters anglais regroupés quelque part dans le stade, et ils se mirent à scander son nom.

BEKIM DEVELI ! BEKIM DEVELI !
BEKIM DEVELI ! BEKIM DEVELI !

J'eus la stupéfaction d'entendre les Grecs se joindre à eux et, pendant presque une minute entière, toute la foule s'unit dans sa volonté de faire savoir au buteur russe qu'ils tenaient à ce qu'il se rétablisse.

BEKIM DEVELI ! BEKIM DEVELI !

J'en avais la gorge serrée et, malgré la chaleur, j'en eus un petit frisson d'émotion. Je tâchai de ne pas craquer, mais tout au fond de moi j'étais totalement bouleversé. Et son bébé, son fils ? ne cessais-je de me demander. Et s'il ne s'en sort pas ? Qui veillera sur le petit Peter ? Qu'adviendra-t-il d'Alex ? Le football, bordel de Dieu !

Bordel de Dieu, en effet.

17

Six paires de mains soulevaient Bekim sur la civière, sortirent précipitamment du terrain, et je suivis Gareth vers l'entrée du tunnel, en direction des vestiaires. L'air était aussi chaud que celui d'un four à la porte grande ouverte, pourtant, intérieurement, je me sentais froid et vide. La foule du stade applaudit l'homme qui luttait pour sa survie.

— Il est vivant ? demandai-je au kiné.

— C'est ric-rac, patron. Son cœur est mal en point. Ils réussiront peut-être à faire quelque chose pour lui à l'hôpital. Sa meilleure chance, maintenant, ce serait une injection massive d'adrénaline. Ou alors qu'ils l'ouvrent et lui pratiquent un massage cardiaque interne. Ici, à mon avis, on a fait tout ce qui était possible.

— Enfin, que s'est-il passé ? Qu'est-ce qui a pu causer ça ?

— Je ne suis pas médecin, patron. Il existe ce qui s'appelle le syndrome de mort subite par arythmie, ou ce que la presse appelle la mort subite de l'adulte, mais ce sont les termes qu'emploient les médecins quand ils ne savent pas pourquoi les gens tombent dans les pommes et meurent. Sauf que ça arrive. Tout le temps.

— Pas à vingt-neuf ans, rectifiai-je.

Gareth ne m'entendit pas. La civière s'était brièvement immobilisée, afin de lui permettre d'aider une fois encore à pratiquer une CPR sur Bekim.

— Accompagne-les, dis-je à Simon. Pars avec eux à l'hôpital. Et tiens-nous au courant.

— Oui, patron.

Je me retournai et découvris Ferguson derrière moi. Il était pâle, les traits tirés.

— Bois quelque chose, lui conseillai-je presque machinalement. Tu m'as l'air déshydraté.

— Il est mort ?

— Je n'en sais rien. Non, je ne pense pas. Enfin, en attendant, ça ne se présente pas bien.

— Ce soir, on ne peut plus jouer, fit-il. Pas dans ces circonstances, patron. Les gars ont besoin de savoir si Bekim va s'en tirer.

— Je crois que tu as raison.

— Bon Dieu, ça fait réfléchir à ce qui compte le plus dans la vie, hein ?

Je me dirigeai vers la ligne de touche, où Merlini, un délégué de match de l'UEFA et plusieurs types de l'Olympiakos étaient en plein conciliabule. Merlini avait les deux mains jointes, comme s'il avait prié, lui aussi. Visiblement anxieux, il se rongeait l'ongle du pouce, comme s'il avait du mal à prendre une décision. L'entraîneur du club hellène, Hristos Trikoupis, me posa une main sur l'épaule.

— Comment va ton homme ?

Je secouai la tête.

— Je n'en sais vraiment rien.

— Ils l'emmènent au Metropolitan, me précisa-t-il. À deux minutes à pied d'ici. C'est un très bon hôpital. Un établissement privé. Pas public. Essaie de ne pas trop t'inquiéter. C'est là que vont tous les joueurs. Je te le promets, ils vont dispenser à ton gars le meilleur traitement possible.

Encore hébété, je hochai la tête, un peu surpris de ce revirement d'attitude à mon égard. Les jours précédant le match, il avait fait quelques déclarations très désagréables à mon sujet dans les journaux grecs. Il avait même évoqué mon séjour en prison et dit en plaisantant qu'étant donné mes antécédents « de joueur vraiment vicieux » ma place était là-bas. Guerre psychologique, sans aucun doute. Il n'empêche, j'avais trouvé cela blessant. Venant de quelqu'un aux côtés de qui on a joué, on ne s'attend pas à ce genre de comportement. Avant le coup d'envoi, en lui serrant la main, j'avais dû consentir un gros effort pour me retenir de lui casser le bras.

— Écoute, lui dis-je finalement, je ne pense pas que mes gars puissent continuer de jouer. Pas ce soir.

— Je suis d'accord, fit-il.

Merlini, l'arbitre, désigna le tunnel des vestiaires.

— Allons à l'intérieur, je vous prie, nous en discuterons là-bas, proposa-t-il. Je ne me sens pas de prendre une décision devant les caméras de télévision ou devant tous ces gens.

Il donna un coup de sifflet et fit signe aux joueurs restés sur le terrain d'en sortir.

J'attrapai ma veste et nous nous réunîmes dans la pièce réservée aux officiels, Merlini, le délégué de match de l'UEFA, Hristos Trikoupis, les deux capitaines et moi.

Nous nous assîmes et, pendant presque une minute, personne ne prononça un mot. Ensuite, Trikoupis offrit son paquet de cigarettes et tout le monde en prit une, y compris moi. Il n'y a rien de tel qu'une cigarette pour vous aider à vous ressaisir. C'est comme si, en inhalant la fumée dans vos poumons, vous refouliez au fond de vous la chose qui risquait de s'en échapper.

Gary fumait comme un poilu dans une tranchée de la Somme.

— J'ai longtemps pensé que ces saletés me tueraient, dit-il. Après ce qui s'est passé ce soir, je n'en suis plus si sûr.

Trikoupis me tendit un verre de ce que je pris pour de l'eau, et ce fut seulement après l'avoir descendu que je me rendis compte qu'en réalité c'était de l'ouzo.

— Non, répétai-je avec fermeté. Ce soir, nous ne pouvons plus jouer.

— Je suis d'accord, dit-il.

— Et moi aussi, fit Merlini, qui paraissait soulagé que l'on ait pris la décision pour lui. La question est de savoir quand nous devrons achever le match ?

Le délégué de l'UEFA, le dénommé Bruno Verhofstadt, un Belge avec de faux airs du Don Draper de *Mad Men* arborant une barbe digne de Van Gogh, acquiesça.

— Très bien, dit-il. C'est entendu. J'ai la certitude que tout le monde ici espère et prie pour que M. Develi connaisse un prompt et complet rétablissement. Il va de soi que je ne suis pas médecin, néanmoins je suis convaincu que M. Manson et M. Ferguson me pardonneront de formuler une vérité aussi cruelle que désagréable à entendre : désormais, quoi qu'il arrive, il me semble exclu que Bekim Develi joue pour London City dans un très proche avenir. Pas après une crise cardiaque.

J'acquiesçai.

— Oui, c'est juste, je crois, monsieur Verhofstadt.

— Monsieur, je vous remercie. J'espère que vous me pardonnerez aussi de suggérer que nous profitions de cette opportunité pour trouver la meilleure issue à tout ceci. Ce que j'entends par là, c'est la situation telle qu'elle se présente, du point de vue de l'UEFA.

— Mais encore ? demandai-je.

— Je comprendrai tout à fait que vous ne souhaitiez pas en parler dans l'instant, monsieur Manson. Je ne voudrais pas vous donner l'impression que je fais pression sur vous pour que vous preniez une décision relative à la suite.

— Non, non. Parlons-en. Je suis d'accord, je pense qu'il faut trancher dès maintenant. Cela me paraît normal. Tant que nous sommes tous réunis ici.

— Très bien. Donc, sachant que nous sommes d'accord pour considérer que M. Develi risque vraisemblablement de ne plus jouer aucun rôle dans ce match de la coupe…

Verhofstadt me lança un regard, comme s'il attendait confirmation.

Je confirmai.

— Par conséquent, selon les règles de l'UEFA, un match qui a débuté doit pouvoir s'achever le plus vite possible. Nos règles interdisent aussi que les matchs de championnats nationaux ayant lieu sur le territoire européen se jouent le même soir que les rencontres de Ligue des champions ou de Ligue Europa. Demain, c'est encore une soirée consacrée à la Ligue des champions. Aucun match de championnat national ne se joue nulle part ailleurs. Du point de vue du calendrier, il semblerait logique de terminer ce match à la première date possible et qui convienne aux deux équipes.

— Vous voulez dire demain, fis-je.

— Je veux dire demain, en effet, monsieur Manson. (Il soupira.) Et advienne que pourra.

Je savais exactement ce que Verhofstadt entendait par là. Il entendait que nous avions le devoir de jouer le match, même si Bekim Develi mourait. Pourtant, je n'avais guère envie d'admettre à voix haute que c'était une issue possible, même si, tout au fond de mon cœur, je savais qu'il s'agissait de bien plus qu'une simple possibilité.

— Advienne que pourra. Cela me paraît tout aussi normal. Ce n'est pas comme si nous avions beaucoup de supporters qui auraient effectué le déplacement ici ce soir. Je crois que la plupart d'entre eux se trouvaient déjà en vacances dans la région. (Je hochai la tête.) Je veux dire, nous sommes tous sur place, en Grèce. Si nous ne jouons pas demain, il est difficile d'imaginer quand nous serions à même de disputer cette rencontre. Nous jouons contre Chelsea samedi, et ensuite nous sommes censés recevoir l'Olympiakos, pour le match retour, la semaine prochaine. (Je lançai un bref regard à Gary Ferguson.) C'est soit cette solution, soit nous déclarons forfait. Qu'en penses-tu, Gary ?

— Nous ne pouvons pas nous retirer de la compétition, répliqua-t-il, catégorique. Non, patron. S'il faut jouer, il faut jouer. En aucun cas Bekim n'aurait voulu que nous nous retirions de la Ligue des champions… en tout cas, pas à cause de lui. Et encore moins maintenant que nous menons un but à rien. (Il tira une bouffée proprement surhumaine de sa cigarette, et la fumée lui servit à souligner son argument suivant.) Écoute, je ne sais pas comment formuler ça, patron, si ce n'est en mentionnant un vieux film que j'ai vu un jour, avec Charlton Heston. Bekim Develi, pour toi, c'est un peu le Cid. Je veux dire, vivant ou mort, demain, il voudrait qu'on réponde présents. Et qu'on joue. Tu vois ? (Il haussa les épaules.) Et puis, pour être clair, moi, je me sentirais pareil. À fond pour mon club, et ça passe ou ça casse, d'accord ?

Verhofstadt se tourna vers Trikoupis.

— Oui, fit-il. Je suis d'accord. On peut jouer demain, également.

— Merci, messieurs. Merci à vous tous de vous montrer aussi accommodants dans une situation tragique et extrêmement difficile.

Je serrai la main de Hristos Trikoupis, puis de M. Verhofstadt.

— Eh bien, c'est réglé, conclut-il. Ce match est reporté à demain.

Alors que Gary et moi sortions de la pièce des officiels, Trikoupis me prit à part.

— Je ne voulais pas dire ça devant le type de l'UEFA, me glissa-t-il, subitement beaucoup moins amical. Après tout, tu es un grand garçon, maintenant, Scott. Sais-tu vraiment à quoi tu t'exposes, là ? Je ne crois pas. Tu te figures que c'était dur, ce soir, dans ce stade ? Ce n'était rien comparé à ce que ce sera demain. Ne t'imagine pas qu'on va y aller mollo avec vous juste parce que vous avez un joueur qui a fait une crise cardiaque. Un joueur qui n'était pas trop apprécié, pourrais-je ajouter, après ce qu'il a raconté sur ce pays, l'autre soir à la conférence de presse.

— Comme je viens de l'expliquer, je ne crois pas que nous ayons d'autre choix que de jouer ce match.

— Si tu veux. Bon, tu peux compter sur une chose. Demain soir, on va vous trouer le cul. On va tous complètement vous laminer. Et ensuite, on attachera vos cadavres à nos chars, on fera un tour triomphal des murs de ce stade, en vous traînant derrière nous. Et si ce soir vous avez trouvé que c'était dur, demain, vous trouverez sûrement ça encore plus dur. Voilà mon conseil. Rentrez chez vous tout de suite. Tant que vous en avez encore la possibilité.

Après ce qui était arrivé à Bekim, j'étais encore trop abasourdi, sans quoi j'aurais pu dire à Hristos Trikoupis d'aller se faire mettre, surtout après les propos qu'il avait tenus à mon sujet dans les journaux. Toutefois, la situation était déjà d'une gravité suffisante sans que je l'envenime en provoquant une bagarre avec un autre entraîneur sous les yeux de la police locale. Je tournai donc les talons sans ajouter un mot et retournai dans le vestiaire, où j'annonçai aux joueurs ce qui avait été décidé.

Peu après, Simon Page fut de retour avec la nouvelle à laquelle plusieurs d'entre nous s'attendaient, et que nous redoutions tous : Bekim Develi était mort.

Il me fallut un long moment avant de pouvoir réagir. Et quand je réagis enfin, voici ce que je leur dis :

— Nous laisserons aux gens des médias le soin d'idéaliser l'homme et de le présenter plus grand mort que vivant. C'est ce qui leur plaît, mais ce n'est pas ce que Bekim aurait souhaité. Je le sais parce qu'hier soir, après cette conférence de presse désastreuse, je lui ai demandé pourquoi il avait tenu des propos pareils. Et il m'a répondu : « La vérité est la vérité. Je la dis telle que je la vois, et je suis ainsi fait. » Ceux d'entre nous qui aimions Bekim Develi pour ce qu'il était vraiment s'en tiendront à ceci : nous garderons le souvenir d'un homme qui ne ménageait pas ses efforts, qui ne renonçait jamais, un homme qui défendait le fair-play vis-à-vis de tous, mais surtout nous nous souviendrons de lui comme d'un vrai grand sportif. Quand l'un de nos camarades d'équipe meurt de la sorte, je ne sais pas… pour ainsi dire, il n'y a rien de pire. En revanche, demain, l'opportunité nous sera offerte, en tant qu'équipe, de lui montrer tout le prix que nous accordons au temps qu'il nous a été donné de vivre avec lui.

Je me levai.

— Allons, les gars. Prenez votre douche et montons dans le bus.

18

Évidemment, je n'avais jamais voulu de Bekim Develi au sein du club. Le racheter au Dynamo de Saint-Pétersbourg, c'était l'idée de Viktor. Quoi qu'il en soit, très vite, son sens de la discipline et son engagement absolu envers le club nous avaient tous impressionnés, sans même faire état de ses énormes aptitudes techniques. Plus important, il nous avait porté chance, autrement dit, il avait marqué des buts, plus d'une dizaine en moins de quatre mois, des buts importants qui nous avaient permis de finir quatrième du classement derrière Chelsea, Manchester City et Arsenal. Si je devais distinguer un seul joueur qui avait contribué à nous qualifier pour l'Europe, ce serait Bekim Develi. Certes, il y avait eu des moments où j'aurais préféré qu'il tienne des propos moins cinglants, mais il n'était pas diable rouge pour rien : son côté trouble-fête était inscrit dans son ADN. Cela faisait partie de lui, comme sa barbe rousse.

Maintenant qu'il n'était plus là, je me demandais lequel de nous deux – Viktor Sokolnikov ou moi – allait téléphoner à sa fiancée, Alex, à Londres, et lui annoncer la mauvaise nouvelle. Viktor lui avait déjà parlé à plusieurs reprises, pour lui promettre que tout ce qui pouvait être tenté le serait. Le fait est qu'il les connaissait tous les deux depuis plus longtemps que moi et, à mon grand soulagement, il se porta volontaire pour passer cet appel lui-même. Il est une chose que je dirai en faveur de notre propriétaire ukrainien : face aux missions difficiles, il ne se dérobait jamais.

— En plus, dit-il, elle est russe, et il vaut mieux qu'elle apprenne cette terrible nouvelle dans sa langue. Traduite, une mauvaise nouvelle est encore moins tolérable. (Il eut une sombre mimique.) Je vous prie de m'excuser. Servez-vous un verre et installez-vous confortablement. Cela risque de durer un moment.

Il sortit et s'absenta presque quarante minutes.

Nous étions à bord de son yacht, le *Lady Ruslana*. Peu après mon retour du stade Karaiskakis à Vouliagmeni, son hélicoptère m'avait transporté de l'hélistation située devant l'hôtel jusqu'au navire. Il m'avait proposé de dîner à bord, ce que j'avais refusé. Je n'avais aucun appétit, bien que l'on ne pût en dire autant de ses autres invités présents sur le yacht – Phil Hobday, Kojo Ironsi, éloignant les moustiques d'un geste vif avec un chasse-mouches à l'africaine, Cooper Lybrand, vêtu d'un costume en lin d'un blanc immaculé qui lui donnait de faux airs de Gatsby, deux hommes d'affaires grecs qui avaient dû égarer leurs rasoirs, et plusieurs jolies filles – qui, même en pareil moment, s'empiffraient bruyamment sur le pont extérieur : le banquet n'aurait pas déparé la table d'un empereur romain de seconde catégorie. Même aussitôt après la mort de quelqu'un qu'il avait beaucoup apprécié, ce dont j'étais convaincu, Vik vivait la belle vie. Peut-être était-ce la seule manière d'exister : non pas avec un œil sur le futur ou le passé, non, l'œil uniquement ouvert sur le présent. *Tempus fugit* et compagnie.

Le pavillon rouge du yacht à mi-mât était certes un joli geste, j'aurais cependant pu me passer des grands éclats de rire tonitruants de Kojo, ou du feu d'artifice et des jeux de lumière d'un autre yacht – plus grand que l'État du Vatican, et tout aussi opulent – ancré à une centaine de mètres de distance.

— C'est le *Monsieur Crésus*, fit Viktor à son retour dans la cabine de luxe où il m'avait laissé ; le bateau de Gustave Haak, l'investisseur et arbitragiste, ajouta-t-il comme si c'était une explication suffisante à cet évident doigt d'honneur adressé aux Grecs pleins aux as qui, depuis le rivage, avaient dû suivre ce spectacle non sans stupéfaction. C'est son anniversaire. Le jour de son anniversaire, Haak aime bien s'amuser. Moi, je préfère les oublier. Il y en a déjà eu trop, et ils reviennent trop fréquemment à mon goût.

— Comment l'a-t-elle pris ? demandai-je. Alex ?

Il soupira.

— Question stupide.

— Désolé. Oui, stupide, je reconnais.

— En réalité, il se trouve que je suis très doué pour annoncer les mauvaises nouvelles. Mais enfin, en tant que Juifs venus d'Ukraine, nous avons eu des générations de pratique.

— Je ne savais pas que vous étiez juif, Viktor.

— Et Bekim l'était aussi. Je ne pense pas que vous le saviez non plus.

146

— Non, je l'ignorais. Comment l'aurais-je su ?

— Des Juifs dans le football. Ce n'est pas une information à crier sur les toits comme un crétin d'haredi avec son *kolpik* vissé sur la tête. C'est comme d'être gay : face au merveilleux public britannique avec son fair-play et son grand esprit sportif, il vaut mieux rester discret.

— Ce n'est pas faux.

Il grimaça.

— Je suis inquiet pour Alex. D'après Bekim, elle a le baby-blues. C'est normal, bien sûr. Quand j'ai fait sa connaissance, elle était accro à la cocaïne. C'est dans des moments pareils que les gens… les individus plus faibles, comme elle… vont chercher le genre de béquille qui n'est pas conseillée. Je lui ai suggéré de me laisser prendre toutes les dispositions relatives à l'inhumation de Bekim, mais il vaudrait peut-être mieux qu'elle ait de quoi s'occuper. Vous voyez, je sais qu'il souhaitait être enterré en Turquie, là où il était né, à Izmir. (Il pointa le doigt vers l'une des baies vitrées.) C'est juste de l'autre côté de la mer Égée, dans cette direction. Il serait donc logique que je m'en charge. Ne pensez-vous pas ?

— Si. Et moi, en ce qui me concerne, je suis très content que vous vous en occupiez. Je ne suis pas certain d'être capable d'assumer la Ligue des champions et les fossoyeurs locaux le même jour.

— Scott, franchement. (Il sourit et se caressa la barbe.) Vous vous montrez un peu mélodramatique, là. Ce que vous faites, vous le faites très bien ; toutefois, sincèrement, comparé à ce que je dois assumer, ce n'est rien.

— Ah non ?

— Eh non. Vous êtes un homme intelligent. Il n'empêche, je me demande parfois si vous avez la moindre idée de ce que cela représente de gérer une entreprise qui pèse douze milliards de livres. La responsabilité. Les efforts que cela réclame. Le nombre de choses qui requièrent sans cesse mon attention. Trente mille personnes travaillent pour moi. Vous, tout ce que vous avez à faire, c'est convaincre onze bonshommes de jouer au football.

J'acquiesçai en silence. Moi qui me sentais déjà triste, maintenant, je me sentais aussi tout petit.

À bord du *Lady Ruslana*, Vik régnait en maître comme jamais il ne pouvait le faire à terre. Il lui suffisait d'un signe de tête pour obtenir que l'on s'active autour de lui. Les membres d'équipage portaient des polos et des shorts orange, et ils étaient si jeunes qu'ils avaient l'air de la classe de gymnastique d'un lycée australien. C'était d'ailleurs leur origine, pour la plupart. À une ou deux reprises, je crus le voir me faire un signe de tête, avant de comprendre qu'il venait de se commander un verre, une petite chose à grignoter, qu'il avait envoyé des fleurs à Alex, ou demandé la chaloupe qui me reconduirait à mon hôtel.

— J'avais oublié que les hélicoptères vous rendent nerveux, Scott, m'avoua-t-il.

— Je ne crois pas l'avoir jamais mentionné, je me trompe ?

Il haussa les épaules.

— Un homme n'a besoin de rien dire pour être aussi éloquent qu'Hamlet, ironisa-t-il. Parfois, son corps raconte tout à sa place. En plus, je pense que vous avez subi plus que votre part de stress pour la journée, mon ami. Je le sais, c'est mon cas. Alors voilà. Prenez la chaloupe. Retournez à votre hôtel. Mangez quelque chose. Essayez de vous accorder une bonne nuit de sommeil. Et comme je le disais précédemment, pour tout le reste, hormis le match de football de demain, remettez-vous-en à moi. Mais avant de faire tout cela, pardonnez-moi, je vous prie. Je suis désolé de vous avoir dénigré de la sorte, tout à l'heure. Je vous ai donné l'impression d'être insignifiant et sans importance, et ce n'était franchement pas nécessaire. Mes excuses.

Cela se voulait peut-être une modeste démonstration d'omniscience, il n'empêche, c'était touchant.

Après quoi il m'étreignit chaleureusement.

À mon retour à l'hôtel, je découvris que des policiers m'attendaient à la réception. Ils m'expliquèrent que l'on procéderait à une autopsie et que, pour motifs judiciaires, les affaires de Bekim Develi devaient rester dans son bungalow, à l'hôtel, désormais fermé jusqu'à nouvel ordre.

— C'est ce qu'a décidé le bureau du médecin légiste, m'expliquèrent-ils. Quand un homme âgé de tout juste vingt-neuf ans tombe raide mort, il y a des procédures à respecter.

— Je comprends, dis-je.

Il semblait que les éventuels projets de Viktor Sokolnikov d'enterrer Bekim Develi dans sa ville natale d'Izmir fussent pour le moment en suspens.

19

Nous avons donc repris le match abandonné la veille au soir avec quatre-vingt-trois minutes à jouer. Et la partie débuta bien. Comment aurait-il pu en être autrement ? Nous avions un but d'avance. Qui plus est, c'était un but marqué à l'extérieur, les plus importants, dans cette véritable *Ferme des animaux* que peut être parfois le monde de l'UEFA, où certains buts sont plus égaux que d'autres. Nos joueurs semblaient beaucoup tenir à gagner ce match, ne fût-ce que pour Bekim. La page des sports de tous les journaux anglais nous pressait de remporter la victoire sur les Grecs et prédisait que London City allait sûrement l'emporter – à une exception près, Henry Winter, dans le *Daily Telegraph*, toujours d'une prescience digne de Cassandre.

Malheureusement, personne n'avait signifié à l'Olympiakos de quelle manière devait se dérouler le scénario de cette tragédie de la revanche.

Dès que les joueurs de London City pénétrèrent sur le terrain, ou presque, notre soirée commença à se lézarder tels les marbres du Parthénon. C'était comme si la perte d'Hector avait scellé notre destin, car nous étions hésitants en défense, médiocres en milieu de terrain et impuissants en attaque. Schuermans et Hemingway étaient tous les deux débordés par Alejandro Domínguez, un Argentin de trente-deux ans qui prouvait que son équipe n'avait aucun besoin de l'avant-centre Kostas Mitroglu – vendu à Fulham pour 12,5 millions de livres – pour marquer des buts. À tout juste quinze minutes de la fin de la première période, il égalisa en reprenant en pleine course un fantastique ballon en profondeur de Giannis Maniatis, le capitaine et milieu de terrain de l'Olympiakos, une passe qui aurait sans doute pu tromper Jésus-Christ en personne et introduire le chameau biblique par le chas d'une aiguille. Pourquoi nos propres milieux de terrain ne l'avaient-ils pas marqué à la culotte, c'était un mystère, mais un mystère enveloppé dans une énigme : pourquoi nos quasi-pantouflards de défenseurs n'avaient-ils pu empêcher Domínguez de trouver un espace pour armer un tir que Kenny Traynor aurait dû aisément arrêter ? Son champ de vision obstrué et pris à contre-pied, notre gardien plongea d'un côté et, d'une chiquenaude propre, nette et sans bavure, Domínguez expédia le ballon de l'autre. Il franchit la ligne de but avec une telle absence d'élan, presque digne d'un dessin animé, que Jerry la souris aurait pu l'arrêter, ajoutant à l'évidente affliction de Traynor. Il gifla le sol à plusieurs reprises en vociférant contre le terrain, comme s'il en voulait aux dieux des enfers logeant sous nos pieds.

Les fans de la Légende tirèrent derrière la cage de Traynor plusieurs fusées d'un rouge diabolique, ce qui ne fit que souligner encore un peu plus la prestation infernale de l'Écossais et emplit l'air du stade d'une odeur fortement sulfureuse.

— Bordel de Dieu ! s'exclama Simon. J'en ai vu, des défenses d'empotés dans ma carrière, mais ces deux abrutis décrochent le pompon. À les voir se précipiter comme ça sur Domínguez, on aurait cru qu'ils voulaient essayer une passe croisée, façon rugby, nom de Dieu de merde. Tu veux leur gueuler dessus ou je m'en charge ? Ça me met dans une telle rogne, patron. Dans une telle rogne.

— Ne te gêne pas, dis-je.

Simon Page cracha son Mentos extra-fort comme il aurait expulsé une dent déchaussée, fit quelques pas jusqu'à la limite de la zone technique, gesticula de fureur en direction de nos quatre arrières et leur déversa un tel torrent d'insanités que je n'étais pas mécontent que les Grecs provoquent un tel raffut. Tout ce que je saisis, ce furent deux mots – « pauvres connards » – et à dire vrai, tout bien considéré, c'étaient les deux seuls mots qu'ils avaient réellement besoin d'entendre. Je ne savais pas au juste si la FIFA, suite au changement dans les règles introduit en 1993 portant création des zones – ou surfaces – techniques, aurait pu considérer la sortie de Simon comme ce qu'elle appelait « un élément du jeu », en revanche je doutais que cette sorte d'intervention soit véritablement de nature à « améliorer la qualité du jeu ». Bien sûr, il m'arrivait à moi aussi de me rendre coupable de ce genre d'écarts de comportement. D'ailleurs, on m'avait déjà envoyé à deux reprises faire un tour dans les gradins, suite à ce que l'association des arbitres avait qualifié de « coaching agressif ».

À présent, notre cage avait disparu, noyée sous le nuage de fumée écarlate des fusées hellènes qui engloba notre gardien, lui-même rouge de honte, et l'arbitre attendit sagement une bonne minute avant de relancer le jeu.

— Simon, m'écriai-je, reviens un peu ici. Tu vas nous faire une crise cardiaque, nom de Dieu.

Il ne m'entendait pas. La face rubiconde et tétanisée de colère, le grand gaillard du Yorkshire continuait de hurler en agitant les bras en tous sens comme un chef saisi de folie dirigeant un orchestre de musiciens sourds, et subitement, cela me traversa l'esprit : après ce qui était arrivé à Bekim Develi, il n'y avait rien d'improbable à ce qu'il fasse lui aussi une crise cardiaque. Par conséquent, dès la reprise du jeu, je me levai de ma place et, quittant l'abri de touche, j'allai le chercher. Du coin de l'œil, j'entrevis Hristos Trikoupis se plaindre auprès du quatrième arbitre de ce que j'avais empiété sur sa zone technique, ce qui n'était évidemment pas vrai, mais, à cet instant précis, j'avais d'autres motifs d'inquiétude.

— Laisse tomber, Simon, répétai-je en le prenant par le bras. Ils ne peuvent même pas te voir, avec cette fumée.

Il était sur le point de suivre mon conseil quand une balle haute arriva dans notre direction, et Daryl Hemingway et Diamntopoulou bondirent tous deux pour la jouer de la tête, juste devant nous. Dans une détente presque gymnique, le Grec donna l'impression de grimper sur le dos de l'Anglais afin d'atteindre la balle. Il n'y eut pas vraiment contact entre les deux hommes, néanmoins, dans la prise de catch qui s'ensuivit, le Grec soudain pétrifié de douleur s'enfouit le visage dans les mains comme si Daryl l'avait volontairement plaqué au sol de son bras tendu. Pour Simon et moi, il était d'une évidence flagrante – et ce devait être tout aussi clair pour le juge de ligne posté à côté de nous – que le brusque revers de bras de Daryl avait tout juste effleuré la touffe de fillette que Diamntopoulou arborait au sommet du crâne. Pourtant, le Grec continuant de se tordre de douleur sur la pelouse comme si on lui avait planté dans l'œil un tisonnier chauffé au rouge, nous fûmes sidérés de voir le juge de ligne lever son drapeau et Merlini, l'arbitre, se diriger aussitôt à grands pas vers Daryl et porter la main à sa poche de poitrine pour en extraire un carton.

Un jaune eût été déjà assez sévère comme ça ; le rouge, c'était un pur scandale. Daryl Hemingway resta planté là comme s'il avait le plus grand mal à comprendre ce qui lui arrivait. Tout comme Simon et moi. Sur le moment, comment réussîmes-nous à nous retenir de commenter davantage, je ne le saurai jamais. Je posai la main sur l'épaule de Daryl et le raccompagnai au banc de touche, non sans avoir auparavant modifié notre dispositif de 4-3-3 en 4-4-1. Si nous nous retranchions en défense, nous pouvions préserver le nul, ce qui constituerait au moins un résultat sur lequel fonder quelque espoir lors du match retour, à Londres.

— Je l'ai pas touché, putain, patron. Juré.

— J'ai tout vu, Daryl. Ce n'était pas ta faute. Un de ces salopards s'est fait acheter. Ça, au moins, maintenant, c'est une évidence.

Je me retournai vers le terrain, juste à temps pour voir Diamntopoulou se relever, sans une marque sur le visage.

— Espèce de sale tricheur. Il ne t'a pas touché, lui lança un Simon railleur, toujours à la limite de la surface technique. Tu te prétends un sportif ? T'es qu'une pauvre fillette, voilà ce que tu es, fils. Une pauvre fillette.

Diamntopoulou avait un torse de taureau, constellé de plus de tatouages qu'un régiment écossais, et les invectives moqueuses de l'homme du Yorkshire le hérissaient visiblement.

— Tu me traites de gonzesse ?

— Ah ben t'es pas un homme, ça, c'est sûr.

— Va te faire mettre.

— Moi, non, je te remercie, par contre, toi, si tu veux, je peux te mettre, fillette. Il n'y a qu'à ça que tu es bon, espèce de *malakas* de grec.

— Va falloir que tu apprennes les bonnes manières, le gros ! hurla Diamntopoulou, l'air prêt à se battre, tandis que deux joueurs de l'Olympiakos le retenaient, et ce fut une chance que le quatrième arbitre ait été là pour s'interposer.

— Quand tu seras prêt, quand tu voudras, *malakas*. Moi, je suis prêt, bordel.

Sans surprise, Simon se vit sommé de retourner aux vestiaires. Pour être juste envers les officiels grecs, en des circonstances normales ils auraient pu l'envoyer s'assoir dans les gradins, mais les circonstances étaient tout sauf normales. On n'avait pas jugé sûr d'assoir Simon au milieu des supporters de l'Olympiakos, et on n'avait pas tort. Pour Simon, rien ne paraissait moins sûr que les gradins de l'Olympiakos.

Réduits à dix, nous avions du mal à contenir les Grecs, surtout Perez, sur leur aile gauche. Nous résistions bravement, Gary Ferguson nous sauva à deux reprises et, avec trois arrêts de haute volée, Kenny Traynor se révélait au sommet de sa forme. Cependant, maintenant que nous avions encaissé un double coup au moral, la tâche se révélait insurmontable.

Dès la reprise, en seconde période, Perez échappa à Jimmy Ribbans, enroula la balle du pied gauche et ce fut leur deuxième but. Dix minutes plus tard, Schuermans laissait échapper le même Perez qui, profitant d'un espace plus dégagé qu'il ne l'aurait cru possible, courut planter son deuxième but du match.

Et quand, à la soixante-dix-neuvième minute, Dominguez étant sorti, Machado, son remplaçant, marqua immédiatement un but digne d'une mêlée de mille-pattes, uniquement grâce au fait que les Grecs avaient davantage de paires de jambes que nous à laisser traîner dans la surface pour frapper dans la balle, on eût été en droit de comparer les ruines de notre soirée à celles de l'Acropole. Le score final s'établit à 4-1.

J'allai serrer la main de Hristos Trikoupis et fus plus que choqué de le voir tout sourire, quatre doigts pointés en l'air. En d'autres circonstances, j'aurais trouvé matière à réagir ; au lieu de quoi je tournai les talons et, frappant dans mes mains, j'invitai mes joueurs à quitter le terrain. Il était inutile de les engueuler davantage.

— Allons, les gars. Dépêchez-vous d'aller vous changer. Nous avons un avion à prendre. Plus tôt on sera sortis de cet asile de fous, plus vite on sera de retour à Londres et mieux ça vaudra.

Je n'étais pas trop pressé de donner cette interview télévisée que j'avais accepté d'accorder immédiatement après le match. Je n'allais certainement pas livrer le fond de ma pensée à leur journaliste : que cette soirée n'avait été que confusion, duplicité, désordre et défaite. Ce ne serait bien perçu par personne, même si c'était la vérité. Au lieu de quoi, j'avais déjà décidé de la jouer un peu à l'italienne. Les entraîneurs italiens sont des maîtres de la dissimulation et ils ont un proverbe assez utile en de pareils moments. *Bisogna far buon viso a cattivo gioco.* « Il faut faire contre mauvais jeu bonne figure. »

Bien entendu, c'est une chose de faire bonne figure quand seule la chaîne ITV attend de pouvoir vous questionner dans le tunnel des vestiaires. C'en est tout à fait une autre quand ce sont les flics. Face à eux, il est toujours plus difficile de faire bonne figure.

20

Deux policiers en uniforme et un troisième homme vêtu d'un costume en lin gris m'attendaient devant notre vestiaire. L'homme en costume gris était grand, le cheveu blond et une petite touffe de poils sous la lèvre inférieure qui, je le suppose, devait faire office de barbichette mais évoquait plutôt un morceau de baklava tombé là après avoir manqué l'orifice de la bouche. J'avais connu des brosses à dents au poil plus fourni. J'aurais pu totalement ignorer sa présence, n'était le portefeuille de ses titres officiels qu'il me brandit sous le nez. Malgré des dents très blanches, même à cette distance, son haleine aurait mérité d'être rafraîchie.

— Êtes-vous Scott Manson ?

— Oui.

— Mon nom est Ioannis Varouxis, je suis inspecteur-chef à la Brigade spéciale des crimes violents, ici, à Athènes.

Il rangea son portefeuille et me tendit une carte de visite rédigée en anglais d'un côté et en grec de l'autre.

— Pourrais-je vous parler, monsieur ? En privé ?

Il tenait sous son bras un iPad dans son étui caout-chouté assorti à la couleur de son costume, et je humai une bouffée d'after-shave au parfum assez plaisant. Sa chemise était propre et impeccablement repassée et il ne ressemblait pas aux policiers grecs que j'avais vus dans des films.

Je me rembrunis.

— Tout de suite ?

— C'est important, monsieur.

— Très bien. Si vous insistez.

Il me précéda dans le couloir menant à la pièce des officiels où j'étais entré la veille au soir, après la mort de Bekim. Les raisons susceptibles de pousser un policier de la brigade des crimes violents à vou-loir me parler défilèrent dans ma tête à toute allure. Simon Page avait-il frappé quelqu'un ? Un Grec l'avait-il agressé ? Les supporters de l'Olympiakos prévoyaient-ils de nous attaquer lorsque nous quitte-rions le Karaiskakis Stadium ? Les deux policiers en uniforme restèrent en faction de part et d'autre de la porte que l'un des deux referma, me laissant seul avec l'inspecteur-chef.

— Tout d'abord, permettez-moi de vous dire que je suis tout à fait désolé pour Bekim Develi.

J'acquiesçai en silence.

— Mourir si jeune, c'est une terrible tragédie. Et que cela se produise en Grèce, en plein match, c'est extrêmement regrettable. En fait, j'aurais même sou-haité vous parler plus tôt dans la journée, toutefois, mon supérieur, le lieutenant général de police Stelios Zouranis, estimait que cela risquait de perturber vos préparatifs en vue du match de ce soir. En somme, que

vous pourriez prendre cela pour une tentative grossiè-
rement partisane d'influencer le résultat.

— Je ne suis pas certain que quoi que ce soit aurait
pu affecter notre prestation de ce soir. Nous avons été
au-dessous de tout.

— Au vu des circonstances, il n'est guère surprenant que vous ayez perdu. Pour votre information, je dois vous préciser que je suis un supporter du
Panathinaïkós. Alors rien que d'être ici, j'en ai la chair
de poule. Votre joueur, Hemingway, il n'aurait jamais
dû être expulsé. C'était typique d'un match contre
l'Olympiakos. D'une manière ou d'une autre, ils s'ar-
rangent toujours pour trouver le moyen de gagner.

Je consultai ma montre.

— Vous me pardonnerez si je vous demande de
bien vouloir en venir au fait, inspecteur. Nous avons un
avion affrété spécialement qui attend de nous ramener
à Londres. Il semble que vos contrôleurs aériens se
mettent en grève à minuit. Et nous tenons vraiment à ne
pas manquer ce créneau horaire pour notre décollage.

— Je sais. Et croyez-moi, c'est là un autre aspect
extrêmement regrettable, monsieur. Je crains qu'aucun
de vous ne soit autorisé à quitter la Grèce.

— Quoi ?

— Pas ce soir, en tout cas. Peut-être pas avant plusieurs jours.

— Vous plaisantez.

— Pas tant que nous n'aurons pas terminé nos
investigations. Le ministre de la Culture et des Sports
s'est entretenu avec le directeur de l'hôtel, qui a généreusement accepté de prolonger votre séjour jusqu'à
ce que tout cette affaire soit élucidée.

— Quelle affaire ? Vos investigations sur quoi ?

— Je suis chargé d'enquêter sur un crime violent, monsieur Manson. Plus spécifiquement, sur un homicide. Peut-être même un meurtre.

— Un meurtre ? Écoutez, avec tout le respect qui vous est dû, inspecteur-chef, qu'est-ce que c'est que toute cette histoire ? Bekim Develi a fait une crise cardiaque. Devant trente mille personnes. Je peux aisément comprendre que son décès impose une autopsie. Ce serait normal, dans n'importe quel pays. En revanche, je peine à comprendre la nécessité de mener aussi une enquête de police.

— Oh, ce n'est pas sur la mort de Bekim Develi que j'enquête, monsieur, même si je pense qu'il y aura enquête… suivant la procédure habituelle.

— Alors de la mort de qui parlons-nous ? Je ne comprends pas. Est-il arrivé quelque chose à un membre de mon encadrement ?

— Non, monsieur. Rien de tel. Le corps d'une jeune femme a été retrouvé dans le port de plaisance de Marina Zea, près du Pirée, ce matin. De jeunes garçons ont découvert ce corps dans trois mètres d'eau, un poids attaché aux pieds. Nos investigations ont révélé que cette femme avait une clef plastifiée de l'Astir Palace… votre hôtel… dans la poche de sa robe. Cet après-midi, nous nous sommes rendus sur place et nous avons constaté que cette clef de chambre avait été remise à M. Develi. Nous avons aussi vérifié les enregistrements des caméras de vidéosurveillance et, euh… enfin, voyez vous-même.

Varouxis ouvrit le rabat de son iPad et tapa sur l'icône Vidéos pour me montrer un bout de film à l'image neigeuse.

— C'est elle qui arrive au bungalow de M. Develi, lundi soir. Comme vous pouvez le constater, l'horodatage indique qu'il est 23 heures. Vous nous le confirmez, c'est bien votre joueur qui lui dit au revoir à sa porte, n'est-ce pas ?

— Puis-je revoir cette séquence vidéo, inspecteur-chef ?

— Certainement, monsieur.

Je regardai la séquence plusieurs fois, mais ce n'était pas pour vérifier ce que Varouxis m'avait raconté concernant Develi – c'était manifestement Bekim. Je voulais plutôt établir si la fille qui entrait dans le bungalow du défunt et en ressortait était bien Valentina, l'escort-girl avec qui on m'avait mis en relation. Ce n'était pas elle, ce qui constituait un soulagement car cela me déchargeait d'avoir à expliquer à cet inspecteur-chef que j'avais couché avec la morte. La fille de la vidéo était jolie et, connaissant le penchant de Bekim pour la location de compagnie féminine à des heures tardives, il ne fallait pas être grand détective pour deviner sa profession. Il en était encore à dire bonsoir à la fille qu'il avait déjà les mains dans sa culotte.

— Oui, c'est lui, en effet, dis-je. Pour des raisons évidentes, ce soir-là, j'avais imposé aux joueurs un couvre-feu sur les visiteuses, ce dont Bekim Develi semble n'avoir tenu aucun compte. Quant à la fille, je ne la connais pas.

— Vous admettrez qu'il est alors possible que Bekim Develi ait été l'une des dernières personnes à voir cette fille vivante. Vous voyez que si nous disposons d'une bande de vidéosurveillance d'elle entrant dans le bungalow, aucune ne nous la montre en ressortant.

J'acquiesçai.

— Oui, j'imagine. Pour être juste envers Bekim, elle aurait pu sortir par la porte de derrière, sur la terrasse.

— Oui, c'est une possibilité. Il est certain que s'il était lui-même encore en vie, nous souhaiterions nous entretenir avec lui de toute urgence, auquel cas j'aurais cette conversation non pas avec vous mais avec votre joueur. Où l'avez-vous rencontrée ? À quelle heure est-elle repartie ? Ce genre de choses.

— J'imagine, en effet. Juste pour clarifier un point… Cette interdiction de rentrer à Londres s'applique-t-elle à M. Sokolnikov et à ses invités à bord de son yacht ?

— Non. Uniquement à ceux d'entre vous qui sont logés à l'Astir Palace, le dernier endroit où la jeune morte a été vue en vie.

J'opinai.

— Il n'empêche, retenir une équipe entière à cause de la conduite d'un seul homme… un homme qui est maintenant mort… cela paraît un peu excessif.

— À première vue, cela peut sembler être le cas, en effet. Voyez-vous, monsieur Manson, nous devons tous deux nous acquitter de tâches ardues. Moi, dans ce contexte, je dois mettre en balance ce qui est juste du point de vue de la procédure et de l'enquête au regard de ce qui est légal et équitable. Et vous, eh bien, j'imagine, monsieur, que vous êtes confronté à une mission impossible. Tenter de discipliner le comportement de jeunes hommes aux portefeuilles aussi garnis que leur amour-propre et leur libido. Vous admettrez peut-être aussi qu'il se peut que Bekim n'ait pas été le seul joueur de London City présent dans ce bungalow lorsque cette jeune femme en a franchi la porte. Qu'il n'ait pas été le seul joueur à enfreindre le couvre-feu concernant ces visiteuses.

— Écoutez, inspecteur-chef, j'ai déjà confirmé qu'il s'agissait de Bekim Develi sur cette vidéo. Néanmoins, ces images ne contiennent aucune preuve de la présence de quelqu'un d'autre.

— Non, en effet, pas ces images. Notez, si je ne suis pas en mesure d'en parler à Bekim Develi, je peux le cas échéant m'adresser à quelqu'un d'autre qui aurait pu également croiser cette malheureuse jeune femme. Peut-être formaient-ils… ce qu'en grec on appelle un *trio*.

— Triolisme, dis-je.

— Précisément. Je suis un homme marié, cependant on lit des choses à ce sujet. Dans des livres, dans la presse.

— Y a-t-il une quelconque preuve d'un trio ?

— Quelques-unes, peut-être. Les experts du DEE – c'est notre service médicolégal – se sont rendus dans la chambre de M. Develi cet après-midi. Ils y ont trouvé des indices d'une sorte de petite fête qui s'y serait déroulée. Je n'ai aucune envie de trop entrer dans les détails… Des traces de cocaïne ont été décelées, bien qu'il soit impossible à ce stade de dire si la drogue venait de lui ou d'elle.

— Bekim Develi n'aurait jamais pris de la cocaïne une veille de match, lui répliquai-je, catégorique. J'en suis certain. Il n'aurait pas couru ce risque.

— Je suis convaincu que vous avez raison, monsieur. Je ne doute pas que vous ayez averti tous vos joueurs de la sottise d'un tel comportement, et ce à plusieurs reprises. Somme toute, c'est vous qui leur avez ordonné de ne pas recevoir de filles dans leur chambre la nuit précédant le match. Un ordre auquel nous nous accordons à penser, vous et moi, que Bekim Develi a désobéi de façon flagrante. Je n'insisterais pas pour que vous restiez ici, en Grèce, si je n'avais pas de bonnes raisons. Et comme je pense avoir au moins deux bonnes raisons, j'espère que vous accepterez de considérer les choses de mon point de vue. Et que je pourrai compter sur vous pour coopérer à mon enquête.

— Si je suis évidemment à même de considérer les choses de votre point de vue, inspecteur-chef, je me demande si vous seriez capable de les considérer du mien. La libre circulation des ressortissants de l'Union européenne est un principe fondamental de l'article 45 du traité. On pourrait avancer que si on empêche l'équipe de partir d'ici ce soir, l'ensemble de ses membres subira un préjudice d'ordre économique.

C'était pitoyable, bien entendu, mais je ne savais vraiment pas quoi raconter d'autre. Il fallait que je dise quelque chose, et l'inspecteur grec eut au moins la politesse de ne pas en rire.

— En plus, nous avons un match important contre Chelsea samedi. Je pense que si nous sommes empêchés de jouer ce match, n'importe quel avocat serait en mesure de démontrer que nous subirons un réel préjudice. À tout le moins, nous contacterons l'ambassadeur de Grande-Bretagne en lui demandant de parler avec votre ministre à la première occasion.

— Oh, je ne crois pas que vous empêcher de quitter la Grèce nous créera la moindre difficulté, monsieur Manson. Le ministre de l'Ordre public et de la Protection des citoyens, Konstantinos Miaoulis, a déjà approuvé ma demande. S'il est l'objet d'une enquête en tant que suspect potentiel, cela constitue toujours une très bonne raison d'empêcher n'importe quel citoyen de l'Union européenne d'exercer son droit de quitter un pays. Même une équipe de football. Néanmoins, je pourrais ajouter un conseil d'ami : à l'heure actuelle, les argumentations juridiques impliquant l'Union européenne ne sont pas très prisées des tribunaux grecs, pour des raisons évidentes.

— Merci du tuyau, inspecteur-chef. Bien sûr, cela ne dépend pas de moi, mais de notre propriétaire et du président de notre club, M. Hobday. Toutefois, je pense qu'en plus de demander son assistance à notre ambassadeur, nous allons sans doute engager quelques avocats locaux.

— Faites, faites donc. Et vous aurez besoin de son numéro de téléphone. (Varouxis sortit un stylo et écrivit un numéro sur un bout de papier.) C'est l'ambassade de Grande-Bretagne, rue Ploutarchou. 210-7272-600.

— Je vous remercie. Je vais l'appeler dès que nous aurons terminé cette conversation.

— Comme il s'attendait à vos objections, mon supérieur suggérait aussi de nous revoir, demain matin, au GADA. C'est le siège central de la direction générale de la police d'Attique, sur l'avenue Alexandras, à Athènes. Vous ne pouvez pas le manquer. C'est en face d'Apostolos-Nikolaidis, le stade du Panathinaïkós. Vous, le propriétaire de votre club, vos avocats, l'ambassadeur... qui vous voudrez... vous aurez toute latitude de poser des questions au ministre, le lieutenant général Zouranis, et à moi-même, naturellement.

— Très bien. Disons 15 heures demain après-midi ? Plus tôt nous pourrons clarifier cette affaire, plus tôt nous pourrons nous envoler pour l'Angleterre.

— 15 heures ? (Varouxis grimaça.) Généralement, nous arrêtons de travailler à 14 heures. Disons 10 heures.

— 10 heures, entendu. (J'observai un temps de silence.) J'ai une question. Vous n'arrêtez pas de mentionner cette morte, cette malheureuse jeune fille. Elle n'a pas de nom ?

— Pas encore. Étant donné l'heure de son arrivée là-bas ainsi que certains prélèvements effectués dans le bungalow de Bekim Develi, je crois raisonnable de présumer qu'il s'agissait d'une prostituée. J'imagine que vous ne l'avez pas reconnue ? (Il grimaça de nouveau.) Pardonnez-moi. Ce que je veux dire par là, c'est l'auriez-vous vu circuler dans l'hôtel, monsieur ? Au bar, peut-être ?

— Je regrette, non, inspecteur-chef. Vous savez, mon propre bungalow était juste à côté de celui de Bekim. Si je l'avais entendu manigancer quelque chose, j'y aurais mis un terme. S'agissant d'une grave violation de la discipline comme celle-là, je lui aurais infligé une forte amende, probablement.

L'autre hocha la tête.

— J'ai encore une question à vous soumettre.

Je haussai les épaules.

— Allez-y.

Il plongea la main dans la poche de sa veste et en sortit un pendentif au bout d'un lacet en cuir – une amulette représentant la paume d'une main droite

167

ouverte. Cela me rappelait un objet que j'avais vu récemment, tout en étant incapable de me souvenir lequel exactement.

— Il avait cela autour du cou, à l'hôpital, on le lui a retiré et on l'a remis au bureau du légiste. Saviez-vous qu'il le portait ?

— Non, dis-je. Et si je l'avais su, je lui aurais demandé de le retirer immédiatement. La FIFA interdit aux joueurs de porter le moindre bijou pendant un match de football. Pour ce genre d'incartade, vous risquez un carton jaune.

Le policier tiralla un instant sur son espèce de spécimen de barbiche, ce qui me permit de mieux comprendre pourquoi il se l'était fait pousser : pour se donner le temps de réfléchir.

— Au vu de ce que vous venez de dire… que le port d'un tel accessoire est interdit, avez-vous la moindre idée de la raison pour laquelle il aurait couru le risque de porter pareil bijou ?

— Non. Est-ce d'origine grecque ?

— Je crois que c'est d'origine arabe.

— Et d'ailleurs, qu'est-ce que c'est ?

— C'est censé procurer une protection contre le mauvais œil. Les chrétiens l'appellent une main de Marie. Les juifs la main de Myriam. Les Arabes, eux, l'appellent *hamsa* : la main de Dieu.

21

— On ne peut tolérer le maintien d'une telle mesure, dit Vik. Nous avons un match contre Chelsea samedi et il faut que nous rentrions. Pour les battre.

Aux yeux de Viktor Sokolnikov, battre Roman Abramovitch était presque plus important que tout, comme en témoignait la prime de cinquante mille livres qu'il avait déjà offerte à chaque joueur de City si nous l'emportions. Si tous les milliardaires russes se mesurent sans doute au propriétaire de Chelsea, plus d'un se révèle n'être pas à la hauteur – Boris Berezovski, par exemple.

Nous étions dans la suite royale de l'Hôtel Grande-Bretagne, en plein centre d'Athènes, choisie par Phil Hobday pour y installer les bureaux de notre équipe le temps que nous demeurerions coincés en Grèce. Et, à 8 heures le lendemain matin, c'était là que nous rencontrions les avocats de Vrachasi, l'un des tout premiers cabinets d'Athènes, auquel Viktor avait fait appel pour se défendre de ce qui équivalait à une assignation à résidence de l'équipe.

— Je veux que soit déposée une requête devant un tribunal grec aujourd'hui, insista-t-il. Et je me moque de ce que cela coûte.

Mᵉ Olga Christodoulakis, associée senior chez Vrachasi, était une brune assez forte, la quarantaine, au joli visage et à l'attitude aussi énergique que son écriture. Elle portait un chemisier vert qui ne dissimulait pas grand-chose de son énorme poitrine et une jupe noire moulante dont les contours évoquaient plus les renflements d'un stylo à pompe que la banalité rectiligne d'un crayon à papier. Elle parlait un anglais excellent, avec un accent américain, mais le porte-serviette qui lui tenait lieu de collaborateur – un jeune homme, dénommé Nikos quelque chose – le parlait plus couramment et, à un moment, elle s'exprima en grec, et il intervint aussitôt en traduisant rapidement.

— Ce sera difficile, prévint-elle. En ce moment, les tribunaux grecs sont en grève. Ce qui signifie que nous allons devoir passer des coups de fil dans toute la ville pour dénicher un juge bien disposé qui soit prêt à enfreindre ce mot d'ordre de grève et à examiner notre affaire.

Phil Hobday était horrifié.

— Des juges qui font grève ? Je n'ai jamais entendu une chose pareille.

— Si l'État ne vous verse pas ce qu'il vous doit, vous n'avez pas beaucoup d'incitation à aller en justice, souligna-t-elle. Pour l'heure, ce n'est pas là notre plus gros problème. D'après ce que disent les policiers, j'ai cru comprendre qu'ils ont l'intention d'attendre le rapport du pathologiste concernant la jeune femme décédée avant de décider quoi faire ensuite.

L'ennui, c'est que les médecins qui se chargent de toutes les autopsies sont eux aussi en grève.

— Nom de Dieu, s'exclama Sokolnikov. C'est comme être de retour en Russie.

— Est-ce qu'un autre hôpital ne pourrait pas se charger de l'autopsie ? suggéra Phil. Un établissement privé. Comme l'hôpital Metropolitan au Pirée. C'est là qu'il ont emmené Bekim Develi, n'est-ce pas ? Eux, ils ne font pas grève.

— Je crains que ce ne soit du domaine de l'impossible, répondit Mᵉ Christodoulakis. L'hôpital général Laiko d'Athènes, avenue Saint-Thomas, pratique les autopsies effectuées sur ordre de la police depuis 1930. Cela ne risque guère de changer juste à cause d'une grève. L'État doit de l'argent aux praticiens de cet établissement, tout comme aux juristes. Et essayer de contourner cet obstacle provoquerait trop de tracas pour que cela en vaille la peine. Même si nous le voulions, je doute que nous puissions trouver un pathologiste qui ose se charger de cette besogne.

— Je crains qu'elle n'ait raison. Ce sont les tristes réalités de la vie en Grèce à l'heure actuelle.

Toby Westerman, de l'ambassade de Grande-Bretagne en Grèce, paraissait chagriné, quoi que ce fût sans doute son expression par défaut. Ses cheveux bruns clairsemés étaient coiffés dans un mouvement de l'arrière vers l'avant, ce qui lui donnait des airs d'écolier indiscipliné, effet accentué par une cravate aux couleurs de son ancien collège et une paire de lunettes aux verres presque opaques, couverts de marques de doigts.

— On est en plein Kafka, se plaignit Vik. À ce rythme, les gars pourraient rester bloqués ici des semaines.

Je n'avais pas lu Kafka, j'avais lu *Catch 22*, et c'était ce que me rappelait cette situation. Et puis j'avais un autre sujet de préoccupation : la discipline. Tenir la bride à dix-huit joueurs dans une ville comme Athènes en plein mois d'août serait difficile. Rien que la nuit précédente, plusieurs d'entre eux étaient sortis en douce du complexe hôtelier de Vouliagmeni pour se rendre dans un club de *lap dance* sur l'avenue Syngrou.

— Qui était cette fille pour réussir à causer tant de problèmes ? demanda Vik.

— Une prostituée, répondit Phil. Cela semble un point acquis.

Sokolnikov se leva de table et contourna l'espace salle à manger avant de se servir un café d'une cafetière en argent posée sur la desserte. Il semblait tout à fait à son aise avec les tentures coûteuses, les lustres de cristal, les miroirs dorés à la feuille, les sculptures en bronze et les peintures à l'huile de la suite, des originaux. Au-delà du salon, par la porte ouverte, on pouvait entrevoir un lit assez grand pour accueillir n'importe quel oligarque qui se respecte et deux de ses maîtresses. Ou de ses putains.

— Je veux dire, ce n'est pas parce qu'elle a baisé avec Bekim que ça signifie qu'il la connaissait plus que ça. Depuis quand cela vous rend-il responsable du reste de l'existence de quelqu'un ?

Il regarda fixement par la fenêtre, mais son humeur ne fut en rien apaisée par la jolie vue sur l'Acropole et la place de la Constitution. Je ne pouvais lui reprocher d'être contrarié. La constitution hellène et son système judiciaire médiocrement fonctionnel étaient déprimants. J'étais moi-même contrarié, non pas tant de cette impasse où nous étions, à Athènes, que de ce qui s'était produit à Londres. La nuit précédente, la fiancée de Bekim, Alex, avait fait une overdose de cocaïne et elle était maintenant à l'hôpital Chelsea and Westminster, où l'on avait officiellement décrit son état comme « sérieux ».

— Vos policiers, demanda Vik à notre plantureuse avocate. C'est quel genre ?

— Ce qu'il entend par là, c'est peut-on les acheter ? précisa Hobday.

— Exactement, confirma Sokolnikov. Enfin, pourquoi pas ? Nous sommes dans une nation lourdement endettée, qui vit sa septième année de récession. Selon l'indice de perception de la corruption, ce pays est le plus corrompu de l'Union européenne.

Visiblement gênée, Me Christodoulakis changea de position sur son large postérieur.

— D'ordinaire, je pourrais répondre par l'affirmative, commença-t-elle, prudente. Cependant, avec deux ministres impliqués, et la presse déjà très investie sur cette affaire, les possibilités de *miza* et de *fakelaki*…

D'un bref regard, elle sollicita son porteur de serviette.

— De pots-de-vin, précisa Nikos.

Elle hocha la tête.

— Ces possibilités sont limitées. Dans un dossier aussi notoire, il serait déconseillé à quiconque d'accepter un tel pot-de-vin. Enfin, même si vous réussissiez à soudoyer les officiers de police chargés de l'enquête, vous devriez aussi avoir conscience qu'on ne peut avoir aucune confiance envers la police grecque. Elle est étroitement liée à Aube dorée... l'extrême droite néonazie.

— Je ne crois pas qu'ils pèsent d'un grand poids au plan politique, remarqua Phil. Un fasciste véreux peut se révéler tout aussi utile qu'un communiste véreux.

Toby Westerman se plaqua les mains sur les oreilles dans un geste théâtral, parvenant à se donner l'air d'un des trois singes de la sagesse.

— Je pense que c'est le genre de conversation que je ne dois pas écouter, fit-il.

— N'importe quoi ! s'écria Phil. À votre avis, qu'est-ce qu'ont fait les Allemands depuis le début de la récession ? Ils ont acheté le gouvernement grec pour qu'il ne fasse pas tomber tout l'édifice du temple de l'Union. Par contre, quand la Banque centrale européenne est impliquée, un très gros pot-de-vin s'appelle un plan de sauvetage.

Sokolnikov éclata de rire.

— Vous l'avez rencontré, Scott, remarqua-t-il. Cet inspecteur-chef grec. Quelle impression vous a-t-il fait ? (Avec un grand sourire, l'Ukrainien se tourna vers Me Christodoulakis.) Notre entraîneur, M. Manson, permettez-moi de vous l'affirmer, sait tout des flics véreux. Étant lui-même un ancien détenu, on pourrait dire que c'est un expert sur le sujet. N'est-ce pas exact ?

Je répondis poliment – plus poliment que n'auraient pu s'y attendre les deux avocats grecs après le curriculum vitæ abrégé que Vik venait de leur communiquer de ma personne.

— Mon impression, c'est que Varouxis est un homme qui prend ses responsabilités très au sérieux. Et malgré le côté foutrement déplaisant de ce qu'il avait à me raconter, je dois avouer qu'il m'a fait l'effet d'être un genre de type assez correct.

Tout cela me paraissait très loin du football. Et je me disais que je ferais mieux de m'en tenir à régler nos problèmes footballistiques, car c'était le seul domaine où je m'y connaissais vraiment.

— Il est même allé jusqu'à me confier qu'il était fan du Panathinaïkós, ce qui signifie qu'il ne porte guère l'Olympiakos dans son cœur. Il n'y était pas obligé. En outre, il aurait pu nous annoncer la mauvaise nouvelle avant le match d'hier soir. Le fait qu'il se soit abstenu est en soi assez éloquent. Et n'oublions pas ceci : ce n'est pas seulement Chelsea qui nous attend, mais de nouveau l'Olympiakos, et à domicile. Pour le match retour de Ligue des champions, la semaine prochaine. Le match contre Chelsea peut être reporté. J'imagine que Richard Scudamore attend déjà ton appel, Phil. La situation avec l'UEFA sera plus compliquée à régler. Si nous ne sommes pas en mesure de jouer le match retour à domicile contre l'Olympiakos, alors nous avons de fortes chances de sortir de la compétition dès le premier obstacle.

— Bon Dieu, oui ! s'exclama Phil. Il a raison, Vik. Rien que rester en Ligue des champions, ça vaut bien jusqu'à cinquante millions de livres.

Viktor opina.

— Au moins ça, confirma-t-il. Je pense que nous avons besoin de savoir ce que sait la police. Est-ce de l'ordre du faisable ?

À présent, c'était Me Christodoulakis qu'il regardait.

— Oui, lui répondit-elle. Je suis certaine que nous pouvons découvrir ce qu'ils savent et ce qu'ils réussiront à savoir. Cela, au moins, c'est possible. Mon intuition me dit que cette jeune morte est la clef de tout. Plus nous en saurons à son sujet, plus grande sera la possibilité de trouver quelqu'un qui sache ce qui lui est arrivé dans les moments qui ont précédé sa mort, ce qui pourrait blanchir votre équipe. Rien ne vous interdit de mettre des pancartes dans le quartier du Pirée et de Marina Zea, où son corps a été retrouvé, en offrant une petite récompense pour toute information relative à la morte. Vous avez raison sur un point, monsieur Sokolnikov. En Grèce, l'argent ne se borne pas à délier les langues. Il hurle d'une voix de tonnerre du haut du mont Olympe.

22

Le GADA – la Direction générale de la police de l'Attique – se situait en face d'Apostolos-Nikolaidis, où nous garâmes notre convoi. On eût dit que le stade revêtu du vert de trèfle du Panathinaïkós était la propriété de Glasgow ou Belfast. Après Silvertown Dock et le stade Karaiskakis, le Stadium Apostolos-Nikolaidis évoquait un peu une ruine du tiers-monde. Dire qu'il avait connu des jours meilleurs relevait de l'euphémisme. Sur les murs délabrés étaient inscrits les slogans du « Pana », essentiellement en anglais : *Last End Fan Club*, *Mad Boys Since 1988*, *Victoria 13*, *East End Alcoholics*, et des scènes peintes rudimentaires célébraient la gloire passée du stade, barbouillées des années auparavant par des mains maladroites et naïves. Il était difficile de croire que ces « *mad boys* » pouvaient être les descendants des fiers Athéniens qui avaient bâti le Parthénon.

— Seigneur Dieu ! s'exclama Phil. Quel gourbi.

— N'est-ce pas ? ironisa Viktor. Ça me rappelle chez moi. Kiev, pas Londres.

— Pas étonnant qu'ils haïssent l'Olympiakos, commenta Phil Hobday.

Pourtant, cette vision venait de me donner une idée.

— J'ai un peu réfléchi à ce dont nous avons discuté avec Me Olga Trucmuche, dis-je alors que nous traversions l'artère principale très fréquentée où, à l'instant même, un autre véhicule déposait notre nouvelle avocate et son porte-serviette.

— Christodoulakis, me rappela Phil.

— Si les grèves d'avocats et de médecins durent encore un bout de temps, dis-je, il nous faut établir un plan pour tirer le meilleur parti possible de la situation, ici, à Athènes. Plus longtemps nous resterons en Grèce, plus nous aurons de mal à tenir nos gars.

— C'est toi le patron, me dit Phil. La discipline de l'équipe, c'est de toi que ça dépend, Scott. Distribue quelques amendes. Botte-moi quelques derrières. Rappelle-leur qu'ils sont des ambassadeurs du football anglais et tout le tremblement.

— Je ne pense pas que ce soit la bonne manière de traiter le problème, répliquai-je. Nous aurons peut-être à faire diversion. Pour le cas où ces enflures de ministres et de lieutenants généraux de police se révéleraient aussi intransigeants que l'inspecteur-chef que j'ai rencontré hier soir. Et si je suggère quelque chose de ce genre, je veux avoir ton soutien.

Tandis que j'exposais mon idée dans les grandes lignes, Toby Westerman et Me Christodoulakis nous rejoignirent devant le bâtiment du GADA.

— Bien sûr, il nous faudra obtenir l'autorisation de l'UEFA. Et peut-être que Vik devra mettre la main à la poche. Vu l'état de cet endroit, ils ne refuseront pas qu'on leur offre deux ou trois tourniquets tout neufs. Je pensais que nous pourrions éventuellement conclure une forme de marché avec Panathinaïkós, afin que leur terrain soit retenu comme lieu de la rencontre inscrite au calendrier de la semaine prochaine.

— Tu veux dire, nous ? Jouer là-dedans ? Phil Hobday s'esclaffa. Prions pour que nos gars aient tous leurs rappels de vaccination à jour.

— Bien sûr, pourquoi pas ? Et nous pourrions même laisser la recette du match aux Verts. Quelle est la capacité d'un stade comme celui-là ? Quinze, vingt mille places ? Vu l'état des lieux, je parierais que cet argent leur sera bien utile. Le point important, nous le savons, c'est que quoi qu'il arrive nous aurons un match retour contre l'Olympiakos. Je peux faire en sorte que toute l'équipe se concentre sur le même objectif : séances d'entraînement à Apilion, comme précédemment, suivies du match ici même, mercredi soir prochain.

— Cela pourrait marcher, admit Sokolnikov. Qu'en penses-tu, Phil ?

Hobday acquiesça.

— Si nous sommes encore coincés un bout de temps ici, ce serait peut-être notre seule chance de nous maintenir en Ligue des champions. Cela pourrait même contribuer à nous créer quelques soutiens locaux pour notre équipe.

— J'espère qu'on ne sera pas obligés d'en arriver là, dis-je. Il nous faut un plan, juste au cas où nous resterions bloqués ici. Et je parie que ce ministre de la Culture et des Sports est tout à fait la personne susceptible de nous aider à y arriver. Nous devons nous tenir prêts à profiter de son envie de nous soutenir, tant que nous l'avons à notre disposition. Il ne sera peut-être plus si facile de mettre la main dessus. Il pourrait devenir gréviste. Ou se faire éjecter du gouvernement suite à un vote défavorable.

— En réalité, le ministre est une ministre, précisa Me Christodoulakis. Dora Maximos. C'est une athlète réputée, et aussi une chanteuse encore plus connue.

— Je saisis, dis-je. Un peu comme John Barnes[1].

Phil Hobday éclata de rire.

— Nom de Dieu, quel salaud tu fais, Scott.

— Oui, c'est pour ça qu'on me paie, n'est-ce pas ?

Le GADA était un immeuble de bureaux anonyme dont l'entrée évoquait un abri antiaérien. Non loin de là se dressait un petit mausolée de marbre blanc dédié aux nombreux policiers grecs tombés dans l'exercice de leurs fonctions. Un cinéaste comme Michael Winner aurait pu apprécier ce décor qui, en Grèce, ne plaisait à personne. Selon Me Christodoulakis, la police d'Athènes était détestée. Plusieurs journalistes – dont quelques Anglais – qu'on aurait apparemment tuyautés sur notre entrevue s'étaient regroupés devant la porte d'entrée. Comme tout le reste en Grèce, l'information avait son prix.

De la salle de réunion du dernier étage où nous les retrouvâmes, on pouvait facilement apercevoir le terrain de football de l'autre côté de la rue. Et il était clair, vu les nombreux cendriers de plastique vert en forme de trèfle, qu'on rencontrerait ici peu de soutien pour l'Olympiakos et beaucoup pour le Panathinaïkós.

---

1. Footballeur anglais, d'origine jamaïcaine, ancien de Liverpool John Barnes a mené une carrière de joueur puis de rappeur.

Quant au degré de soutien dont nous jouissions au sein du gouvernement, cela restait à voir.

Le ministre de l'Ordre public et de la Protection des citoyens, Konstantinos Miaoulis, présidait la réunion et, se confondant en excuses de nous retenir ainsi dans son pays, il nous assura que l'enquête avancerait avec toute la diligence possible, dans des circonstances extraordinairement difficiles, et je supposai qu'il désignait par là le fait évident que le pays était plongé dans une situation absolument calamiteuse.

Mᵉ Christodoulakis lui répondit posément, quoique fermement :

— D'un mot, pour clarifier cette affaire. J'ai cru comprendre que mes clients, et j'entends par là chacun des membres du personnel d'encadrement et des joueurs de London City qui résidaient à l'hôtel la nuit où cette jeune femme a trouvé la mort, ont interdiction de quitter le pays jusqu'à ce que deux points soient réglés : premièrement, qu'ils aient été interrogés par la police sur ce qu'ils pourraient savoir au sujet de cette jeune femme et de la relation qu'entretenait avec elle Bekim Develi ; et, deuxièmement, qu'une autopsie ait été pratiquée pour déterminer s'il existe des preuves médicolégales la reliant avec qui que ce soit d'autre que Bekim Develi, lui-même décédé.

L'inspecteur-chef Varouxis alluma une cigarette et acquiesça.

— C'est exact.

Comme partout ailleurs dans l'Union européenne, la Grèce avait adopté l'interdiction de fumer dans les espaces publics fermés, depuis 2010, mais au siège central de la police, cela ne semblait pas compter.

— Étant donné que les pathologistes de l'hôpital général Laiko sont en grève, argumenta Me Christodoulakis, ne serait-il pas plus juste d'envisager que le retour de toute l'équipe de Londres à Athènes soit garanti par le versement d'une caution, une somme fixée par un juge des référés ? De la sorte, l'équipe pourrait honorer ses engagements contractuels, alors que le prolongement de son assignation à résidence en Grèce risquerait de lui porter un grave préjudice, laissant la porte ouverte à une action civile devant les tribunaux à l'encontre du gouvernement grec.

Konstantinos Miaoulis était un homme qui paraissait en solide forme physique, à l'allure militaire, et s'il ne ressemblait guère à un politicien, il s'exprimait bel et bien comme eux.

— Je ne suis pas d'accord. Le gouvernement est d'avis que ramener tant de gens en Grèce se révélerait extrêmement difficile. Supposons qu'un des joueurs de l'équipe de City soit vendu à un autre club avant que ne se clôture la saison des transferts ? Quelles garanties pourrait fournir London City au gouvernement grec que le club réussirait à contraindre un tel individu à revenir ici ? Nous adoptons une position pragmatique : il vaut mieux essayer de résoudre cette affaire maintenant, tant que tout le monde est ici pour seconder la police. Il reste à espérer que les grèves des tribunaux et de la profession médicale s'achèveront très bientôt, permettant aux investigations de l'inspecteur-chef de suivre leur cours normalement.

— Puis-je vous rappeler, dit Toby Westerman, que du point de vue des traités, étant signataire des accords de Schengen, le gouvernement grec enfreint ici son obligation de n'appliquer aucun contrôle des frontières ou des passeports entre la Grèce et d'autres États membres. À strictement parler, l'équipe n'a besoin de l'autorisation de personne pour quitter le pays. Au plan juridique, ils ont le droit de simplement se rendre à l'aéroport et de partir.

— Si j'étais vous, je ne m'y risquerais pas, intervint le lieutenant général de la police. Le Royaume-Uni n'est pas signataire des accords de Schengen. La complicité du gouvernement britannique dans les pratiques dites de transferts illégaux ne donne guère à ses représentants le droit de faire la leçon à la Grèce sur le bien-fondé juridique de telle ou telle procédure.

— Au nom du gouvernement britannique, s'écria Toby Westerman, je proteste dans les termes les plus fermes possibles contre la décision de la police grecque de retenir l'équipe de London City.

Après cela, il demeura silencieux tout le reste de l'entrevue, et nous en conclûmes tous que cela traduisait l'intention du gouvernement britannique de ne rien faire.

— Avec la permission de M. Manson, M. Hobday et M. Sokolnikov, fit Varouxis, j'aimerais interroger les joueurs et l'encadrement à la première occasion. Et relever leurs empreintes digitales.

— Très bien, acquiesça l'avocate Christodoulakis. Je dois insister pour que la police nous tienne pleinement informés de tous les développements relatifs à cette affaire, dès que possible.

— Bien sûr, fit l'inspecteur-chef. J'aimerais aussi entrer en possession du téléphone portable de M. Develi, et de tout ordinateur qu'il pouvait avoir. Afin de nous aider à identifier la jeune victime.

Tout cela était resté dans le sac de voyage de Bekim, désormais en sûreté dans ma chambre, et je n'étais pas pressé de les lui remettre.

— Non, ce ne sera pas possible, dis-je, néanmoins j'accepte volontiers de vous laisser y jeter un coup d'œil en ma présence. Toutefois, je ne pense pas que son ordinateur portable ou son mobile vous soient d'une quelconque utilité. Je les ai moi-même consultés hier soir en rentrant à l'hôtel. Je peux vous assurer que les seuls appels qu'il a passés ou reçus sur son portable concernaient sa fiancée, Alex.

C'était vrai. Bekim n'avait appelé personne d'autre qu'Alex. Et il n'avait envoyé ou reçu de mails de personne en Grèce, ce que j'expliquai à mes interlocuteurs de la police.

— J'ai même vérifié les sites qu'il a visités. Je cherchais d'éventuelles agences d'escort-girls en ligne qu'il aurait pu consulter. Là aussi, j'ai fait chou blanc. Je dirais que vous gagneriez plutôt à contrôler quels appels sont passés par le standard de l'hôtel. Ou, le cas échéant, à jeter un coup d'œil aux PC du centre d'affaires de l'hôtel.

— Les avez-vous examinés également ?

On sentait percer une pointe de sarcasme dans la voix de l'inspecteur-chef.

— Non, dis-je. Pourtant, si cela m'était venu à l'idée, je ne m'en serais pas privé.

Varouxis lâcha un soupir irrité et alluma une deuxième cigarette. À présent, j'en avais moi-même envie. Ma règle habituelle d'une clope par semaine commençait à me peser assez fortement.

— Il s'agit d'une enquête pour meurtre, monsieur Manson, reprit-il avec raideur. Je suis tout à fait en droit de vous obliger à nous les remettre.

— Je comprends bien, inspecteur-chef. Toutefois, il se peut que ces appareils contiennent des informations confidentielles. Nous allons devoir d'abord le vérifier. Dans l'intérêt de sa famille. Peut-être avez-vous appris la nouvelle ? Sa fiancée a été hospitalisée. Elle a absorbé une surdose de cocaïne et se trouve maintenant dans le coma.

— Je crains que cela ne soit pas acceptable, monsieur Manson.

— Alors je suggère que vous obteniez une ordonnance du tribunal, répliquai-je. Et qui sait, lors de cette même audience, nous pourrions également introduire une requête auprès du juge afin de quitter le pays. C'est-à-dire, si vous réussissez à trouver un juge.

Varouxis regarda le lieutenant général Zouranis, comme s'il sollicitait un avis supplémentaire.

— Rien que pour cela, j'aurais tout pouvoir d'ordonner votre arrestation, m'avertit Zouranis. Je n'aurais besoin d'aucun juge pour ce faire. Toute manœuvre d'obstruction à une enquête de police constitue un délit grave.

— Je ne pense pas que M. Manson fasse obstruction à votre enquête, intervint Me Christodoulakis. Il n'a pas dit qu'il refuserait de vous laisser examiner les appareils électroniques de M. Develi. Il a uniquement précisé qu'il souhaitait être là quand vous en inspecterez le contenu.

— Exact, dis-je. Pourquoi pas cet après-midi, à 15 heures ? Pour le moment, la suite royale de l'Hôtel Grande-Bretagne nous tient lieu de bureaux.

Cette fois, ce fut au tour du lieutenant général Zouranis de consulter son ministre du regard. Le ministre opina.

— Très bien, acquiesça le lieutenant général. Nous procéderons comme vous l'avez suggéré.

Il se tourna vers Varouxis qui, d'un haussement d'épaules, manifesta son acquiescement.

— Afin de vous aider à identifier la morte, M. Sokolnikov a l'intention d'offrir une récompense pour toute information conduisant à une arrestation, ajouta l'avocate Christodoulakis.

— Bonne idée, approuva Zouranis.

Me Christodoulakis me regarda et haussa les épaules à son tour, comme si elle venait de tenter tout son possible. Admettant que nous étions bloqués dans la capitale jusqu'à nouvel ordre, je lançai mon idée de jouer notre match retour contre Olympiakos au Stadium Apostolos-Nikolaidis, suggestion que Dora Maximos, la ministre de la Culture et des Sports, accueillit avec empressement.

— C'est aussi une bonne idée, jugea-t-elle.

— Oui et non, nuança son collègue. On peut estimer à bon droit qu'en jouant votre match à domicile de l'autre côté de cette avenue, vous serez perçus comme ayant fait alliance avec le Panathinaïkós. Vous vous serez placés entre les deux ennemis éternels, avec tout ce que cela comporte. C'est un match qui exigera une surveillance policière très étroite.

— S'ils sont capables de gérer la chose, trancha le lieutenant général de la police, nous le sommes aussi.

23

— Nom de Dieu, s'exclama Phil quand, après nous être débarrassés du type de l'ambassade et de notre avocate, Vik, lui et moi fûmes de retour à l'Hôtel Grande-Bretagne. Je t'ai trouvé un peu méfiant avec cet inspecteur-chef, Scott. J'avais oublié à quel point tu détestais la police.

— En réalité, Varouxis ne me dérange pas tant que ça. Il se contente de faire son travail. Mais alors, moi aussi. Veiller sur mes joueurs, morts ou vifs, c'est ça, mon métier. Du moins, c'est ainsi que je le conçois. Et si je ne m'imagine pas Varouxis touchant de l'argent d'un tabloïd, je ne saurais en dire autant des gens qui travaillent pour lui. Si tu es flic grec, une petite somme d'argent peut toujours servir, je parie. Un footballeur de Premier League qui marque à domicile, à l'extérieur, et à mi-chemin entre les deux. C'est le genre de papier que les journaux anglais adoreraient publier.

— Il n'empêche, insista Phil. Je pense quand même que tu as été un peu brusque avec lui.

— En réalité, Phil, intervint Viktor, c'est moi qui ai prié Scott de refuser aux flics l'accès à l'iPhone de

Bekim et à son ordinateur portable, jusqu'à ce que j'aie pu vérifier s'ils contenaient des e-mails venant de moi. Voyez-vous, il y a de cela quelques mois, Bekim a acheté une propriété à Knightsbridge, en mon nom, et je préférerais que personne n'en sache rien.

— Désolé, répondit Phil. Je n'étais pas au courant.

— Dès que Pete Scriven aura rapporté le Mac et l'iPhone de l'hôtel de l'équipe à Vouliagmeni, j'ai l'intention d'effacer tous les contenus qui seraient susceptibles de me relier avec cette acquisition de Knightsbridge. Sous le contrôle de Scott, cela va de soi. Je ne voudrais pas que vous vous figuriez l'un ou l'autre que je mijote un mauvais coup.

— Bien sûr que non, se défendit Hobday.

— Le fait est tout de même que Scott a raison, reprit Sokolnikov. Bekim a toujours fréquenté un peu trop d'escorts pour que ça ne finisse par lui jouer des tours. Il vaut sans doute mieux faire en sorte que cela non plus ne s'ébruite pas, si possible.

Phil haussa les épaules.

— Très bien. J'ai saisi ça aussi. Ce que je ne saisis pas, c'est pourquoi les flics font tant d'histoires à ce sujet. J'aurais cru que pour une prostituée, finir victime d'un meurtre faisait partie des risques de la profession. Je veux dire, en couchant avec un homme qu'on n'avait jamais vu avant, c'est le risque qu'on court, non ?

— Ce n'est pas une raison pour passer cette jeune femme par pertes et profits, Phil, lui rappela Viktor. Après tout, c'était un être humain.

— Ce n'était pas que je la passais par pertes et profits, non, c'était plutôt un commentaire sur la police grecque. Pourquoi prennent-ils la mort d'une petite putain à ce point au sérieux ? Il y a des milliers de putes, dans cette ville. Depuis que la récession a frappé la Grèce en 2009, c'est à peu près la seule profession en croissance dans ce foutu pays.

— Plus je vous écoute, plus vous me semblez la passer par pertes et profits, remarqua Sokolnikov. Écoutez, Phil, c'était une prostituée, certes, mais un meurtre est un meurtre, et la mort d'une prostituée laisse une impression très particulière, pour ne pas dire macabre. Lâcher une belle fille dans les eaux d'un port, un poids attaché aux pieds, c'est tout simplement le genre de détail sordide dont la presse est friande.

— Je ne crois pas que cette jeune femme ait été une prostituée, observai-je. Plutôt une escort de haut vol. Il se peut que je coupe les cheveux en quatre, je pense néanmoins que c'est assez différent d'une prostituée ordinaire. Bekim était sans doute quantité de choses, mais côté femmes, il se montrait extrêmement difficile. À mon avis, cette jeune personne était hors de prix, et probablement très sélective elle aussi. Franchement, le risque de voir un client liquider ce style de fille est très mince. Tout cela signifie qu'elle ne devrait pas être si compliquée à identifier.

Sokolnikov s'esclaffa.

— Je dois dire que vous paraissez remarquablement qualifié en la matière, Scott. Cela m'amène à m'interroger sur ce que vous pouvez bien fabriquer dans votre vie privée.

— Peut-être que Scott se sent capable de découvrir qui l'a tuée, remarqua Hobday. Après tout, il possède quelques antécédents en ce domaine. En tant que détective amateur, je veux dire.

— Il se pourrait que j'en sois capable, dis-je. En tout cas, il faudrait peut-être que j'essaie. En mémoire de Bekim.

Pourquoi pas, songeai-je. En réalité, suite à mon précédent déplacement à Athènes, j'avais accès à une voie d'investigation potentielle, bien que je n'aie aucune envie d'en faire part à la police ou à qui que ce soit d'autre. Valentina ne méritait pas ça, et Bekim Develi non plus. J'ignorais ce que la copine de Bekim savait ou non du lien existant entre la jeune morte et lui, en revanche, je croyais deviner que sur Twitter, les spéculations à ce propos iraient bon train. Cela n'aurait guère contribué à améliorer l'humeur d'Alex, et ce pourrait même être la raison pour laquelle elle avait absorbé trop de cocaïne.

— En tout cas, je pourrais être en mesure d'accélérer l'enquête policière. Les Grecs n'ont pas l'air très pressés d'élucider cette affaire, malgré tout ce qu'ils viennent de nous raconter. Et si la police est ne serait-ce que moitié aussi impopulaire que l'a prétendu Mᵉ Christodoulakis, les citoyens du coin risquent d'être un peu lents à fournir des informations. Nos policiers pourraient donc avoir besoin d'un coup de main.

— Et la discipline d'équipe ? releva Phil Hobday. Et le match de la semaine prochaine ?

— Simon Page peut se charger des séances d'entraînement, répondis-je. S'ils s'entraînent dès 8 heures du matin pour éviter la chaleur, ils auront du mal à sortir tard le soir. Si quelqu'un enfreint le couvre-feu,

Simon s'en rendra vite compte. Et dans ce cas, eh bien, personne ne sait mieux engueuler son petit monde que lui.

— Si tu décides de jouer au flic, fais en sorte de rester discret, conseilla Hobday. Foutre la flicaille de Londres en rogne, c'est une chose. Mettre ces flicards grecs en pétard, c'en est une autre. D'après ce que j'ai pu en voir à la télé, ils ne sont pas précisément réputés pour leur caractère tolérant. Ils aiment bien fendre quelques crânes au passage.

— Bien sûr, je ferai attention.

— J'allais m'envoler pour Londres pour la journée, prévint Vik, afin de voir Alex. Vu les circonstances, je pense que je vais rester dans les parages. Qui plus est, j'ai encore quelques affaires à régler ici, en Grèce. Avec Gustave Haak et Cooper Lybrand.

— Et Kojo ? ajouta Phil. Avez-vous pris une décision ?

— Ne discutons pas de cela maintenant.

— Comme vous voudrez.

— Cette idée me plaît, Scott. Que vous jouiez de nouveaux les limiers. Vous savez, après la manière dont vous avez découvert ce qui était arrivé à Zarco alors que la police du Grand Londres en était encore à jouer du sifflet, cela m'a amplement donné à réfléchir. Je veux dire, la façon dont vous avez démêlé ce qui s'était réellement passé. Et je me suis dit, c'est peut-être vrai, peut-être que pour devenir un grand entraîneur, il faut être un peu comme un détective : capable d'observer les hommes, de lire en eux comme on lirait un livre, et savoir déceler les indices de ce qu'ils sont vraiment, et non de ce qu'ils semblent être. Surtout, je pense qu'ils doivent l'un et l'autre faire preuve de patience. C'est le fond de ma pensée. Et Scott est un homme très patient.

— Quelques mois derrière les barreaux auront cet effet-là sur n'importe qui, nuançai-je. En taule, vous n'avez plus que ça, la patience.

— Bon, ne t'inquiète pas, ajouta Phil, si tu ne parviens pas à trouver qui l'a tuée, tu pourras toujours faire ce que font tous les entraîneurs : accuser l'arbitre.

24

— J'estime bien normal que vous sachiez ce que je recherche, m'expliqua Vik dans la suite du Grande-Bretagne alors qu'il parcourait les fichiers de la boîte de réception et de la boîte « Envoyés » des mails de Bekim. J'avais envie d'acquérir ce penthouse au One Hyde Park et je ne souhaitais pas que ma femme le sache. Bekim a donc accepté de tenir lieu de prête-nom et d'acheter le bien à travers sa propre société.

— Franchement, cela ne me regarde aucunement, dis-je.

— Si, en réalité, répliqua-t-il, puisque nous risquons d'effacer des éléments d'un ordinateur que la police est sur le point de soumettre à un examen scientifique dans un cadre judiciaire. Des gens finissent en prison pour ce genre de trucs. Et comme vous avez déjà été en prison, vous avez le droit de savoir ce que je fabrique ici.

— Mentir à la police n'est pas un crime, rappelai-je. Pas selon ma conception. Pas davantage que ce n'est un crime de raconter à sa femme que son derrière n'a pas l'air si gros que ça.

Sokolnikov sourit de toutes ses dents.

— Elle vous a posé la question, hein, c'est ça ?

Il s'avéra que Viktor n'eut à effacer aucun mail ou message de l'ordinateur de Bekim ou de son iPhone, car il n'avait apparemment rien trouvé qui soit susceptible de révéler des informations confidentielles.

De toute manière, s'il y avait eu là quoi que ce soit de compromettant, j'aurais été incapable de le savoir. De fait, la moitié des mails de Develi étant rédigés en cyrillique. Après le départ de l'Ukrainien, je me sentis obligé de téléphoner à l'inspecteur-chef Varouxis pour l'en informer, afin qu'il vienne accompagné de quelqu'un qui parle et surtout qui lise le russe.

— Écoutez, ce matin je ne vous mentais pas, lui dis-je lorsque je l'appelai. Il n'y a vraiment rien, ni dans son téléphone ni dans son ordinateur. S'il y avait quoi que ce soit, je vous l'aurais signalé. Nous n'avons qu'une hâte, rentrer chez nous, vous vous rappelez ?

— Très bien. Admettons, à titre purement hypothétique, que je vous croie. Comment a-t-il contacté cette fille ?

— Cela a pu se produire de cent manières différentes. Ils ont pu se parler au téléphone à Londres. Ou alors il s'est servi de l'ordinateur de son bureau, là-bas. Ou bien il a appelé la fille avec le portable de quelqu'un d'autre, quand il était ici, à Athènes. Ou il l'a contactée à partir de la réception. Il a pu recourir à un compte mail sur Internet qui ne figure même pas dans son ordinateur. Un service comme Hushmail.

— Hushmail ?

— Un dispositif qui permet d'envoyer et de recevoir des messages avec clef de chiffrement et d'authentification. Exactement ce qu'il faut à un homme qui couche à droite et à gauche mais qui a aussi, chez lui, à Londres, une fiancée assez inquisitrice.

— Oui, je retiens votre argument. D'accord, je vous rappellerai dès que j'aurai trouvé quelqu'un qui parle le russe. Merci de m'avoir tenu informé.

— Pas de problème.

— À propos de cette récompense que vous offrez pour toute information. Si vous apprenez quoi que ce soit, tenez-moi au courant. Peu importe quoi.

Il soupira et je me sentis presque navré pour lui, avant de me souvenir que c'était l'enfoiré qui retenait mon équipe en Grèce.

— Bien sûr. Immédiatement.

Quand Varouxis eut raccroché, j'essayai d'appeler Valentina. Elle ne répondit pas, je lui envoyai donc un mail et un SMS lui demandant de me contacter de façon urgente. J'avais dans l'idée qu'elle pouvait savoir qui était la victime, que quelque chose l'avait empêchée de se rendre elle-même au bungalow de Bekim, à l'hôtel, et que la fille était morte à sa place. N'imaginant pas Develi se contenter d'un deuxième choix, j'en conclus que la morte, quelle que soit son identité, devait être une beauté comme Valentina, sans quoi celle-ci ne l'aurait jamais envoyée là-bas à sa place.

Toutefois, dans l'après-midi, j'avais dû l'appeler au moins une dizaine de fois et laissé autant de SMS sans recevoir de réponse. C'était à l'opposé de son comportement la dernière fois que j'étais venu à Athènes et je fus contraint d'admettre l'éventualité qu'elle ait elle-même compris qu'elle avait échappé au destin à la

Plenty O'Toole[1] de l'autre fille et que, craignant pour sa vie, elle faisait maintenant profil bas. Je n'osais lui en tenir rigueur, mais sans aucune adresse, tout cela ne pouvait que contrecarrer mon projet de prendre la police athénienne de vitesse. Je ne pouvais guère suivre ma piste sans la coopération de cette piste elle-même. Pourtant, je répugnais encore à communiquer son nom et son numéro à l'inspecteur-chef Varouxis. Ce n'était pas seulement mon peu d'envie de voir mes propres incartades exposées publiquement, ou que j'essayais d'en savoir plus sur Valentina ou Bekim, mais si la police se situait autant à l'extrême droite que l'avocate Christodoulakis l'avait affirmé, je n'avais aucune envie que les flics étouffent l'affaire en laissant entendre à la presse que Bekim et Valentina étant russes tous les deux, cela ne concernait pas les Grecs.

En dehors de cela, sans trop d'idée sur la manière de procéder dans ma prétendue enquête, je priai le chauffeur de Sokolnikov de me conduire au Pirée et de m'amener à la Marina Zea où, d'après ce qu'avait expliqué Varouxis, on avait repêché le corps de la fille. Je regrettais déjà ma propre arrogance, et de m'être imaginé, du simple fait que je détenais une information ignorée des flics, que je réussirais peut-être à élucider ce meurtre. L'artère principale nous mena tout près du Karaiskakis Stadium et de l'hô-pital Metropolitan, situé à côté, où Bekim était mort. Je ne m'étais pas encore vraiment attardé sur cet hôpital. C'était un bâtiment étrangement moderne, en

---

1. Dans *Les diamants sont éternels*, Plenty O'Toole, conquête de Bond, est jetée du haut d'un hôtel dans une piscine.

verre bleu, évoquant davantage un casino du groupe Ladbrokes que le meilleur hôpital privé de Grèce, ou supposé tel. Il était difficile de s'imaginer Bekim mourant dans un endroit pareil.

Marina Zea se composait d'un vaste port de plaisance rempli de coûteux bateaux à coque plastique façon Tupperware, dominé par une colline incrustée de nombreux immeubles d'habitation en ciment beige, presque tous de piètre facture. La présence policière restait encore bien visible à l'autre extrémité de la marina, et personne n'était autorisé à s'approcher, aussi m'amusai-je à déambuler en contemplant ces palaces flottants, le plus grand et le plus opulent étant un navire modestement baptisé *Monsieur Crésus* et qu'il me sembla reconnaître, malgré mon absence totale d'intérêt pour les bateaux. Ces immeubles flottants se ressemblent plus ou moins tous, et dépenser des dizaines de millions de livres dans un objet comme un yacht m'a toujours paru le summum de la sottise. Après tout, les bateaux, ça coule.

Je continuai de marcher un peu. Je ne sais pas ce que je cherchais, à part mesurer la difficulté qu'il y aurait à amener une fille ici et à la balancer dans l'eau avec un poids attaché aux pieds. De nuit, tranchai-je, ce ne serait pas du tout compliqué. Il y avait amplement la place de stationner. Bien sûr, si elle se trouvait à bord d'un de ces bateaux, c'eût été encore plus facile. Je jetai deux cailloux dans l'eau pour en sonder la profondeur et semai la pagaille au milieu d'un petit banc de poissons de taille tout à fait raisonnable. Il s'agissait de *gavroi*, supposai-je, ce poisson mange-merde auquel notre agent de liaison du Panathinaïkós avait comparé les joueurs et supporters de l'Olympiakos.

C'était un après-midi chaud et moite. Certains des ramasseurs d'ordures omniprésents dans la ville, surtout des Roms, passaient au crible les bennes à ordures et les conteneurs de la marina. Plusieurs garçons plongeaient dans les eaux du port et en ressortaient, puis grimpaient aux haubans d'un bateau voisin laissé sans surveillance. Cela paraissait plus amusant que de ramasser des détritus et j'enviai presque leur insouciance et leur passe-temps, avant de me souvenir que c'étaient des garçons qui, en plongeant dans les eaux du port, avaient retrouvé le cadavre de la fille. Ce qui me donna une idée.

Ils devaient avoir onze ou douze ans, l'archétype du gamin des rues, tout bronzés, aussi décharnés que des crustacés, comme rejetés du fond des mers.

— Tu parles anglais ? demandai-je à l'un d'eux.

Il secoua sa tête noire aux traits purs.

Je retournai à la voiture pour aller chercher mon chauffeur, afin qu'il traduise et, une fois de retour près d'eux, je demandai aux garçons si c'étaient eux qui avaient trouvé le corps.

Deux d'entre eux échangèrent un regard, puis hochèrent la tête.

Brandissant des billets de vingt euros, je m'assis sur le muret du port et les invitai à me raconter ce qu'ils avaient vu, avec autant de détails qu'ils réussiraient à se remémorer. Les deux jeunes s'assirent à côté de moi et je leur tendis l'argent, sous les regards des autres qui écoutaient mon chauffeur, Charilaos, accroupi derrière nous, traduire ce qui se disait et leur offrir une cigarette à chacun, ce qui fut au moins aussi utile que de l'argent.

— Ils l'ont trouvée hier matin, m'expliqua-t-il. Il devait être 10 heures. Elle était vers la partie du port bouclée maintenant par la police, du côté de Koumoundourou, dans à peu près quatre mètres d'eau.

— Était-ce à proximité d'un bateau en particulier et, si oui, lequel ?

— C'était entre deux bateaux, traduisit Charilaos. Tous les deux à vendre, en l'occurrence. Et les propriétaires n'étaient pas là. Ils le savent parce qu'ils sont montés à bord des deux yachts pour essayer d'obtenir de l'aide.

— Dites-moi de quoi elle avait l'air, cette jeune femme.

— Une très jolie fille avec de longs cheveux blonds et vêtue d'une robe bleu foncé. L'eau n'est pas très limpide, comme vous pouvez constater, et sans cette robe bleue, ils auraient même pu la découvrir plus tôt. Elle leur a fichu un sacré choc.

L'un des garçons reprit la parole, et il avait l'air gêné.

— Elle ne portait pas de slip, à ce qu'il dit. Sa robe remontait à hauteur de ses bras.

— Avait-elle les mains liées ?

Ce fut le même garçon qui s'exprima de nouveau, et ensuite mon chauffeur traduisit.

— Non, ses mains flottaient dans l'eau, au-dessus de sa tête. C'étaient juste ses pieds qui étaient attachés à un gros poids orange. Du genre de ceux qu'on voit dans les salles de musculation.

— Un bâillon ?

— Pas de bâillon.

— Elle avait des chaussures ?

— Non. Pas de chaussures.

Je sortis mon carnet et suggérai au garçon de me dessiner à quoi ressemblait ce poids, et il dessina ce qui ressemblait à un kettlebell. Je hochai la tête.

— Présentait-elle d'autres blessures qu'ils auraient vues ? Des coupures, des hématomes, du sang ?

— Non, traduisit encore l'autre, mais les poissons lui mangeaient les parties intimes.

— Pas de bosse à la tête ? Pas d'entailles aux mains ?

— Le garçon affirme qu'elle avait de très jolies mains. Et les ongles, aussi. Comme les ongles des pieds. Je pense qu'il veut dire qu'elle avait les ongles faits.

— De quelle couleur, le vernis ?

— Violet, ils pensent.

— Des bijoux ?

Les garçons eurent l'air un peu fuyant.

— Il soutient qu'elle ne portait absolument pas de bijoux, dit Charilaos. Pourtant, je ne le crois pas. Ils les ont volés, c'est sûr.

— Laissez tomber. Rien d'autre qui puisse la caractériser ou l'identifier ?

L'un des garçons répondit quelque chose et mon chauffeur le pria de répéter.

— *Tatouáz.*

Ce fut le terme qu'il employa.

— Elle avait un tatouage, fit mon interprète.

— Quel genre de tatouage ? Et où ?

— À l'épaule. Une sorte de dessin géométrique, noir. Il me semble qu'il veut parler d'un *lavýrinthos*.

Vous savez ? Comme dans l'histoire de Thésée et du Minotaure.

— Un labyrinthe ?

— C'est exact. À peu près de la taille d'une tasse à thé.

— Il en a parlé à la police ?

La question fit rire mon chauffeur.

— Je ne pense pas, dit-il. Je ne pense pas que la police leur ait proposé quarante euros en espèces. En plus, les gens d'Athènes, du Pirée…

— Je sais. Ils détestent la police.

En regagnant notre véhicule à pied, nous passâmes à nouveau devant *Monsieur Crésus* et cette fois je fus surpris de voir quelqu'un que je connaissais sur l'un des ponts supérieurs. Et non seulement cela, mais ce quelqu'un me reconnut, un fait peut-être encore plus inhabituel. C'était Cooper Lybrand, le gérant de fonds spéculatif. S'il ne portait plus son costume blanc, il avait toujours autant l'air d'un abruti.

— Eh bien, bonjour, fit-il. Qu'est-ce qui vous amène par ici ?

— La curiosité, lui lançai-je. Ils ont repêché une jeune fille morte, de l'autre côté de la marina. Apparemment, elle avait passé la nuit avec un de nos joueurs. Et donc maintenant nous avons interdiction de quitter Athènes. Je voulais jeter moi-même un coup d'œil à l'endroit.

— J'ai appris ça. Et j'ai su pour Bekim. Je suis désolé.

— Je croyais que vous étiez installé à bord du bateau de Vik, dis-je.

— Je l'étais. J'avais une affaire à régler avec le type qui possède cet autre yacht. Gustave Haak. Par conséquent, me voilà ici. Nous ne sommes à cet anneau que depuis une heure, j'imagine donc que cela nous affranchit de tout soupçon, hein ?

— Si vous le dites.

— Je vous inviterais bien à bord, mais ce n'est pas mon bateau. Gustave est quelqu'un de très secret.

— Et qui dit que je le suis ?

Une autre tête fit son apparition sur le pont. Plus âgé et plus grand que Cooper Lybrand, cet autre personnage avait une crinière de cheveux gris assez longs, un visage de faucon et des lunettes quasi invisibles.

— Gustave. C'est Scott Manson. L'entraîneur du club de football de Vik.

— Bien sûr, je sais qui est Scott Manson, fit Gustave Haak. Me prenez-vous pour un idiot ? Pardonnez nos manières, monsieur Manson, et venez, montez à bord, je vous en prie. Nous sommes sur le point de prendre un verre de vin.

Je consultai ma montre.

— Très bien. En réalité, un verre ne me ferait pas de mal.

Je signalai à Charilaos que je le retrouverais à la voiture et je les rejoignis à bord.

Entre-temps, Cooper Lybrand avait expliqué à Haak ce que je fabriquais à Marina Zea et le magnat avait quantité de questions à me poser au sujet de la victime, auxquelles j'étais pour la plupart incapable de répondre.

— Cela étant, vous avez tout à fait raison de venir jusqu'ici vous rendre compte par vous-même, insista-t-il en me précédant à l'intérieur d'un salon spectaculaire, apparemment conçu par un homme qui n'avait pas d'enfants : tout était blanc. Je constate que mes meilleures idées, les plus originales me viennent lorsque je ne suis pas rivé derrière un bureau. Il en est de même quand je me renseigne sur une entreprise dans la perspective d'en prendre le contrôle. Pour déterminer la bonne décision, vous avez intérêt à détenir les bons renseignements. Sans cela, vous ne disposez de rien.

Il sourit et fit un signe à l'une des nombreuses blondes de dessin animé vêtues d'uniformes blancs très seyants – ce qui revient à dire qu'elles étaient toutes en maillot de bain blanc et baskets blanches.

— Voulez-vous un peu de cet excellent riesling allemand, monsieur Manson ?

— Merci, volontiers.

L'une des blondes me tendit un verre d'un liquide mordoré tandis que Haak continuait de discourir.

— J'adore le football, déclara-t-il. Et ce que j'apprécie chez les entraîneurs de football, c'est qu'à l'inverse de la plupart des directeurs dans la plupart des secteurs, vous savez toujours ce qu'ils font. Ils gèrent des équipes de football. Et soit ils sont bons, soit ils sont mauvais. La plupart des entreprises sont pleines de gestionnaires qui ne font rien. Non, ce n'est pas tout à fait vrai. La plupart foirent les choses, ce qui est pire que de ne rien faire. Je consacre l'essentiel de mon temps à essayer de les repérer, afin de pouvoir les virer. Dès que vous en virez un, la valeur de l'entreprise augmente, toujours. C'est troublant. En tout cas, c'est mon travail, monsieur Manson. L'élimination des directeurs qui n'ont d'utile que leur titre.

Il était hollandais, je crois, car son accent me rappelait Ruud Gullitt. Heureusement pour lui, sa coupe de cheveux était plus réussie.

— Vik m'affirme que vous êtes un bon entraîneur, monsieur Manson. Néanmoins, pensez-vous qu'il soit sage de vous impliquer dans cette histoire ? Ne vaudrait-il pas mieux laisser cela à la police ?

— Avez-vous déjà eu affaire à la police, ici, en Attique, monsieur Haak ?

— Non, je ne peux pas dire.

— De mon point de vue, monsieur Haak, dans une situation comme celle-ci c'est de deux choses l'une. Soit je vois si je suis en mesure d'intervenir, sous une forme ou une autre, pour contribuer à en sortir, soit je ne fais rien. En règle générale, je suis le genre de personne qui aime tenter quelque chose, même si cela se révèle n'être pas grand-chose. Cela me range peut-être dans la catégorie de ces patrons que vous n'appréciez guère, le genre qui foire, et cela m'est égal. Vous savez, cela ne m'ennuie pas de foirer tant que j'apprends quelque chose. À cet égard au moins, je suis un peu comme les policiers. Eux, ils n'arrêtent pas de tout merder tout le temps, et ça n'a jamais l'air de les décourager.

— Tant mieux et bravo ! s'exclama-t-il. Et maintenant, parce que je suis hollandais, parlons d'un sujet capital. Parlons football.

25

De retour au Grande-Bretagne, je dînai légèrement, tout seul, au Winter Garden, le restaurant jouxtant l'Alexander's Bar, et je réfléchis à ce que serait ma prochaine initiative. Les seuls à me téléphoner ou à m'envoyer des SMS furent des journalistes, et une dénommée Anna Loverdos, de la Fédération grecque de football, me proposant son aide, ainsi que plusieurs autres entraîneurs qui se voulaient compatissants face à cette situation critique de London City, y compris José Mourinho, ce qui cadrait assez peu avec le personnage.

J'observai un type qui parlait à une fille au bar, à cette même table où j'avais rencontré Valentina et, au bout d'un petit moment, je fus certain de reconnaître le barman : c'était le même qui nous avait servis. Après avoir fait mettre la note de mon dîner sur la suite de Vik, j'allai m'asseoir au bar sous l'œil sceptique d'Alexandre le Grand, qui en savait lui-même un petit peu en matière de meurtre, ayant été complice de celui de son propre père, Philippe.

Le type avec la fille se donnait beaucoup de mal pour avoir l'air d'un habitué. Il venait d'Australie et faisait partie de ces gars à la décontraction impeccable, sans chaussettes, barbe naissante qui semblait ne jamais devoir pousser au-delà d'une certaine longueur parfaitement uniforme. Cependant, il devait malheureusement mesurer moins d'un mètre soixante-dix, et il avait beau faire de son mieux pour paraître relax, il ne l'était pas. Les types de petite taille s'agitent toujours en tous sens comme des fox-terriers afin de compenser les centimètres qui leur manquent. C'est parfait si vous êtes Messi ou Maradona, mais pour la majorité des mecs, cela reste un problème. Surtout quand ils sortent avec une fille aussi grande que celle-là : elle évoquait le rêve érotique d'un prince troyen, avec des jambes aussi longues que des roseaux, une masse de cheveux noirs et une bouche en arc de Cupidon, sans doute trop grande pour Cupidon, mais qui m'allait très bien, à moi.

Le barman s'approcha et je commandai un Macallan 1973. À trois cent dix euros le verre, ma commande retint toute son attention, et c'était son attention que je voulais attirer, plus encore que ce verre de scotch. Quand il apporta la note, je glissai quatre billets de cent euros tout craquants à l'intérieur du porte-addition en cuir marron et le priai de garder la monnaie. Lorsqu'il tendit la main vers la pochette, je la recouvris de la mienne.

— Vous vous souvenez peut-être de moi ?

Il secoua la tête.

— Désolé, monsieur, non.

— J'étais ici il y a quelques semaines quand l'Olympiakos a joué contre les Allemands du Hertha Berlin. J'étais avec une fille. Une Russe, blonde. Elle portait une minirobe en tweed et des talons hauts Louboutin. Elle s'appelle Valentina et j'avais l'impression que vous vous souveniez d'elle, suite à l'une de ses visites précédentes. Sur l'échelle de Richter, je dirais qu'elle afficherait au moins un 8,9. Le genre de fille capable de causer des dégâts majeurs, même à des portefeuilles et à des cartes de crédit aux normes antisismiques. Alors, vous vous souvenez d'elle ?

Je retirai ma main du porte-addition, me rassit et but une gorgée de scotch. Le barman avait les yeux rivés sur la pochette, tâchant de calculer si un pourboire de quatre-vingt-dix euros était supérieur à sa rémunération de ce soir. Nous savions tous deux que tel était bien le cas.

— Allons. Une fille pareille, Aloysius Alzheimer en personne s'en souviendrait.

Avec sa moustache de maquereau, un tour de taille au gabarit d'une assiette grand format et des dents dignes d'un canasson vainqueur du Derby d'Epsom, le barman avait un faux air de Freddy Mercury. Il prit le porte-addition et le glissa sous le comptoir.

— Valentina ? Oui. Je me souviens d'elle. Je ne dirais pas que c'était une habituée de ce bar, elle vient ici peut-être une ou deux fois par mois.

— Avec un type différent chaque fois ?

— Pas chaque fois. Toujours avec quelqu'un comme vous. Un étranger avec plein d'argent.

— Une fille travailleuse.

Il haussa les épaules.

— On est en Grèce, monsieur. N'importe quel travail est bon à prendre, de nos jours. Qui a les moyens de faire le fier par rapport à ce genre de choses ? Regardez-moi : j'étais maître de conférences en chimie. Maintenant, je prépare des cocktails pour mille cinq cents euros par mois. Alors pour mille cinq cents euros la nuit, qui sait ce que je ferais ? Par contre, une *poutána*, non, ce n'était pas ça. Le portier de l'hôtel n'aurait jamais autorisé cela ici. Excusez-moi une minute, je vous prie.

Il s'en fut quelques minutes préparer des boissons, avant de revenir.

— L'avez-vous vue en compagnie de Bekim Develi, le footballeur ?

— Lui, je l'aimais bien, fit le barman. Et maintenant qu'il est mort, je ne voudrais causer aucune peine à sa famille. Côté pourboire, il faisait presque aussi bien que vous.

— Je suis de sa famille, dis-je. Enfin, c'est tout comme. Je suis l'entraîneur de London City. Mon patron, Viktor Sokolnikov, loue la suite royale. Disons que nous cherchons à limiter un peu les dégâts. C'est-à-dire, les dégâts causés à la réputation de Bekim. Toute l'équipe est bloquée à Athènes jusqu'à ce que la police ait la certitude qu'il n'existe aucun lien entre Bekim et la mort d'une autre de ces travailleuses.

— Oui, c'était dans le journal, je sais.

— Nous ne connaissons pas encore le nom de la fille. C'était peut-être une amie de Valentina. C'est ce que j'essaie de découvrir. Une autre blonde façon coiffeuse, un tatouage de labyrinthe sur l'épaule. Je crois savoir que le meilleur moyen pour nous de rentrer à la maison serait de prouver que Bekim n'avait rien à voir avec sa mort, mais nous ne pouvons y parvenir que si nous réussissons à l'identifier. Et pour y arriver, j'ai besoin de trouver Valentina. Valentina et la morte… leur point commun à toutes les deux, c'était Bekim, vous voyez.

— Je comprends, monsieur. Je suis *prasinos*, moi-même. Je suis Vert à fond. Je n'ai aucune affection pour l'Olympiakos. La manière dont ce salopard de Hristos Trikoupis s'est comporté après le match, c'était la honte de ce pays. Je suis surpris que vous ne lui ayez pas fichu votre poing dans la figure. Cela me ferait donc un immense plaisir de vous voir battre ces enflures la prochaine fois que vous jouerez contre eux. Je vous avouerai, quand la Fédération grecque de football a retiré tous ces points à ces *gavroi* et les a empêchés de gagner le championnat, c'était le plus beau jour de ma vie. Alors je vais vous dire ce que je sais…

Après une pause, il pousuivit :

— Valentina… je ne connais pas son nom de famille… c'était une femme sympathique, pour une Russe. Elle me laissait toujours de fameux pourboires, vous voyez ? Son grec était très bon. Tout comme son anglais. Elle aimait bien fréquenter les galeries d'art et les musées. Et elle avait toujours un livre sur elle, ce qui n'est pas ordinaire. En plus, je crois qu'elle n'habitait peut-être pas loin de cet hôtel parce qu'un jour où je roulais vers chez moi en scooter, je l'ai vue marcher dans la rue. Apparemment, elle rentrait chez elle. Où était-ce donc ? Juste derrière. Quelque part entre Akademias et Skoufas.

— Qu'est-ce qui vous a fait penser qu'elle rentrait chez elle ?

— Les rues sont très en pente, par ici, et elle avait retiré ses chaussures. Comme font les femmes quand elles ont fini leur soirée. Comme si cela leur était égal de se salir les pieds.

J'acquiesçai.

— Bien vu.

— Ici, je ne l'ai jamais aperçue avec aucun autre type que j'aurais reconnu. Je l'ai croisée avec une autre fille. Pas une fille avec un labyrinthe tatoué sur l'épaule. Une autre fille.

— Vous avez un nom pour cette autre fille ?

— Non. Je peux vous dire qui elle est. Je peux même vous indiquer où la trouver. Il regarda par-dessus mon épaule et, d'un signe de tête, désigna la fille aux jambes aussi longues que des tiges de haricot qui, à l'instant même, quittait le bar Alexandre le Grand avec son minuscule copain. C'était elle. J'en suis sûr. Cette fille était une amie de Valentina. Elle est russe, elle aussi.

Je vidai mon scotch et j'étais sur le point de la suivre quand le barman me prit par le bras.

— Le type, là, avec elle, il réside à l'hôtel. Et à mon avis, ils montent dans sa chambre. Attendez ici, je vais m'en assurer.

Il les suivit hors du bar et s'absenta deux minutes. À son retour, il récupéra le porte-addition en cuir et la note sur la table où étaient assises la fille et sa paire de jambes.

— M. Overton est monté avec elle à la chambre 327.

— Comment le savez-vous ?

Le barman sourit de toutes ses dents et, d'un geste sec, ouvrit la pochette en cuir, révélant la note, avec le nom et le numéro de chambre de l'Australien inscrits de sa main.

— Je les ai suivis jusqu'à l'ascenseur, me précisa-t-il. Maintenant, tout ce que vous avez à faire, c'est d'attendre qu'elle redescende.

Je consultai ma montre. Il était 20 h 30 pile.

— Il est un peu tôt, remarquai-je. Cela risque de leur prendre un petit moment, vous ne croyez pas ?

Le barman secoua la tête.

— Une fille comme elle coûte très cher, remarqua-t-il. À mon avis, elle sera redescendue au salon avant 22 heures. Vous pouvez carrément régler votre montre sur certaines de ces filles. Je vais vous dire : je vais parler au concierge et faire en sorte qu'il l'envoie à votre chambre quand elle aura terminé avec l'autre type. D'ici là, relax. Prenez un autre verre.

Je commandai une bière. Le Macallan 1973 était bon, mais ne valait pas trois cent dix euros le verre. Rien ne les valait.

26

Mon iPhone sonna dans la suite royale. C'était Peter Scriven, le responsable des voyages de l'équipe.

— Le directeur de l'hôtel me demande déjà combien de temps nous resterons ici, il a d'autres clients qui arrivent ce week-end. Le ministère de la Culture essaie de nous trouver un autre établissement, mais c'est la haute saison et tout est complet.

— Ils ne peuvent pas jouer sur les deux tableaux. Ils ne peuvent pas nous retenir de force dans leur pays et nous virer de notre hôtel, bordel. Ils ne peuvent quand même pas, non ?

— Je ne jurerais pas qu'ils n'oseraient pas, patron. On est en Grèce. D'après ce que j'ai lu à notre sujet dans les journaux, nous devrions nous estimer heureux qu'ils ne réclament pas qu'on leur rende les marbres d'Elgin avant de nous laisser partir.

On sonna à la porte.

— Il faut que j'y aille, Pete. On se reparle plus tard.

La fille qui se tenait à l'entrée eut un grand sourire en voyant que l'occupant de la suite royale n'avait en réalité rien d'une tête couronnée.

— Hello, je m'appelle Jasmine. Panos m'a dit que vous cherchiez de la compagnie.

— Panos ?

— Le barman, au rez-de-chaussée.

— Oui, bien sûr. Entrez, entrez.

— Merci.

— Je m'appelle Scott, dis-je en refermant derrière elle. Ravi de vous rencontrer, Jasmine.

— Vous êtes ici pour affaires ?

— En un sens.

Elle arpenta lentement la suite, à la manière de l'hôtesse dans les combats de boxe au casino MGM Grand de Las Vegas, qui brandit sa pancarte annonçant le numéro du round suivant. Dans la cave à vin, elle lâcha un glapissement, et, dans la salle à manger, resta le souffle coupé. Ensuite, devant notre fenêtre du cinquième étage, elle se dressa un instant sur la pointe des pieds et regarda sur sa droite, puis sur sa gauche, comme un magnifique suricate.

— Une vue superbe, dit-elle.

— En effet, surtout de là où je suis, marmonnai-je. Cette suite est un peu tape-à-l'œil à mon goût, mais enfin, je ne suis pas membre de la famille royale.

— Oh, moi, j'aime bien. J'aime beaucoup.

Elle s'assit dans l'un des nombreux sofas et positionna ses jambes avec soin, ce qui veut dire que j'avais maintenant sous les yeux une géométrie de chair et de hauts talons si parfaite qu'Euclide en personne n'aurait jamais osé en rêver – dont la seule et unique formule algébrique ne pouvait être que $S=EX^2$.

Je lui offris un verre du bar imposant de la suite. Elle me demanda un Coca. J'en sortis deux du frigo, un pour chacun, et pris place à côté d'elle dans le sofa. Ses cheveux étaient joliment coiffés et elle était légèrement parfumée ; il était difficile de croire qu'elle sortait à peine du lit d'un autre type. Bon, certaines de ces filles sont capables de se rendre présentables en moins de temps qu'il n'en faut à un petit voyou pour voler une voiture.

— Avant tout, peut-on régler l'aspect transaction ? demandai-je, comme un vrai micheton.

— Je suis contente que vous l'évoquiez. C'est cinq cents de l'heure. Huit cents pour deux heures. Et deux mille pour la nuit complète. Une jolie suite comme celle-là. Ce serait dommage de la gâcher en dormant.

Je sortis mon portefeuille et comptai quatre billets de cent euros tout neufs sur la table basse.

— Écoutez, Jasmine. Tout ce que je veux, c'est causer.

— Très bien, fit-elle. Et de quoi voulez-vous causer, Scott ?

— Jasmine, dis-je. Vous êtes russe, exact ?

Elle hocha la tête, l'air soupçonneux.

— Vous n'êtes pas flic, non ?

— Nous sommes dans la suite royale, pas au siège de la police. Et cet argent sur la table, ce n'est pas un plan de sauvetage financier de la Banque centrale européenne. Non, franchement, je ne suis pas flic. Je les ai en horreur.

Elle haussa les épaules.

— Il y en a qui ne sont pas si méchants.

— Connaissez-vous une fille qui s'appelle Valentina, Jasmine ? Et s'il vous plaît, ne me répondez pas non, parce que je sais que si. C'est votre ami Panos qui me l'a dit. En réalité, tout ce que je veux obtenir de vous, ce sont des informations sur elle. Si vous me racontez ce que vous savez sur elle, vous repartez d'ici avec cet argent. C'est aussi simple que ça.

— Elle a des soucis ?

— Non. Pas encore. En fait, j'essaie de lui en éviter. Il est important que je lui parle avant les flics. Vraiment, vous lui rendriez service. Aucun de nous n'a envie de voir les flics entrer dans sa vie. Pas si on peut s'en abstenir. J'ai eu un accrochage avec eux, à une époque, à Londres, et j'en ai gardé une vilaine cicatrice. La police, c'est comme l'herpès : dès qu'on l'a attrapé une fois, ça revient.

— Vous voulez son numéro de téléphone ? Son e-mail ? Je peux vous les donner. Pour rien.

Elle ouvrit son sac à main, en sortit un petit carnet et, après l'avoir consulté à peine une minute, elle nota un numéro et une adresse mail sur un bout de papier.

J'y jetai un coup d'œil. Je connaissais ce numéro par cœur, je l'avais déjà appelé tant de fois ; et son e-mail m'était presque aussi familier.

— D'autres numéros de contact ? Une adresse postale ? Une adresse Skype, peut-être ? J'ai appelé ce numéro toute la journée et elle ne m'a jamais rappelé.

Jasmine fit non de la tête.

— C'est tout ce que j'ai. Désolé.

— Dommage.

Je ne croyais pas une seconde que Jasmine soit le vrai prénom de cette fille. J'imaginais qu'elle l'avait choisi parce qu'elle pensait y gagner en séduction. Ce qui n'était pas le cas. Je faisais de mon mieux pour rester clair, net et professionnel, hélas, ça ne marchait pas trop, du moins pas chez moi. Même ligotée au mât de l'*Argo*, elle n'aurait pas pu être plus séduisante.

— Très bien. Essayons sous un autre angle. Avez-vous déjà travaillé ensemble ? Vous savez, pour un client qui aurait eu envie de recevoir deux filles à la fois. Ce genre de choses ?

L'idée était plaisante, et de celles qu'il eût été on ne peut plus facile à réaliser.

— Je lui ai demandé, une fois. Elle a répondu non. Elle préférait travailler en solo. Sans agence. Et choisir ses clients. Elle aurait pu gagner plus d'argent que moi, je pense. Vous la connaissez ?

— Oui.

— Alors vous voyez de quoi je parle. Elle est si belle. Et intelligente, en plus.

— Que pouvez-vous me dire d'autre à son sujet ?

— Elle est de Moscou. Diplômée en littérature russe. Elle aime bien fréquenter les galeries et les musées. Elle fait un peu de sculpture, je crois.

— Comment l'avez-vous rencontrée ?

— Aux toilettes du rez-de-chaussée. Elle m'a adressé la parole. J'imagine que j'étais un peu plus voyante qu'elle, à l'époque. Elle m'a donné quelques conseils sur la façon de moins afficher la couleur, pour ne pas me faire jeter d'endroits comme celui-ci. Je l'ai croisée une ou deux fois ici, à l'Intercontinental, ou au Saint George. On se disait bonjour et parfois, si on attendait quelqu'un, on prenait un verre. Je l'aimais bien.

— Voyez-vous quelqu'un d'autre qui la connaîtrait ? D'autres filles, éventuellement ?

216

— Non. Comme je le disais, elle ne travaille pas avec une agence ou un site. Elle compte sur le bouche à oreille.

— Et une fille avec un tatouage sur l'épaule ? Un tatouage de labyrinthe ?

Elle se rembrunit.

— J'en ai vu une dans ce style parler avec Valentina, peut-être. J'ignore quel est son nom.

— Elle était russe, elle aussi ?

— Je crois. Beaucoup de filles qui travaillent à Athènes sont des Russes, en ce moment.

Je décidai d'être franc avec Jasmine, dans l'espoir que ce que j'allais dire lui rafraîchisse la mémoire, ou même l'effraie assez pour la pousser à se souvenir.

— Voici la raison pour laquelle je vous pose la question, Jasmine : hier dans la matinée, la fille au tatouage de labyrinthe a été retrouvée noyée dans le port de plaisance de Marina Zea. À l'heure où je vous parle, elle n'a pas encore été identifiée. Tout ce que je sais, c'est qu'elle connaissait peut-être Valentina et que Valentina serait peut-être en mesure de l'identifier.

— Enfin, pourquoi ? Vous disiez que vous n'étiez pas de la police.

— Je ne suis pas de la police. Quand avez-vous vu Valentina pour la dernière fois ?

— Plus depuis un bout de temps. (Elle haussa les épaules.) Depuis la récession, en Grèce, il y a tant de filles qui font ce genre de choses, c'est compliqué d'en suivre une à la trace. Il y en a tout le temps plein qui lâchent le métier. Mais il ne manque pas de filles pour prendre leur place.

— Une dernière question. Les clients de Valentina. L'avez-vous déjà vue avec l'un d'eux ?

— Possible. Ce n'est pas le genre de trucs dont on parle.

— Allons, Jasmine. C'est important.

— Très bien. Je l'ai vue avec deux clients. La première fois, c'était dans un restaurant, ici, à Athènes, ça s'appelle Spondi, avec ce footballeur qui est mort l'autre soir : Bekim Develi. La deuxième, elle montait dans la voiture d'un type. En fait, ça s'est passé ici, juste devant. Une belle voiture. Une Maserati noire toute neuve.

— Un bolide hors de prix.

Elle haussa les épaules.

— Croyez-moi, ce type… il a les moyens.

— Vous l'avez reconnu ? Le client ?

Elle hésita. Elle avait les yeux rivés sur l'argent.

— Si je vous dis qui c'est, vous ne raconterez pas que c'est moi.

Je posai un autre billet de cinquante sur la table.

— Pas un mot.

— C'était Hristos Trikoupis.

— L'entraîneur de l'Olympiakos ?

Elle confirma d'un signe de tête.

— Vous êtes sûre que c'était Hristos Trikoupis ?

— Oui, fit-elle avec un sourire méprisant. C'était lui, j'en suis sûr.

— Bon, vous n'êtes pas très fan ?

— De l'Olympiakos ? Non.

— Pourquoi ? Parce que vous soutenez le Panathinaïkós ?

— Non, fit-elle. Mon fiancé soutient le PAOK. Il est de Thessalonique. Croyez-moi, ils détestent l'Olympiakos tout autant que ces salopards du Pana.

— Le football... lâchai-je. Quatre-vingt-dix minutes de sport et toute une colonne Trajane de haine et de ressentiment.

— En Angleterre, c'est différent ?

— Non.

— Je suis désolée de ne pas pouvoir vous aider davantage.

— Non, vous m'avez été d'une grande aide. Franchement. Vous pouvez prendre votre argent et y aller si vous voulez.

Elle rafla les billets et partit.

27

Le lendemain matin, à 7 heures, j'étais devant l'hôtel, et je tombai sur plusieurs journalistes et équipes de télévision qui m'attendaient sur ce qui subsistait des marches en marbre de l'escalier. On eût dit que quelqu'un s'y était attaqué à coups de marteau.

— Qu'est-il arrivé ici ? m'enquis-je auprès du portier.

— La nuit dernière, certains individus ont décidé de lancer des cailloux sur le Parlement, m'expliqua-t-il. Alors ils ont cassé des morceaux de nos marches d'escalier.

— Jamais vous ne récupérerez les marbres d'Elgin. Vu ?

Je me frayai un chemin au milieu d'une forêt de micros et d'objectifs pour me rendre à l'emplacement où était stationné le Range Rover Sport noir de Charilaos, sans leur livrer aucun des commentaires qui me vinrent à l'esprit.

— Bonjour, Charilaos, dis-je. On dirait que la presse veut encore me pister.

— Où allons-nous ? me demanda-t-il lorsque je refermai la portière.

— À Apilion. Séance d'entraînement. Ensuite, à l'hôpital général Laiko. Et après, retour ici à midi pour un rendez-vous avec l'inspecteur-chef Varouxis.

— D'accord, monsieur. Et appelez-moi Charlie. Comme tout le monde.

Nous démarrâmes. Sur la banquette arrière étaient étalés quelques journaux grecs, et toutes les unes ou presque reprenaient un portrait-robot de la jeune morte, exécuté par un dessinateur de la police. L'artiste avait réussi à lui donner des airs de princesse de dessin animé de Walt Disney, et il était difficile d'imaginer que la vue de ce croquis incite un citoyen à appeler la police – sauf dans l'intention de recommander un autre artiste.

Je mis de côté la pile des journaux grecs et pris un petit moment pour lire le *Times* que j'avais téléchargé dans mon iPad. On y consacrait des colonnes entières à la triste situation de London City, à Athènes. Et maintenant que l'UEFA avait accepté que nous jouions notre match à domicile contre l'Olympiakos sur le terrain du Panathinaïkós, l'affaire présentait encore plus d'intérêt qu'auparavant.

— Aurez-vous besoin de moi cet après-midi, monsieur ? me demanda Charlie.

— J'en ai peur. Je pensais aller rendre visite à mon homologue, Hristos Trikoupis. Pour discuter du match de la semaine prochaine. J'imagine que vous ignorez où je pourrais le trouver cet après-midi.

— Rien ne vous empêche de l'appeler et de lui demander, me suggéra Charlie.

— Je préférerais qu'il ne sache pas que j'arrive.

— L'Olympiakos a un match, dimanche soir. Contre Aris. À cette heure-ci, il est sans doute à leur centre d'entraînement, à Rentis. Vous constaterez que c'est très différent d'Apilion. Ces salopards de Rouges ont beaucoup plus d'argent.

— Vous n'êtes pas fan de l'Olympiakos, vous, alors.

— Non, monsieur. J'ai toujours été pour le Panathinaïkós. Depuis tout gamin.

— Je vous envie, Charlie. Quand on entre dans l'univers du football professionnel, on perd cette dévotion pour une seule et unique équipe. Dès qu'on se met à jouer pour de l'argent, on devient un mercenaire, et ce n'est plus jamais pareil. Parfois, je me dis que ce serait sympa de ne suivre qu'une équipe, d'être en mesure d'aller voir un match, d'être comme tout le monde, vous voyez ?

— Pour l'instant, il semblerait que c'est nous qui sommes suivis, monsieur.

Je me retournai.

— Cette Škoda Octavia gris métallisé, me précisa-t-il. Elle était garée devant l'hôtel à mon arrivée, ce matin. Et je viens de faire deux fois le tour de ce pâté d'immeubles pour être sûr.

— Foutus journalistes, m'écriai-je. Dès qu'une merde traîne quelque part, il faut toujours qu'il y en ait un pour venir la renifler.

— Cela ressemble plus aux flics, remarqua Charlie.

Je me retournai de nouveau.

— À quoi voyez-vous ça ?

— Parce que à Athènes personne n'a envie de rouler dans la même voiture pourrie que la police hellénique. Et parce qu'ils ne sont que deux.

— Si ce sont des flics, pourquoi me suivent-ils, nom de Dieu ?

— Sans vouloir vous alarmer, c'est probablement pour votre protection, monsieur. Maintenant que les journaux ont annoncé que vous jouerez la prochaine manche contre ces *malakes* de Rouges dans notre stade, ils seront nombreux à penser que vous avez fait cause commune avec leurs ennemis mortels : les Verts. En réalité, vous pourriez être en danger de vous faire vous-même agresser.

— Voilà une pensée réconfortante.

Dix ou quinze minutes plus tard, le mont Hymette était en vue. Les seuls nuages dans un ciel tout bleu s'étaient massés au sommet du mont aux flancs ondulés, comme pour protéger les dieux des regards importuns des mortels. J'aurais aimé bénéficier d'une telle intimité. La presse était aussi venue en force devant le centre d'entraînement et, lorsque nous approchâmes du portail, Charlie fut obligé de ralentir et de rouler au pas.

La séance d'entraînement était déjà entamée, et la voix de Simon portait d'un bout à l'autre du terrain comme le doux zéphyr du Yorkshire. J'avais beau l'avoir déjà entendu à maintes et maintes reprises expliquer le but d'un exercice en particulier, il me faisait toujours sourire, et cette fois-ci n'y fit pas exception :

« C'est Edson Arantes do Nascimento, plus avantageusement connu de nous tous sous le nom de Pelé, qui a le premier qualifié le football de beau jeu.

Maintenant, dans le football brésilien, la plante du pied sert à contrôler la balle, bien plus souvent qu'en Angleterre. Comme ceci. De gauche à droite. Vers la gauche, vers la droite. Si ça vous fait drôle, c'est bien, c'est justement pour ça que vous vous exercez. Vous pouvez passer de la plante du pied, dribbler de la plante du pied, contrôler la balle de la plante du pied. Presque tout ce que vous voyez chez Cristiano Ronaldo s'effectue avec la semelle de la chaussure. Ce garçon sait plus en faire avec la surface inférieure du pied qu'un chimpanzé, bordel. Alors ce que je veux vous voir répéter ce matin, ce sont des touchers de balle, d'une semelle à une autre, de gauche à droite à gauche. Au début, lentement, une jambe fermement plantée au sol, ensuite, en courant sur place, de gauche à droite à gauche. Le geste large et précis. D'accord. Allez, c'est parti. Tu ne la regardes pas, cette foutue balle, Gary. Tu gardes la tête levée. Si tu étais en plein match, tu chercherais quelqu'un à qui la passer. Même à une pauvre tache comme toi, Jimmy.

En me voyant, Simon s'approcha de la ligne de touche et, les bras croisés, regarda nos joueurs poursuivre leur séance technique.

— Si tu parviens à faire jouer Gary Ferguson comme un Brésilien, je bouffe ta casquette de l'équipe d'Angleterre, lui dis-je. Il a autant le sens du ballon que Douglas Bader[1].

— Pourtant, de tous les arrières centraux que j'ai croisés, c'est lui qui a la meilleure vista. Sans parler de ses tibias, une vraie paire de pieds-de-biche. Gary

---

1. Héros de la RAF, Douglas Bader était amputé des deux jambes.

serait capable de faucher les pieds d'une table de salle à manger.

— C'est un personnage redoutable, c'est certain. Surtout quand il a le panard en avant. Avec lui, la formule « marquage individuel » revêt toujours un sens très créatif.

L'espace d'un instant, nous regardâmes évoluer les joueurs en silence.

— Prometheus est sans doute le joueur du moment le plus talentueux sur le terrain, observa Simon. Tout ce qu'il fait lui vient naturellement.

— Y compris jouer au con.

— Exact. Quoique dernièrement il ne se soit plus montré du tout si arrogant. C'est peut-être à cause de la mort de Bekim. Ou alors c'est l'influence de cet endroit. (L'air euphorique, Simon inspira une grande goulée d'air.) C'est super, ici, non ? ajouta-t-il en hochant la tête.

— Apparemment, ce terrain d'entraînement porte le nom d'un poète grec.

— Ah, d'accord, bon, c'est facile de comprendre pourquoi. Si je devais contempler cette vue tous les jours, je serais peut-être capable d'écrire un poème, moi aussi.

— Je crois que j'aimerais bien lire un poème de toi, dis-je en m'interrogeant : combien réussirait-on à trouver de rimes à « putain » et « bordel », les deux termes les plus fréquents dans son vocabulaire d'homme du Yorkshire. C'est quoi, l'humeur, sans Bekim ?

— Ah, bon, d'accord, ça, c'est une question.

Il retourna sur le terrain une minute, lança un autre exercice et revint vers moi.

— Maintenant qu'on a perdu le Christ de l'équipe, continuai-je, les autres disciples vont devoir trouver l'inspiration ailleurs.

— De quoi, patron ?

— Toutes les équipes ont besoin de leur Jésus-Christ. Quelqu'un qui soit capable de transformer l'eau en vin, de guérir les lépreux et les aveugles, et de faire se relever l'équipe d'entre les morts quand on nage en plein cauchemar. Le nôtre, c'était Bekim. Alors, qui est le nouveau Jésus de l'équipe ? C'est toute la question, Simon. Gary est un bon capitaine, en revanche, ce n'est pas lui la source d'inspiration. C'est la discipline faite homme. Et, en défense, c'est le meilleur. Cela étant, ce n'est pas le type que tu peux regarder dans les yeux et qui va te convaincre qu'il est la réponse à toutes tes prières.

Simon eut beau tenter d'argumenter en tournant autour du pot, en réalité je connaissais déjà la réponse à ma propre question. Avant que la période des transferts d'avant-saison ne se referme, le 31 août, j'allais devoir persuader Vik de dépenser un gros paquet d'argent pour le capitaine de l'équipe du Hertha, Hörst Daxenberger. Avec ses longs cheveux blonds, ses yeux bleus et sa barbe, je ne voyais personne qui ressemble davantage à Jésus, hormis une poignée d'acteurs de navets hollywoodiens. Toutefois, pour le convaincre de venir jouer à London City, nous allions devoir battre l'Olympiakos et nous qualifier en Ligue des champions. Si nous y arrivions, ce serait l'unique atout que nous pourrions lui offrir dont le Hertha ne disposait pas.

Après la fin de la séance, je réunis l'équipe et l'encadrement autour de moi, sous le chaud soleil, et je m'adressai à eux.

— Je sais que que vos familles vous manquent à tous, alors permettez-moi tout d'abord de vous informer que les avocats de Vik n'ont pas renoncé à tenter de convaincre la police de changer d'avis et de ne plus nous retenir ici, à Athènes. À moins d'un miracle, il semblerait que nous restions ici pour le moment. Et soyons clairs, les choses pourraient être bien pires. Les gars du Panathinaïkós ne sauraient se montrer plus serviables, alors efforçons-nous de toujours leur montrer à quel point nous leur sommes reconnaissants. En attendant, le soleil brille, la cuisine est bonne et l'hôtel a une belle plage. Je vous suggère de soigner votre bronzage, de vous télécharger un livre, de profiter de la salle de sport et de ne pas toucher aux alcools détaxés parce qu'il nous reste à régler la petite question d'un match de Ligue des champions la semaine prochaine. Sans parler d'un déficit de trois buts.

« Alors, je vais vous exposer ce que nous savons et j'aimerais ensuite inviter celui d'entre vous qui serait en mesure de nous éclairer sur tel ou tel aspect de cette triste affaire à se faire entendre… sans craindre de sanctions disciplinaires ou que je le balance à la flicaille locale. Je vous promets que pour quiconque sera capable d'ajouter un élément à ce que nous savons déjà, il n'y aura ni amende ni engueulade. Je crois en effet qu'aborder tout ceci en équipe soudée constitue notre meilleure chance de nous sortir d'ici. Je sais que les flics vous ont déjà questionnés à ce propos et je ne sais pas ce que vous leur avez répondu, pas grand-chose, j'imagine. Bekim était votre coéquipier et vous le cherchez encore, comme s'il était toujours parmi nous. Je respecte ça. C'est aussi mon cas. Par contre, cette fois, les questions, c'est moi qui vous les pose, pas les flics. Je veux des réponses.

— Tu prévois de jouer à nouveau les détectives amateurs, chef ? me lança Gary. Comme à Silvertown Dock, quand tu as contribué à découvrir qui avait tué Zarco ?

— C'est une idée. À l'heure qu'il est, les flics sont encore occupés à essayer de se localiser le trou de balle, alors pourquoi pas ? Je ne peux pas faire grand tort, hein ? Maintenant, aucun de vous ne l'ignore, j'en suis sûr, Bekim louait les services de filles, comme d'autres à Londres louent les vélos de ce cher Boris, notre bien-aimé maire. En dépit des ordres donnés à l'équipe lundi soir, veille de match, il en recevait une dans son bungalow. Il l'a sautée en long, en large et en travers et, le lendemain, on l'a retrouvée au fond du port, un kettlebell attaché aux chevilles. C'est pour cela que nous sommes retenus ici. Les flics ne savent toujours pas qui est cette jeune malheureuse. Voici ma question : l'un d'entre vous le sait-il ? Vous a-t-il proposé de l'embrocher en tandem ? Avez-vous entendu dire quoi que ce soit ? Avez-vous vu quoi que ce soit ? D'après ce que je sais, il s'agit d'une blonde, en robe bleue, un tatouage de labyrinthe sur l'épaule. Probablement russe. Et elle avait un faible pour les footballeurs, Dieu sait pourquoi, putain.

— Il m'a confié qu'une fille viendrait le voir dans son bungalow, fit Xavier Pepe. Et qu'elle était carrément spéciale. Que c'était le secret le mieux gardé de l'Attique et la plus belle femme d'Athènes.

— Il a réellement employé ces formules-là ?

Xavier hocha la tête.

C'était en ces termes que Bekim m'avait décrit Valentina avant que je ne m'envole pour Athènes pour voir le Hertha affronter l'Olympiakos.

— Peux-tu te rappeler à quelle heure il a dit ça ?

— C'était après le dîner, précisa Xavier. Vers 21 h 30.

Je sortis mon carnet et notai cette information, en calculant qu'en réalité Bekim avait pu attendre Valentina jusqu'au tout dernier moment, lorsque l'autre fille s'était pointée, à 23 heures, selon l'inspecteur-chef Varouxis.

— J'ai dû lui rappeler, il me semble, que son bungalow était tout près du vôtre, patron. Et qu'il avait intérêt à rester discret parce que sinon vous vous feriez servir ses couilles au petit déjeuner.

— Ça, je n'aurais pas hésité. Alors tenez-vous-le pour dit. Tant que nous sommes ici, le premier d'entre vous qui s'imaginera pouvoir s'offrir une partie de jambes en l'air avec la faune locale aura intérêt à y réfléchir à deux fois. Tant que cette histoire n'est pas résolue, les petites chattes locales sont absolument exclues. (Je ponctuai mon avertissement d'un temps de silence.) C'est tout, Xavi ?

Il hocha la tête.

— Rien d'autre, personne ? (Encore un silence.) Et cette amulette qu'on a retrouvée autour de son cou ? Quelqu'un sait-il quelque chose à ce sujet ? L'inspecteur avec qui je me suis entretenu appelle cela une *hamsa*. Apparemment, cela ressemble à une main droite ouverte. Je suis à peu près certain de n'avoir jamais vu Bekim porter une babiole pareille en Angleterre. Et malgré sa désobéissance à mes instructions, je suis à peu près certain qu'il n'aurait pas pris à la légère le risque de se mettre à dos un officiel de l'UEFA, ici, en Grèce. On en a vu distribuer des cartons jaunes pour moins que ça.

— C'est moi qui le lui ai donné.

C'était Denis Abaïev, le nutritionniste de l'équipe – l'homme qui avait voulu inviter tout le monde à la prière à bord du vol vers Saint-Pétersbourg, le jour où l'avion avait été contraint à un atterrissage d'urgence.

— Pourtant, c'est toi que Bekim a accusé d'être un musulman djihadiste.

— Uniquement parce qu'il avait peur, se défendit Denis. En plus, il s'est presque aussitôt excusé, non ? Au Moyen-Orient, la *hamsa* est un porte-bonheur. C'est aussi censé fournir une protection contre le mauvais œil. J'avais l'intention de te le mentionner plus tôt, mais je n'osais pas car tu m'avais demandé de ne plus m'approcher des joueurs avec mes histoires de religion.

— Alors pourquoi l'as-tu fait ?

— Je lui ai donné la *hamsa* pour qu'il se sente mieux. Il ne croyait peut-être pas en Dieu, mais il était superstitieux. Il m'a confié que selon lui, quelqu'un cherchait à lui jeter un sort.

— Un sort, qu'est-ce que tu veux dire, bon sang ?

Abaïev leva en l'air un petit pendentif bleu ressemblant à un œil de verre, et me le tendit.

— Le soir de notre arrivée, il a trouvé ça pendu à la poignée extérieure de la porte-fenêtre de son bungalow.

— Qu'est-ce que c'est ?

— C'est un *mati*, un mauvais œil. C'est très répandu, ici, à Athènes, on peut en acheter à tous les coins de rue. C'est une sorte de mauvais œil contre le mauvais œil. Ou juste pour semer le trouble dans la tête de quelqu'un. Et ça a marché. Bekim était très troublé par tout ça.

Je relançai le petit œil bleu à Denis.

— Écoutez, les gars, le seul mauvais œil que j'aie jamais vu et qui fasse de l'effet, c'est celui de Roy Keane, dis-je. Un regard de cet Irlandais suffirait à pétrifier la Gorgone.

— Il n'empêche, patron, Bekim Develi est mort, rappela Gary Ferguson. Il n'y a pas à tortiller. Apparemment, ce mauvais œil, ici, il a aussi fait son effet.

— C'est de la foutaise, et tu le sais, Gary. Écoute, c'était le geste de quelqu'un qui voulait foutre la merde et rien d'autre, d'accord ? L'envie de rigoler d'un employé de l'hôtel. Quoi qu'il en soit, je commence à saisir pourquoi les types du Panathinaïkós haïssent tant l'Olympiakos. Apparemment, ces salopards ne reculeraient devant rien pour vous faire passer à côté de votre match. As-tu mentionné cet épisode aux flics, Denis ?

— Non, patron.

— Alors restons-en là, tu veux ? On a déjà amplement de quoi s'occuper sans que les flics grecs s'imaginent que quelqu'un voulait aussi la peau de Bekim.

— Ça, c'est foutrement vrai. (Gary secoua la tête.) Le plus tôt on sera sorti de ce trou à rats, le mieux on se portera. Quand ce trouduc d'inspecteur Verrue-machin m'a interrogé, chaque fois qu'il respirait près de moi j'ai manqué tourner de l'œil.

J'acquiesçai.

— Toi qui projetais une carrière à la télévision, Gary. Après avoir raccroché les crampons, je pense que tu vas devoir perfectionner tes talents médiatiques.

28

Sur le trajet du retour à l'hôtel, où j'allais retrouver l'inspecteur-chef Varouxis, je m'arrêtai à l'hôpital général Laiko. J'étais convenu avec lui de pouvoir me recueillir devant le corps de Bekim et lui rendre un dernier hommage, mais surtout, je tenais à m'assurer qu'on prenait correctement soin de sa dépouille. À cause de la grève, je craignais qu'ils n'aient enveloppé mon ami d'un sac-poubelle, fourré sous des portions de *keftedes* dans un congélateur.

C'était un bâtiment de couleur rose, situé au nord-est de la ville, que peu de choses distinguaient des autres bâtiments publics d'Athènes. Le mot *dolofonoi* était graffité sur l'un des murs de la façade, près de l'accès principal, situé derrière un rang d'orangers. J'ai un faible pour les orangers, or, les rues d'Athènes sont partout semées d'oranges, comme des paquets de clopes vides, ce qui m'attristait un peu.

— *Dolofonoi* ? Qu'est-ce que cela veut dire ? demandai-je à Charlie, entré avec moi pour m'aider à trouver le service de pathologie.

— Cela veut dire « meurtriers ».

— Bon sang, je parie que ça inspire vivement confiance aux patients.

— Des anarchistes, commenta-t-il. Ils s'imaginent qu'en sapant le moral de tout le monde ils réussiront à abattre l'État.

Cet État ne me paraissait déjà pas en trop bonne santé, pourtant, je gardai mon opinion pour moi. Je l'aimais bien, ce Charlie.

Les médecins, et surtout les pathologistes, faisaient donc grève, mais les infirmiers, affiliés à un autre syndicat, étaient de service. L'un d'eux me conduisit jusqu'à un long couloir mal éclairé qui ressemblait à une consigne à bagages, où s'alignaient des dizaines de compartiments réfrigérés du genre de ceux que l'on voit dans *Les Experts*. L'infirmier fumait une cigarette. L'odeur de décomposition humaine était si écœurante qu'on aurait pu aisément considérer la cigarette comme aussi indispensable à sa profession que la blouse verte qu'il portait. Un escabeau se dressait au milieu de la salle, comme si quelqu'un avait voulu essayer de réparer le tube de néon du plafond, qui clignotait à la cadence d'un message en morse, avant de changer d'avis. Il vérifia un numéro dans son porte-bloc, puis il déplaça l'escabeau, avec un soupir, en protestant bruyamment. Il réussissait si bien à faire sentir que tout ce qu'il faisait lui cassait franchement les pieds que l'envie me vint, considérant sa tête ridiculement permanentée, de lui flanquer une taloche entre les deux oreilles. Et son abondante moustache noire, qui évoquait à s'y méprendre une paire de brossettes à vaisselle défraîchies, n'était pas moins ridicule.

Juste à l'instant où le néon cessa de clignoter, l'infirmier ouvrit une porte et fit coulisser un tiroir – le mauvais, ce fut aussitôt évident, car les ongles des orteils étaient impeccablement vernis d'une teinte lilas clair.

— Peut-être que si vous vous retiriez cette clope du bec, vous arriveriez à voir ce que vous foutez, bordel, maugréai-je à voix basse.

À l'instant où il refermait le tiroir en acier poli en rouspétant à nouveau, je saisis que la dame aux ongles vernis allait bien plus m'intéresser que le cadavre de Bekim. La réflexion d'un des gamins qui plongeaient à Marina Zea me revint : le corps repêché avait les ongles faits, de couleur violette. Bien entendu, pour un garçon, lilas ou violet, c'était du pareil au même.

Je laissai l'infirmier repérer la bonne porte, et je restai une sombre minute à fixer du regard le cadavre de Bekim Develi – il était difficile de croire qu'il était mort – avant de lui indiquer d'un bref signe de tête que j'en avais terminé. En revanche, je n'en avais pas fini avec la morgue. J'avais besoin de jeter aussi un œil au corps de la fille, si possible, car ce devait être la morte de Marina Zea. Combien de macchabées avaient des ongles de pied aussi parfaitement vernis ? Il ne m'était pas venu à l'idée qu'ils aient pu placer le corps de la jeune noyée dans la même morgue que Bekim Develi. Et pourtant, c'était parfaitement logique.

Bien sûr, jouer les Sherlock Holmes est plus facile en Grèce que dans d'autres pays. Quand tout le monde a l'air de connaître par cœur la phrase « T'as pas cent balles, mon pote », pour celui qui a de l'argent – un individu dans mon genre –, il est relativement facile de s'acheter plus ou moins exactement ce qu'on veut.

Toutefois, j'avais déjà appris à ne pas me montrer d'une générosité trop extravagante. Le salaire mensuel moyen ne dépassant pas mille euros, un joli billet de cinquante tout neuf équivaut presque à deux jours de paie. Je le lui brandis sous le nez comme s'il s'agissait d'un billet pour une finale de la Coupe d'Europe et priai Charlie de lui expliquer qu'il aurait le droit de l'empocher s'il nous montrait une seconde fois la fille aux ongles vernis couleur lilas.

L'infirmier hésita, juste le temps de se retirer la cigarette du bec puis de l'écraser contre le montant de l'escabeau. Il glissa le mégot dans sa poche, avec l'intention de finir de le fumer plus tard, supposai-je.

— Je parle anglais, dit-il, et il prit le billet qu'il fourra dans la même poche que sa cigarette à moitié fumée.

Cela m'évoquait une métaphore de tous les soucis de l'Union européenne : l'euro, en grand danger de partir en fumée à cause de l'incompétence grecque.

Il rouvrit la première porte en acier, fit coulisser le tiroir, et rabattit un drap vert malpropre, révélant le corps d'une fille, nu comme un ver. Au même moment, le néon se remit à clignoter et je comprenais maintenant l'exacte utilité de l'escabeau, car il monta dessus et tapota doucement du doigt sur le tube jusqu'à ce qu'il se stabilise.

— *Eínai polý ómorfi*, me souffla Charlie. Elle est belle.

— Ça, oui, approuvai-je. Carrément superbe.

Je compris immédiatement que j'avais la bonne victime sous les yeux. Elle avait vingt-cinq ans environ, supposai-je, des seins généreux qui paraissaient faux, une chatte blonde et lustrée au point de paraître inexistante – une minuscule touffe de poils faite pour épater le client, ou pour qu'il la lutine un peu. Détail plus intéressant, elle avait sur l'épaule gauche un tatouage dessiné avec soin et, bien convaincu que le pouvoir de mon billet de cinquante ne perdurerait pas très long-temps, je sortis mon iPhone et pris quelques photos.

— Pas de photos, protesta l'homme sur son escabeau.

Je n'en tins aucun compte.

— Ne vous inquiétez pas, lui dis-je. Je ne vais pas les publier sur Instagram. Tout ce que je veux, c'est découvrir comment elle s'appelle. Sûrement pas vendre des photos de sa touffe.

Il cessa de tapoter sur son néon, qui fonctionnait de nouveau, et redescendit de l'escabeau.

— S'il vous plaît, arrêtez ça… Si ces photos passent dans les journaux, je pourrais perdre mon travail. C'est un risque que je ne peux pas me permettre. Un boulot qui ne paie pas, ça reste un boulot.

J'arrêtai de prendre des photos et sortis un autre billet de cinquante de ma poche.

— Qui a dit que ça ne payait pas ? répliquai-je.

À contrecœur, il accepta le billet.

— Mais bon, ajoutai-je, je vous donne ma parole que vous ne verrez pas ces photos dans les journaux. Vous savez qui je suis, vous avez dû lire des articles sur cette histoire. La police retient mon équipe ici, à Athènes, le temps d'enquêter sur la mort de cette fille. Lundi soir, elle a couché avec Bekim Develi. Et tant qu'ils ne sauront pas son nom et ce qui lui est réel-lement arrivé cette nuit-là, nous sommes bloqués ici. Pendant ce temps, les pathologistes sont en grève, il ne peut donc même pas y avoir d'autopsie. Quant aux flics, vu leur efficacité, ils pourraient aussi bien être en grève, eux aussi.

— Je compatis, monsieur. Personne n'aime la police, dans cette ville. (Il hocha la tête.) Je ne vais donc pas insister pour que vous effaciez ces photos que vous avez prises, à une condition.

— Laquelle ?

— Vous vous entraînez à Apilion, non ? Avec le Panathinaïkós ?

— C'est exact.

— Ils vous ont dit que les supporters d'Olympiakos étaient des sales brutes ? Que c'est tous des bâtards de marins yankees et de putains ?

— Il se trouve que oui.

— Alors ma condition, monsieur Manson, la voici. Quoi qu'il arrive, la semaine prochaine, quand vous quitterez mon pays, ne pensez pas trop de mal de mon équipe. Je m'appelle Spiros Kapodistrias et je soutiens l'Olympiakos depuis toujours. Alors, les propos que vous a tenus Hristos Trikoupis avant le match, c'était vraiment honteux, monsieur. Et cette manière de pointer quatre doigts en l'air, pour quatre buts marqués, au lieu de vous serrer la main ? Ça non plus, c'était franchement pas correct. Pour le moment, la situation dans mon pays est terrible, c'est vrai. Mais enfin, la Grèce reste le berceau de la civilisation européenne et, si vous voulez mon avis, ce n'est pas ainsi qu'il faut jouer au football. Notre équipe mérite mieux que cet homme-là. Nous ne sommes pas tous comme lui.

— Marché conclu, dis-je. Et avec toute ma gratitude.

Il désigna le corps gisant sur le tiroir d'acier ouvert. Elle semblait attendre que quelqu'un allume une lampe à bronzer.

— Je vous en prie, monsieur Manson. Prenez autant de photos que vous voudrez.

Je rallumai mon iPhone et, pendant une longue minute, je déclenchai sans répit. J'eus la surprise de constater qu'elle n'avait pas de marques aux chevilles, et j'en fis la remarque.

— Alors il semblerait qu'elle ne se soit pas beaucoup débattue, m'expliqua-t-il. Elle était peut-être droguée, ou saoule. Si c'était le cas, tant mieux pour elle. Bien sûr, c'est un aspect que seul le docteur Pyromaglou sera en mesure de déterminer.

— Qui est le docteur Pyromaglou ?

— C'est la pathologiste principale, ici, au Laiko. C'est à elle que le chef de service a confié cette affaire. Pyromaglou pratiquera l'autopsie de cette pauvre jeune femme quand…

— … elle aura fini de faire grève, complétai-je, désabusé. Sans qu'on sache quand ce sera au juste.

— Pyromaglou n'avait aucune envie de se mettre en grève, comprenez-vous. Néanmoins, cela fait des semaines qu'aucun de nous n'a plus été payé, dans cet hôpital.

— Alors pourquoi votre syndicat n'appelle-t-il pas à la grève, Spiros ?

— Parce que ce n'est pas notre tour d'être grévistes. De toute manière, il faut bien que quelqu'un prenne soin des corps. S'il n'y avait plus nulle part où les mettre, il y aurait un risque pour la santé publique. En réalité, à part ces deux-là, tous les cadavres qui sont ici partagent un tiroir mortuaire avec un autre.

— Ça me paraît intime à souhait.

— Sur ordre de la police, ces deux-là… votre joueur et la fille… ce sont les seuls ici qui ont droit à un tiroir personnel. (Spiros hocha la tête.) Vous avez fini de l'examiner ?

— Oui.

— Le docteur Pyromaglou, dit-il en recouvrant le corps et en le rendant à l'obscurité de son sépulcre d'acier, je pourrais vous procurer son numéro de téléphone, si vous voulez.

— Ce qui signifie ?

— Juste que si elle acceptait de conclure un arrangement privé avec vous, alors la décision lui appartiendrait.

— Vous voulez dire qu'elle rompe le mot d'ordre de grève ? Pour mener une autopsie ?

Immédiatement, je sortis mon portefeuille et lui tendis ma carte de visite. Je lui remis aussi celle de l'Hôtel Grande-Bretagne.

— Elle peut m'appeler n'importe quand, ajoutai-je. Et naturellement, je ferai en sorte de la dédommager.

— Le gouvernement ne pourrait pas imposer une décision pareille, vous comprenez, souligna l'autre. Au plan politique, pour cette coalition, ce serait déconseillé. Et Pyromaglou n'accepterait sûrement pas de faire une chose pareille pour la police. Elle déteste la police. Son fils a eu le crâne fracassé par une de ces petites frappes du MAT, la police anti-émeutes. Mais oui, il se pourrait qu'elle vous donne un coup de main. (Il haussa les épaules.) En plus, pour identifier cette fille et expliquer ce qui a pu lui arriver, il y a d'autres moyens qu'une autopsie complète.

29

De retour au Grande-Bretagne, je passai une heure inconfortable avec l'inspecteur-chef Varouxis. Une femme russophone et lui-même avaient pris place dans la spacieuse salle à manger de la suite royale, examinant le contenu de l'ordinateur portable et de l'iPhone de Bekim à une extrémité de la table tandis que, contraint bien malgré moi de leur tenir lieu de chaperon, je m'étais assis à l'autre bout, lisant mon journal sur l'écran de mon iPad en savourant un café grec modérément sucré. Jusqu'à présent, c'était sans doute la seule chose qu'il m'ait été donné de savourer de cette journée. Certains appellent cela un café turc, toutefois, ne comptez pas qu'on vous serve un café turc en Grèce, pas plus que l'inverse, d'ailleurs. Entre deux nations qui se haïssent, même le café devient une affaire politique.

De temps à autre, Varouxis me priait de m'approcher pour l'aider à comprendre une chose dans la boîte mail de l'ordinateur, et je me retrouvais à proximité incommodante de son haleine. Suite à la dernière de ces explications, je respirai la composition florale posée sur le buffet en acajou afin de m'effacer son odeur de la tête.

— Avez-vous trouvé quoi que ce soit d'utile ? demandai-je après le départ de la traductrice.

— Non. Vous aviez raison. Quelle que soit la manière dont cette fille l'a contacté, ce n'était ni par mail ni par téléphone portable. Du moins, pas *via* cet ordinateur ou ce téléphone.

— Et, à ce stade, des pistes concernant son identité ?

— Nous pensons qu'elle devait travailler comme escort de très grand luxe. Sa robe venait de chez Alexander McQueen et se vend à peu près deux mille euros en boutique. Son soutien-gorge était un modèle Stella McCartney. Autour de cent cinquante euros. Les deux ont été fabriqués pour le site Net-à-Porter, nous espérons donc pouvoir relier un numéro d'article à un nom. Ces recherches prennent du temps. Avec un peu de chance, votre offre de récompense fera peut-être remonter quelque chose à la surface. Il y a des affiches dans tout le Pirée offrant une récompense en échange d'informations. Votre avocate, Mᵉ Christodoulakis, aura amplement de quoi s'occuper. J'imagine que quantité de gens apprécieraient de mettre la main sur dix mille euros. Moi inclus.

Il savait probablement que c'était aussi le tarif journalier de la suite royale, car il prit le temps de regarder autour de lui, avant de hocher la tête.

— Tout va bien pour vous ? Ici, à Athènes ?

— Il serait sans doute mal venu de se plaindre, admis-je. Pas dans cette suite.

— Peut-être pas, en effet.

— Je ne fais que l'emprunter. C'est le propriétaire du club, Viktor Sokolnikov, qui l'a réservée pour qu'elle serve de base à l'équipe, ici, dans votre capitale.

— Vous savez, M. Sokolnikov vaut presque vingt milliards de dollars. À peu près un centième de la dette de l'État grec. Il ne semble pas juste qu'un homme possède tant quand tous les autres possèdent si peu. Qu'en pensez-vous, monsieur Manson ?

— Eh bien, volez donc les savonnettes, si cela peut vous faire du bien.

— Je formulais juste une observation.

Je haussai les épaules.

— Mon observation à moi, c'est que j'ai été suivi.

— Pour votre protection, il a été jugé préférable de vous assigner des officiers de l'EKAM, notre unité spéciale antiterroriste, monsieur Manson.

— Pourquoi moi, en particulier ?

— Plusieurs gardes du corps protègent déjà M. Sokolnikov, comme vous le savez. Et votre équipe est en sécurité, puisqu'elle reste bien tranquillement dans son hôtel de la péninsule de Vouliagmeni. Vous êtes le seul qui soit en circulation, si j'ose m'exprimer ainsi. Et bien sûr, l'autre soir, vous passiez à la télévision.

— Ce n'est pas que vous me soupçonneriez de meurtre ?

Varouxis tira sur la barbichette qu'il arborait sous la lèvre inférieure. Elle me rappelait la touffe de poils pubiens que j'avais vue sur la chatte de la fille, tout à l'heure.

— Je suis policier, monsieur Manson. Je suis de nature suspicieuse. Mais non, il se trouve que je ne vous soupçonne pas de meurtre. On a l'intuition de ces choses-là, comme vous pour un joueur, dirais-je. Vous êtes un homme dur, je crois, pas un meurtrier. Toutefois, je me demande si vous ne tenteriez pas de faire ici en Grèce ce que, selon la presse, vous avez réalisé à Londres, dans l'affaire João Zarco.

— Qu'est-ce qui vous amène à penser cela ?

— C'est que vous êtes ici, à Athènes, et pas avec votre équipe, à l'hôtel. Vous êtes presque certainement très agacé par le rythme de cette enquête. Et si vous n'êtes pas agacé, M. Sokolnikov, lui, le sera sûrement : les oligarques russes ne sont pas réputés pour leur patience. Et puis vous êtes à moitié allemand, donc vous considérez probablement que tous les Grecs sont des bons à rien et des cossards, et que nous ne serions même pas fichus d'enquêter sur notre propre trou de balle. Si tel est le cas, monsieur Manson, je vous conseillerais vivement de nous laisser opérer. Athènes est une ville très différente de Londres. Elle regorge de périls inattendus.

— Merci, inspecteur-chef, je garderai cela présent à l'esprit. Pour l'heure, je prévois de jouer les espions, pas les détectives.

Varouxis me considéra d'un œil noir.

— Je pensais faire un saut au centre d'entraînement de Rentis, lui expliquai-je, pour voir ce que mijote l'adversaire, avant notre match retour de la semaine prochaine.

— Ils ne vous laisseront pas entrer, m'avertit le policier. Et il y a un écran qui empêche les fouineurs de voir quoi que ce soit. En plus, il se trouve que j'en suis informé : le vendredi, l'Olympiakos achève de s'entraîner à 13 heures, après quoi Trikoupis va toujours déjeuner dans le même restaurant avec son épouse, Melina.

— Oh, parfait, merci pour le tuyau. (Je consultai ma montre.) Je vais peut-être aller déjeuner dans le coin, moi aussi. Quel est le nom de cet endroit fréquenté par Trikoupis, que je puisse l'éviter ?

— C'est une vieille maison familiale. Dourambeis. Enfin, ne l'évitez peut-être pas totalement. C'est le meilleur restaurant de poissons de la ville.

— Merci.

— Je vous en prie.

Ce n'était pas un mauvais bougre, en conclus-je, et je regrettais déjà de lui avoir suggéré de chiper les savonnettes.

— Êtes-vous occupé, demain après-midi, inspecteur-chef ? Il se trouve que je dispose de quelques billets en trop pour le match. Panathinaïkós contre l'OFI. J'ignore d'ailleurs qui est l'OFI.

— Héraklion. Une bonne équipe. Ce sera un excellent match. Et cela me plairait vraiment d'y aller. Je regrette de ne pas avoir cette latitude. Si mon lieutenant général apprenait que j'ai assisté à un match de football au lieu d'enquêter sur ce meurtre, il serait furieux, je pense.

— Eh bien, si vous changez d'avis, passez-moi un coup de fil. La quasi-totalité de mon équipe se rend à ce match. Sait-on jamais. L'un d'eux pourrait avoir à vous confier quelque chose d'utile. Vous savez que c'est pour cela que le football a été inventé, n'est-ce pas ? Pour que les hommes puissent se parler entre eux. Pour y parvenir, les femmes ont dû inventer les clubs de lecture. Pour se parler, j'entends.

30

Cette fois, en sortant de l'hôtel, je les repérai : deux types, la trentaine, nonchalamment appuyés au capot d'une Škoda Octavia gris métallisé, fumant une cigarette et prenant un peu le soleil de ce début d'après-midi sur leurs visages pas rasés.

— Où allons-nous maintenant, monsieur ? me demanda Charlie.

— Dans un restaurant du Pirée qui s'appelle Dourambeis.

— Je connais.

— Voyez juste si vous pouvez nous conduire là-bas sans notre escorte de police, lui répondis-je. Pour ce que je compte faire cet après-midi, je préférerais échapper à la surveillance de ces flics. En plus, je n'apprécie pas d'être suivi. Cela me fait l'effet d'être marqué à la culotte. Quelqu'un qui me file, ça me tape sur les nerfs.

Charlie opina.

— Bien sûr, monsieur. Pas de problème.

Il démarra et s'éloigna lentement de l'hôtel.

— Vous vous sentez capable de les semer ?

— Nous sommes à Athènes, monsieur. Nous avons les pires embouteillages d'Europe. Dans cette ville, je serais capable de semer Sebastian Vettel.

D'un coup, il accéléra et, au bout de la place Syntagma, prit brutalement à droite, fonça dans une rue étroite et sombre, avant de promptement obliquer à gauche, de remonter tout en haut d'une rue en pente et d'exécuter ensuite une marche arrière dans un petit parking. Charlie maniait le gros Range Rover de telle sorte qu'on se serait cru en Mini et il m'apparut tout de suite clairement qu'il était pilote professionnel. Cela n'aurait pas dû me surprendre, je suppose. La quasi-totalité des types qui conduisaient pour le compte de Viktor s'étaient formés aux manœuvres d'évitement. Vik prenait très au sérieux la manœuvre d'évitement sous toutes ses formes : ses chauffeurs, son épouse, ses avocats fiscalistes, sans omettre, selon la rumeur, une panoplie complète de contre-mesures électroniques dont il aurait fait équiper son jet.

Charlie attendit suffisamment longtemps pour voir la Škoda foncer devant nous dans une vaine tentative de nous rattraper ; après leur passage, il fonça, traversa la rue et dévala tout en bas d'une autre rue en pente raide.

— Nous ne les reverrons plus avant un moment, m'assura-t-il.

— Joli travail, approuvai-je.

Tout au bout de cette rue, il tourna à gauche et roula plein sud sur la rocade menant au Pirée.

— Dourambeis est l'un des meilleurs restaurants d'Attique, m'assura-t-il. C'est une vieille maison familiale. En temps normal, ils sont en vacances jusqu'à la fin août. Vous avez vérifié que c'est ouvert, j'espère.

— Vous voulez dire que c'est fermé en été ? Quand tous les touristes rappliquent ici, à Athènes ?

— Uniquement pour une partie du mois d'août, monsieur.

— Enfin, c'est dingue. C'est l'hiver qu'ils devraient fermer.

— Ils ferment aussi l'hiver.

— Nom d'un chien, pas étonnant que vous soyez en récession. Pendant la saison touristique, vous êtes censés rester ouverts, et pas glandouiller en vacances. Et pourquoi pas un restaurant qui fermerait à l'heure du déjeuner ?

Charlie sourit de toutes ses dents.

— C'est la Grèce, monsieur. Dans ce pays, les gens font les choses non parce qu'elles sont raisonnables, mais parce que c'est toujours ainsi qu'elles se sont faites. En tout cas, chez Dourambeis, je pense que vous devriez goûter la rascasse. Le poisson à l'étalage, à l'intérieur du restaurant. C'est le meilleur de la ville.

— Je ne prévois pas vraiment de goûter leur cuisine, fis-je.

— C'est dommage.

— Du moins pas aujourd'hui. C'est Hristos Trikoupis qui déjeune là-bas. Je veux savoir avec qui, et peut-être le suivre quand il repartira. Eh oui, voyez-vous, j'ai besoin de lui parler, en privé.

Charlie sourit de nouveau.

— J'aime bien rouler pour vous, monsieur. Pour moi, c'est comme dans le temps.

— À savoir ?

— Avant d'être dans la sécurité privée, j'ai été flic.

— C'était quoi, votre secteur ? Votre spécialité ?

— Le tout-venant du travail d'inspecteur. Rien de très original. Cambriolages, vols.

— Pourquoi êtes-vous parti ?

— Pour de l'argent. En Grèce, c'est toujours pour de l'argent. Pour tout.

— J'imagine que vous ne connaissez pas l'inspecteur-chef Varouxis.

— Tout le monde connaît Ioannis Varouxis, dit Charlie. C'est l'inspecteur le plus célèbre d'Athènes. C'est le flic qui a arrêté Thanos Leventis, un chauffeur de bus de la ville qui avait assassiné trois prostituées au Pirée et tenté d'en tuer au moins trois autres. Apparemment, il leur découpait les tétons, les faisait griller dans du sel et les mangeait. Les journaux grecs l'avaient baptisé Hannibal Leventis.

— Je me demande pourquoi Varouxis ne m'a jamais mentionné cela.

— C'est un homme très modeste, ce Varouxis.

— Non, je me demandais, alors qu'il enquête sur le meurtre d'une prostituée qui a probablement couché avec Bekim Develi, pourquoi il n'a jamais mentionné les meurtres de ces autres prostituées. Ce serait pourtant assez d'actualité. Les journaux y sont-ils revenus ?

— Non, monsieur. Et ils n'y reviendront sans doute pas. Du moins pas tant que – Dieu nous en préserve – une autre fille ne sera pas tuée. Voyez-vous, monsieur, l'une des femmes que Leventis avait agressées était une touriste anglaise. Ce n'est pas le genre de chose que le ministère du Tourisme aime rappeler aux gens. Surtout à cette période de l'année. Ce serait très dommageable pour la reprise économique grecque. Laquelle, en mettant les choses au mieux, demeure très fragile. Le tourisme est l'un des rares secteurs d'activité qui nous restent.

— Dites-moi, Charlie, cet Hannibal Leventis... je suppose qu'il n'y a aucun risque pour qu'ils aient arrêté le mauvais client ?

— Il a avoué, monsieur. Devant la cour. Mais il est vrai que certains avaient évoqué un complice qui ne s'est jamais fait prendre. L'Anglaise qui a été agressée, elle affirmait avoir été enlevée par deux hommes. L'un conduisait et l'autre l'avait violée. Aucune des trois victimes qui ont survécu n'a signalé de deuxième homme, donc ses allégations n'ont pas été retenues.

— Voyez si vous pouvez trouver son nom, Charlie, voulez-vous ?

— Bien sûr. Pas de problème, monsieur. Dès que nous nous arrêterons, je passerai un coup de téléphone.

Il roula en silence un moment, avant de revenir sur le sujet.

— Deux autres éléments à propos de Leventis, je viens de m'en souvenir.

— Oui ?

— Parfois, il conduisait le bus de l'équipe du Panathinaïkós. De temps à autre.

— Et il se servait de ce bus ?

— Non, pas de ce bus-là précisément, monsieur. D'un autre, tout à fait identique. C'est d'ailleurs pour ça que les filles montaient dedans. Elles croyaient que c'était le bus de ville, la ligne régulière.

— Et l'autre élément ?

— Il faut vous rappeler que le Panathinaïkós et l'Olympiakos… ce sont les ennemis de toujours. C'est typique de l'histoire d'Athènes et du Pirée, depuis la guerre du Péloponnèse, en 400 avant Jésus-Christ. Enfin, bon. Sur le site des Rouges, ils ont un forum dédié aux fans, ça s'appelle Shoutbox. Et beaucoup de supporters des Rouges répètent la même chose : la police d'Athènes aurait protégé un individu impliqué dans ces meurtres parce qu'elle soutient les Verts. Elle aurait donc laissé filer le complice d'Hannibal. (Charlie eut une mimique incrédule.) Bien sûr, tout ça, ce ne sont que des sornettes. Varouxis n'aurait jamais fait ça. Je connais cet homme. Il est honnête. Très honnête.

Quelques minutes plus tard, nous nous arrêtâmes devant un restaurant assez quelconque, mais vaste, à un jet de pierre du stade Karaiskakis, au Pirée. Plusieurs véhicules étaient garés devant, notamment une Maserati Quattroporte noire qui, présumai-je, appartenait à Hristos Trikoupis.

— C'est là ?

— C'est Dourambeis, me confirma Charlie. Alors, et maintenant ?

Je lui répétai ce que Jasmine m'avait appris au sujet de la Maserati.

— D'accord, fit-il. Attendez ici, monsieur. Je vais entrer jeter un œil.

Il sortit du Range Rover, traversa la rue en direction du restaurant et entra. À peu près une minute plus tard, il se penchait pour regarder à travers les vitres de la Maserati, puis il revint au petit trot à hauteur du Range, côté passager.

— Dans la salle, je ne l'ai pas vu, m'indiqua-t-il par la vitre ouverte. Cet endroit comporte quantité de salons privés, donc il pourrait se trouver à l'intérieur de l'un d'eux. Sur le pare-brise de la Maserati, il y a un laissez-passer pour le parking d'Agios Ioannis Rentis. Et un exemplaire de l'autobiographie de sir Alex Ferguson sur le siège avant. Le livre doit appartenir à Trikoupis.

— Très bien. Maintenant, on patiente.

Charlie alluma une cigarette et téléphona à quelqu'un, après quoi il me signala que l'Anglaise agressée par Hannibal Leventis s'appelait Sara Gill, était originaire de Little Tew, un patelin de l'Oxfordshire. Ce qui m'incita à passer un coup de téléphone à mon tour.

À Louise.

— C'est moi. Tu peux parler ?

— Oui. Pas longtemps. Tu me manques, Scott.

— Tu me manques aussi, mon ange.

— Dans la presse anglaise, tu es partout.

— Moi, ou juste l'équipe ?

— Surtout l'équipe. Et Bekim. Certaines personnes ont tenu des propos très sympas à son sujet. Je vais presque finir par croire à ce que tu disais, Scott : ce serait plus qu'un jeu, ce serait un moyen pour les individus de se réunir.

Sauf en Grèce, songeai-je. Et peut-être à Glasgow.

— Tu as l'air fatigué, sur les photos.

— Ça pourrait être pire. Comment se porte la fiancée de Bekim ?

— Dans le coma, sans doute avec des lésions cérébrales. La cocaïne a stoppé le cœur et le cerveau a manqué d'oxygène pendant au moins une demi-heure.

— Mon Dieu.

— Je suis contente que tu aies appelé. J'allais justement t'envoyer un SMS. J'ai un ami… un ex-flic, il s'appelle Bill Wakeman… il travaille pour l'Unité de renseignement sur les paris sportifs. Un service qui fait partie de la Commission des jeux. Il m'a demandé ton numéro. Je peux le lui communiquer, Scott ? C'est un type bien et on peut s'y fier.

— Si tu le dis.

— D'après lui, ils enquêtent autour d'une série de gros paris enregistrés avant ton match contre l'Olympiakos. Un gros joueur, en Russie, a gagné une somme énorme en pariant contre vous l'autre soir.

— Quel rapport avec la Commission des jeux britannique si c'est arrivé en Russie ?

— Certains bookmakers susceptibles d'être concernés opèrent ici, au Royaume-Uni.

— Et donc, que me veut-il ?

— Te parler. Solliciter tes lumières. J'imagine qu'il veut savoir si le match aurait pu être truqué.

— Pas par moi. Écoute, au vu de ce qui s'est passé, cela reviendrait-il au même que de me demander si Bekim Develi aurait pu être assassiné ?

— Je n'en sais rien. C'est le cas ?

— Je l'ai regardé mourir devant moi, Louise. C'était une crise cardiaque. Fabrice Muamba a connu le même sort alors qu'il jouait pour Bolton contre les Spurs, en mars 2012. Je ne vois pas par quel moyen on pourrait parier sur un événement pareil.

— Parle-lui, c'est tout, tu veux ? Fais-le pour moi.

— Très bien. Écoute, en réalité, il y a un service que tu pourrais me rendre. Je voudrais que tu me retrouves une femme, une certaine Sara Gill. Dernier domicile connu, Little Tew, dans l'Oxfordshire. Il semble qu'elle ait été agressée, il y a de cela quatre ou cinq ans, ici, à Athènes, par un dénommé Thanos Leventis. Il purge maintenant la perpétuité pour trois meurtres. J'aimerais savoir tout ce qu'elle peut se rappeler des événements de cette nuit-là. Et en particulier si un autre individu était impliqué.

Elle protesta bruyamment.

— Tu ne vas pas encore jouer les détectives, non ?

— Pourquoi les gens appellent-ils cela « jouer » ? Je ne joue à rien. C'est du sérieux, le travail d'enquêteur.

— C'est à moi que tu dis ça…

— En outre, plus vite je découvre ce qui s'est passé ici, plus vite je peux rentrer te voir, mon chou.

— Tant que tu finis par rentrer. Je vais voir ce que je peux faire.

J'achevai mon appel sur un soupir et balançai le téléphone sur le siège.

— Vous avez le droit d'allumer la radio, si vous voulez, Charlie.

— J'ai une meilleure idée, monsieur. Pourquoi ne pas vous accorder une sieste. Je vais faire le guet. Souvenez-vous, je suis grec. D'après le proverbe, nous, les Grecs, nous n'avons pas deux yeux mais quatorze.

Je n'étais pas exactement certain de ce que cela signifiait, mais je m'enfonçai dans le siège du Range Rover et, obéissant aux instructions, je fermai les yeux et laissai mon esprit vagabonder vers un monde footballistique parfait, où l'avenir était toujours plus beau que le passé. Je rêvai de Bekim Develi marquant des

buts d'une audace folle, condensés d'absolue sorcellerie, puis je le vis les célébrer dans une posture pri-
male, triomphante non plus en se suçant le pouce en
hommage à son fils, mais, tel le grand Zeus que j'avais
parfois vu en lui, en semblant lancer un éclair bien
mérité à ses fans.

31

À Southampton, Hristos Trikoupis et moi-même avions joué en défense, sous la direction de deux managers, d'abord Glenn Hoddle, ensuite le petit Gordon Strachan, du haut de son mètre soixante-huit, actuel entraîneur de l'équipe d'Écosse. J'ignore pourquoi Glenn n'entraîne plus aucun club. Contre toute attente, il avait réussi à maintenir les Saints de Southampton en Premier League. Il m'avait racheté à Crystal Palace et, décision plus controversée, il avait racheté Hristos Trikoupis à l'Olympiakos. Controversée, car Hristos avait pris la tête d'une mutinerie contre l'entraîneur de l'équipe nationale de Grèce, avant l'Euro 2000. À tous égards, par comparaison, Roy Keane et Nicolas Anelka auraient fait figure d'aimables chouchous du prof. Nous jouions en bonne entente, tous les deux. Je ne prétendrais pas non plus que nous arrivions au niveau du tandem d'Arsenal Steve Bould-Tony Adams, nous n'en étions pas moins assez solides. Hristos était tout ce que vous pouviez attendre d'un arrière droit : un grand gaillard, une tête comme un marteau, et l'air d'un voyou, d'un tueur professionnel qui agit sans se poser de questions. Plus tard, j'ai toujours été surpris que ce soit moi qui aie rejoint Arsenal et pas lui. C'est peut-être ce qui alimente ses sentiments actuels à mon égard. Je n'en sais rien. Je suis parti pour Arsenal. Il est parti pour Wolverhampton. Je ne lui ai jamais demandé ce que lui inspirait mon transfert chez les Gunners. Et, après avoir quitté les Saints, je ne lui avais plus jamais adressé la parole, jusqu'au soir de la mort de Bekim.

Il était plus soigné, à présent. Il avait laissé pousser ses cheveux blonds et pris un peu de poids, ce qui lui allait bien. Il sortit du restaurant, en costume bleu marine et chemise blanche impeccable ouverte sur son nombril velu. La femme qui l'accompagnait était très mince, avec de longs cheveux châtains, et vêtue d'une robe à effet superposé qui lui donnait un air de Victoria Beckham. Je reconnus Nana Trikoupis, chanteuse et ancienne concurrente du concours de l'Eurovision. Elle avait fini seizième avec une chanson intitulée *Play a Different Love Song*, que Terry Wogan, non sans humour, avait rebaptisée : *Sing a Different Song, Love*.

Ils montèrent dans la Maserati noire et s'éloignèrent.

— C'est lui, fit Charlie en démarrant le Range. Et c'est elle, aussi. La reine Sophia. C'est comme cela que les Grecs appellent sa garce de femme. Parce que c'est une snob épouvantable.

— Nous nous connaissons. Je suis allé à leur mariage. À la fin du discours du témoin, elle lui a balancé une coupe de champagne. (Ce souvenir me tira un grand sourire.) Je crois qu'en 2002 WAG n'était pas une abréviation aussi répandue[1]. Apparemment, elle a cru qu'il l'avait traitée de *wog*, ce qui, en anglais, signifie « négresse ».

Nous les suivîmes vers l'est, par l'autoroute, et longeâmes la côte vers le sud, en direction de Vouliagmeni et de l'Astir Palace, où résidaient les joueurs de London City. À peu près à mi-chemin, la Maserati obliqua vers Alimou, avant de tourner à droite.

— On dirait qu'il se dirige vers Glyfada, m'annonça Charlie. Le Beverly Hills d'Athènes. C'est là qu'on vit quand est millionnaire. Ils y sont tous, de Christos Dantis à Constantin Mitsotakis.

Je supposai que c'était là deux Grecs célèbres, bien que je n'aie jamais entendu parler d'eux.

— Tous les Grecs rêvent de gagner à la loterie et de s'installer à Glyfada. Vous ne verrez pas un graffiti, les rues sont propres, il n'y a pas de magasins vides et toutes les voitures sont neuves. Je n'ai jamais compris, quand il y a une grande manif et quand les gens veulent déclencher des émeutes, pourquoi ils vont place Syntagma et pas à Glyfada. S'ils brûlaient quelques maisons là-bas, le gouvernement se montrerait très vite attentif.

La Maserati s'arrêta devant le portail à commande électronique du Glyfada Golf Club, avant de s'engouffrer dans une courte allée.

— À Athènes, il n'y a rien de mieux, commenta Charlie. Une villa du côté de Miaouli. Je parierais

---

1. Pour *Wives and Girlfriends* : « épouses et petites amies » des sportifs célèbres.

qu'ils disposent même d'une porte d'accès privé au parcours de golf.

J'opinai, me remémorant la maison que Hristos avait possédée jadis à Romsey, dans la périphérie de Southampton – une jolie demeure familiale de six pièces, dans Gardener's Lane. Cette villa de Glyfada, c'était une autre affaire. Même vue d'ici, à travers le portail, c'était clair : plus luxueux, tu meurs.

Au portail, je descendis de voiture, j'appuyai sur le bouton de l'Interphone et attendis que la caméra de sécurité fasse le point sur ma bouille hilare et mon pouce dressé. Ensuite, une voix électronique me pria, en grec, d'expliquer ce qui m'amenait ici – à l'évidence, c'était celle de Trikoupis en personne.

— Je veux voir Hristos Trikoupis.

— Il n'est pas là.

— Allons, Trik. Je sais que c'est toi.

— Écoute, je ne veux pas d'embêtements. Si cela concerne ce qui s'est produit l'autre soir après la rencontre, j'ai déjà déclaré aux journaux que j'étais désolé. Je m'étais un peu emballé.

Je savais fort bien que Trikoupis n'avait présenté aucune excuse après avoir pointé ses quatre doigts en l'air pour les quatre buts qu'ils nous avaient collés. Au contraire, il avait débité des foutaises sur ces confrontations de ligne de touche, conséquence inévitable de zones techniques situées trop près l'une de l'autre. Et s'il y avait là une part de vérité, je savais aussi qu'il m'avait traité de « nazi black », de « mauvais perdant » et de « bébé pleurnichard » – comme si la mort de mon joueur n'avait déjà plus aucun rapport avec mon comportement de l'autre soir.

— Hé, oublie tout ça, dis-je avec une décontraction insolente. Bon, j'étais dans le quartier et j'ai eu envie de faire un saut. Histoire de calmer le jeu sans que toute la presse du foot soit là pour nous observer.

— J'apprécie ta démarche. Le truc, Scott, c'est que là, tout de suite, c'est pas très commode. On n'a pas déjeuné, et il est déjà tard.

— Pas de problème, Trik. Je comprends parfaitement. Au fait, je peux te poser une question ?

— Bien sûr, Scott.

— Tu es seul ? À l'Interphone ? Je veux dire, à la minute, là, quelqu'un peut t'entendre ?

— Non, non, personne ne peut m'entendre.

— C'est bien. Tu vois, je suis venu ici parce que j'avais envie de te parler d'une amie commune. Une Russe ravissante qui s'appelle Valentina.

— Je ne connais personne de ce nom-là.

— Apparemment, elle connaissait cette pauvre fille qu'on a repêchée au fond de la Marina Zea l'autre nuit, avec un poids aux chevilles. Et je ne parle pas d'une paire de bottes Jimmy Choo. En fait, je pense que c'est Valentina qui l'a envoyée chez Bekim à sa place. Du coup, il est très important que je puisse lui parler.

— Je te l'ai dit, je ne connais personne de ce nom-là, s'obstina Hristos.

— Bien sûr que si. Tu l'as ramassée dans ta ravissante Maserati noire un soir devant l'Hôtel Grande-Bretagne. Et, la connaissant moi-même, je parie que tu l'as emmenée chez Spondi. Elle adore ce restaurant. Tout comme Bekim l'adorait. Il y est allé dîner avec elle, lui aussi. Ça semble être une sacrée table. Tant que je suis ici, je vais devoir m'offrir ça, moi aussi.

Peut-être que j'irai après le match du Panathinaïkós, demain. L'inspecteur-chef Varouxis m'accompagne… il est très fan des Verts. Peut-être que j'en profiterai pour lui parler d'elle. Tu vois, il n'est pas au courant, pour Valentina. Du moins, pas encore. Bien que, pour être franc avec toi, Trik, je ne suis pas certain qu'il faille l'informer à son sujet. Non pas tant pour son bien à elle que pour le nôtre, à toi et à moi. Bon, moi, je pourrais sans doute encaisser le coup, je pense. Je ne suis pas marié. Je dirais que te concernant, c'est très différent.

Il y eut un silence un peu longuet.

— Alors, qu'est-ce que ce sera ? Une petite conversation avec moi tout de suite, ou une discussion en ville, plus longue, avec ces messieurs de la police ? Sans parler d'une audience inconfortable avec la reine Sophia après ça.

Hristos soupira.

— Qu'est-ce que tu veux, Scott ? Précisément ?

— Je veux toutes les coordonnées dont tu disposes pour contacter Valentina : téléphone portable, adresses. Tout. Plus le nom de tous ceux qui la fréquentent : son mac, son chtouillologue, ses autres michetons. Tout le monde. En fait, je te rends service. Soit tu me causes, soit tu causes à Varouxis. C'est aussi simple que ça.

— Très bien, très bien. Attends-moi. Je descends au portail.

— D'ac.

J'attendis, en contemplant la villa moderne de trois étages qui se dressait au bout de l'allée. L'endroit ressemblait à l'aile d'une clinique de luxe ou à un petit boutique-hôtel. La pelouse était si parfaite qu'elle semblait peinte.

Ensuite, je le vis s'avancer dans l'allée d'un pas rapide. Il arriva au portail et me tendit une feuille de papier à travers les barreaux.

J'affichai un air navré.

— C'est vraiment comme ça que tu veux procéder ? Tu me prends pour un chauffeur FedEx ? Tu sais, Trik, j'en attendais davantage de ta part. Après tout ce qu'on a vécu ensemble à St. Mary. Tu m'insultes, là. J'espérais au moins que tu te comportes en homme. Pas en type qui se planque derrière son portail sécurisé.

Je parcourus la feuille et reconnus, dactylographiés, le numéro de téléphone et l'adresse mail déjà imprimés de façon quasi indélébile dans ma tête.

— Et ces renseignements, je les ai déjà. Dis-moi des choses que je ne sais pas.

Hristos Trikoupis avait l'air fuyant, et gêné.

— C'est tout ce que je possède. Écoute, qu'est-ce que tu veux que je te dise ? Je ne l'ai vue qu'une seule fois.

— Je ne te crois pas.

— C'est vrai, je te le dis.

— Tu viens d'imprimer cette page. C'est donc que tu avais ces renseignements sous la main. Ce qui ne plaide pas pour quelqu'un que tu n'aurais vu qu'une seule fois. C'est quoi, son nom de famille ? Tu as classé son nom à la lettre V comme Valentina, ou sous une autre initiale ? (Je roulai le feuillet en boule et le lui réexpédiai à travers les barreaux.) À la lettre A comme Adultère. Ou peut-être à N comme Nettoyage à sec, parce que ne te fais pas d'illusions, c'est là que Nana va t'envoyer quand elle apprendra que tu t'es conduit en vilain garçon. Tu oublies que j'étais à ton mariage. J'ai assisté aux mouvements d'humeur de la dame. C'est presque aussi terrifiant que de l'entendre chanter.

— Allez, quoi… (Hristos secoua la tête d'exaspération.) Qui note le nom de famille de ce genre de fille ? Aucune de ces nanas ne te montre son passeport. En plus, elles ont toutes des pseudos. Du style Aphrodite ou Jasmine.

Je ne relevai pas. Il se pouvait qu'il ait approché Jasmine, ou qu'il ne l'ait jamais croisée, mais ce n'était pas le lien entre elle et Bekim Develi qui m'intéressait.

— Scott, je t'en prie. Je ne sais vraiment rien d'elle. Tu as raison. Je l'ai emmenée chez Spondi. Peut-être qu'ils en savent plus sur elle, là-bas. J'aimerais vraiment pouvoir t'aider. Franchement, je n'ai aucune info.

— Où est-ce que tu l'as sautée ? Je veux dire, après le dîner.

— J'ai un petit appartement près du terrain d'entraînement.

— Comment vous êtes-vous rencontrés ?

— Je l'ai rencontrée à une soirée caritative organisée par la Fédération hellénique de football, au Centre culturel Onassis. Avenue Syngrou. Une soirée de sponsoring handisport.

— Qui vous a présentés ?

— Tu ne diras pas que ça vient de moi ?

— Si tu ne craches pas le morceau, je raconte tout à ta femme, espèce d'enfoiré. Moi, tout ce que je veux, c'est pouvoir rentrer chez moi.

— Une femme. Elle s'appelle Anna Loverdos. Elle est membre du comité des relations internationales de la Fédération hellénique.

— Oui, je sais. Elle n'arrête pas de me téléphoner pour me transmettre ses condoléances au sujet de Bekim. J'évitais ses appels, mais maintenant je crois que je vais lui répondre. Peut-être même dès ce soir.

— En réalité, je suis à peu près certain que c'est aussi Anna qui a présenté Valentina à Bekim Develi. Sincèrement, Scott, c'est tout ce que je sais. Mais je t'en supplie, évite que ça circule. Anna pourrait perdre son poste.

— Et je sais à quel point vous tenez tous à conserver vos postes, opinai-je. À une condition.

— Oui ?

— Quand on se reverra, toi et moi, lors du match de la semaine prochaine, tu me serreras la main. Avant le match, et après. Vraiment. Parce que c'est l'exemple que nous sommes censés donner à ceux qui suivent ce sport. Si nous ne nous respectons pas mutuellement, il ne nous reste plus rien. Et j'en ai marre de voir la presse anglaise scruter les motifs de mésentente entre nous.

Il hocha la tête. Je l'empoignai par le col, à travers les barreaux, et l'attirai à moi d'un geste si vif qu'il se cogna brutalement la tête contre la grille.

— Et si tu me traites encore une fois de nazi black, espèce de connard, je te traîne devant une commission de discipline de la FIFA.

Je remontai en voiture et Charlie démarra.

— Moi, je vous parle en tant que Vert, monsieur. Vous l'avez joliment torché. Vraiment joliment torché. Rien que pour voir la tête de ce salopard se cogner à plus dur qu'un ballon de foot, j'aurais payé.

Sur le trajet du retour à l'hôtel, j'aperçus un salon de tatouage et priai Charlie de s'arrêter devant, que je puisse recueillir l'avis d'un expert sur celui de la morte, désormais enregistré dans mon iPhone. Mais dans ce salon, et dans un autre plus proche de l'hôtel, l'info, ce fut que si le labyrinthe était bien dessiné, ce dessin n'avait rien d'inhabituel, pas en Grèce, ce pays étant plus ou moins le berceau de l'idée même du labyrinthe.

Ma seule certitude ou presque, concernant les labyrinthes, c'était qu'une créature monstrueuse vous attend toujours au fond.

32

À mon arrivée au Grande-Bretagne, je tombai sur Vik en pleine réunion, dans la salle à manger de la suite royale, avec Phil Hobday, Kojo Ironsi, Gustave Haak, Cooper Lybrand et quelques Grecs que je n'identifiai pas. Je me retirai dans la chambre, fermai la porte, décrochai le téléphone et appelai Anna Loverdos, qui s'exprimait plus en Anglaise qu'en Grecque.

— Je suis si contente que vous me rappeliez, s'exclama-t-elle. Et je suis tellement, tellement désolée de ce qui est arrivé à Bekim Develi. Comment va sa pauvre épouse ?

— Pas bien.

— Si je peux faire quoi que ce soit pour vos joueurs et vous-même pendant votre séjour à Athènes, monsieur Manson, quoi que ce soit, vraiment, alors je vous en prie, n'hésitez pas à me contacter.

— Eh bien, il y a une chose, dis-je. Je n'ai pas trop envie d'en parler au téléphone. Je me demandais si nous pourrions trouver un moment pour nous rencontrer autour d'un verre.

— Bien sûr. Et j'allais vous le suggérer moi-même. À quel hôtel êtes-vous descendu ?

— Au Grande-Bretagne.

— La Fédération est à dix petites minutes en voiture. Que diriez-vous de 18 heures, ce soir ?

— Alors à ce soir.

J'entrai dans la pièce multimédia, j'allumai la télévision grand écran, et je cherchai du foot. Il y avait une rediffusion d'un match de la veille, un barrage de Ligue Europa opposant Saint-Étienne à Stuttgart.

La porte s'ouvrit et Kojo Ironsi entra, giflant l'air avec son chasse-mouches tel un dictateur africain.

— Ah, bien ! s'écria-t-il, vous regardez le match.

Il se servit une bière du minibar et s'assit.

— De quoi discutent-ils, à côté ? m'enquis-je.

— D'argent, mon ami. De quoi d'autre ? Tous ces gens ne parlent jamais de rien d'autre. Ne vous méprenez pas. J'aime l'argent autant que mon voisin. Mais pour moi, c'est un moyen qui sert une fin, et pas une fin en soi. Je vous jure, ces gaillards ne parlent que de ce qu'ils peuvent s'acheter, ou vendre, et du profit qu'ils réaliseront. J'ai le sentiment de passer mon temps avec le Fonds monétaire international. Des chiffres, des chiffres, et encore des chiffres. Ça me rend dingue, Scott.

— C'est pour ça que les riches le restent, Kojo. Parce que ce fatras les intéresse. Toutes ces petites fractions qu'ils adorent s'additionnent et ne signifient qu'une seule chose… à savoir que généralement le reste d'entre nous s'est fait entuber pendant qu'on avait le dos tourné.

— Possible. (Il but une gorgée de sa bière.) Enfin, moi, aujourd'hui, je ne suis venu ici que pour regarder le match. Cette chaîne, sur le bateau, ils ne la proposent pas.

— Ce doit bien être la seule chose qu'on ne propose pas sur ce bateau.

— Et j'ai un client qui joue pour Saint-Étienne, Kgalema Mandingoane, le garçon sud-africain qui est dans les buts.

— Je suppose qu'il sort de votre école.

— C'est exact.

— Vous ne valez pas mieux que nos voisins de la pièce à côté. Regardez-le, votre foutu match, vous voulez ?

Et je me fendis d'un grand sourire, mais nous le savions l'un et l'autre : je pensais ce que je venais de lui dire.

Mon téléphone sonna : c'était Bill Wakeman, de la Commission des jeux, et je sortis de la pièce un petit moment. Nous nous entretînmes quelques instants ; je n'avais pas grand-chose à lui révéler.

— Se peut-il que Bekim Develi ait été intoxiqué ? voulut-il savoir.

— C'est possible, je suppose, admis-je. Nous n'en aurons la certitude que le jour où les pathologistes arrêteront de faire grève et quand l'un d'eux pourra pratiquer l'autopsie. D'après ce que j'ai pu en voir, cela ressemblait à un décès de cause naturelle. Franchement, cela m'a rappelé ce qui est arrivé à Fabrice Muamba en 2012. En plus, nous avons été très stricts sur le choix du menu de l'équipe avant le mach. Notre nutritionniste s'en est assuré.

Je lui rapportai l'épisode d'intoxication alimentaire dont le Hertha avait été victime.

— On voit mal comment quelqu'un aurait pu intoxiquer Bekim et pas les autres, ajoutai-je. En tout état de cause, pendant son séjour ici, il était deux fois plus regardant que quiconque sur ce qu'il avalait.

— Et qu'en est-il des autres joueurs ? insista-t-il. L'un d'eux aurait-il pu avoir l'intention de faire perdre son équipe ?

— Prétendre que cela ne risque jamais d'arriver serait stupide de ma part, car à l'évidence, cela arrive. Là, vous me demandez lequel de mes joueurs est assez véreux pour truquer un match de football.

— Et alors ?

— Je n'en vois aucun.

— Vraiment ? Il y en a certains que vous connaissez à peine. Prometheus vient de rejoindre London City.

— Il se peut qu'il soit un tas de choses, dis-je, un tricheur, non, j'en ai la certitude.

— Il est africain, n'est-ce pas ? Nigérian ? La moitié des arnaques au phishing ont le Nigéria pour point de départ. Ils sont tous louches. Et d'après ce que j'ai lu de lui, il est encore plus louche que la moyenne.

— Je vais faire comme si je n'avais rien entendu, monsieur Wakeman.

— Si je me suis mal exprimé, j'en suis navré, monsieur Manson. Je n'avais certainement pas l'intention de vous offenser. Vous savez, grâce à ce match, un parieur bien précis, en Russie... surnommé l'Ours russe... a ramassé une fortune. Ils ne veulent pas dire combien, mais les bookmakers estiment que ce match leur a coûté dans les vingt millions de livres.

— Je vais les plaindre. Écoutez, j'aimerais vraiment vous venir en aide. En l'occurrence, je ne vois pas ce que je peux faire. Pour l'heure, tout ce qui m'importe vraiment, c'est de ramener mon équipe à Londres au plus vite.

Je mis un terme à l'appel et retournai dans la pièce multimédia.

— Vous savez, Scott, vous devriez franchement envisager d'acheter ce garçon. Maintenant que Didier Cassell ne rejouera plus, il va vous falloir un autre gardien. Il se trouve que je connais Mandingo... c'est comme ça que les Français l'appellent...

J'allai au frigo me chercher un Coca.

— Je suis content d'avoir cette opportunité d'être seul avec vous, Scott. Il y a autre chose dont je veux vous parler. Cela concerne Prometheus.

Je soupirai.

— Pourquoi, chaque fois que j'entends prononcer le nom de ce garçon, je me sens l'envie de déchiqueter le foie de mon prochain ?

— C'est Prometheus qui a accroché cette breloque en forme de mauvais œil à la poignée de porte du bungalow de Bekim. La veille de sa mort.

— J'aurais dû me douter qu'il était mêlé à cette histoire.

— Il voulait lui faire une blague stupide. Sauf que maintenant, l'idée que ça ait pu marcher le rend malade.

— Allons, Kojo. Pas ce genre de truc. C'est de la foutaise.

— Pas pour lui. Il est africain, Scott. Vous seriez surpris d'apprendre combien ils sont à croire encore à ces histoires.

— À leur foutue sorcellerie, vous voulez dire ? Vous allez me raconter ensuite qu'il croit aux bonnes fées et aux amulettes vaudoues. Bekim Develi a fait une crise cardiaque, Kojo. Comme Fabrice Muamba. Syndrome de mort subite par arythmie. C'est le descriptif médical de ce que les Grecs antiques définissaient d'une formule : « Ceux qui sont aimés des dieux meurent jeunes. » C'est triste, mais c'est ainsi.

— La question reste entière : comment allons-nous remédier à cela ? Ce garçon ne mange plus rien. Il ne dort plus. Il pense réellement que la mort de Bekim est de sa faute.

— Pourquoi ne me l'a-t-il pas dit lui-même ? Ce matin, au cours de la séance d'entraînement ?

— Il en avait l'intention, il n'en a pas eu le courage.

— Si jamais il lui est déjà arrivé d'en avoir. S'il avait eu le cran de venir me le dire lui-même, j'aurais pu un tout petit peu le respecter.

— Devant tous les autres ? Il est déjà assez pénible pour lui de croire qu'il a tué Bekim sans que ses camarades se mettent à penser la même chose aussi. Ce n'est pas le seul petit crétin superstitieux de votre équipe.

— Là, au moins, vous êtes dans le vrai.

— Vous allez lui parler, le convaincre de se sortir de l'esprit cette idée qu'il s'est fourrée en tête, n'est-ce pas ? Avant le match retour contre l'Olympiakos. Je veux dire, ce n'est pas le genre d'initiative qu'on peut confier à un individu comme Simon Page. Je doute qu'il soit même capable d'épeler le mot psychologie.

— Oh, il sait l'épeler. Pour lui, garder le mental, c'est se bourrer la gueule à la fête de Noël. (Je hochai la tête.) Je vais lui parler, d'accord ?

— Merci, Scott. Il vous respecte. Il a besoin d'être guidé, c'est tout.

— Je vais lui parler.

Juste à cet instant, Mandingo – le client de Kojo – réalisa un arrêt de première classe. Même moi, j'en fus impressionné.

Ironsi se fendit d'un grand sourire.

— Vous voyez ce que je veux dire ? Mandingo n'a que vingt-deux ans, et il a déjà été sélectionné dans son équipe nationale.

— Qu'il ait réellement vingt-deux ans serait déjà en soi assez remarquable.

— Je vous l'affirme, Scott, ce garçon, c'est le prochain David James[1].

Je ne savais pas si c'était une bonne ou une mauvaise chose ; je haussai les épaules et lui promis d'y réfléchir. Heureusement pour moi, l'instant d'après, Phil passa la tête à la porte et m'invita à dîner à bord du yacht. Franchement, j'étais soulagé qu'on m'offre un prétexte pour quitter la pièce.

— 20 h 30, ajouta Hobday. À Marina Zea, il y aura un hors-bord pour embarquer tout le monde, à 20 heures.

— Tout le monde ?

---

1. Entre 1986 et 2013, l'un des gardiens de Premier League cumulant le plus de matchs sans avoir encaissé de but (169).

— Je crois qu'il y aura des filles à bord.

J'aurais pu répondre que j'étais pris, sauf que j'avais envie de leur demander, à Vik et à lui, si nous pouvions acheter Hörst Daxenberger en remplacement de Bekim Develi.

— J'y serai.

Mon téléphone sonna de nouveau, et cette fois c'était un numéro grec, que je ne reconnus pas.

— Monsieur Manson ?

— Oui.

— Je suis le docteur Eva Pyromaglou.

33

Anna Loverdos croisa ses jambes nues et bronzées et me tendit sa carte de visite. Comme elle, cette carte avait deux faces : l'une grecque, l'autre anglaise. Les jambes étaient joliment galbées et certainement plus intéressantes que ce qui était imprimé sur la carte. Dès qu'elle est croisée, une belle paire de jambes a de quoi distraire un homme d'à peu près tout.

— Ma mère est originaire de Liverpool, m'expliqua-t-elle. Elle a rencontré mon père en vacances à Corfou. Tout cela fait très *Shirley Valentine*[1]. Je suis née ici et j'ai fait mes études dans un pensionnat de jeunes filles en Angleterre.

Anna, la trentaine, séduisante et s'exprimant bien, portait une jupe croisée de satin rose, une chemisier en soie blanche et des sandales en cuir à semelles compensées. La coupe de champagne qu'elle tenait en main était de la même couleur que ses cheveux.

---

1. Film et pièce éponyme, où une femme au foyer de la banlieue de Liverpool part en voyage en Grèce et décide d'y rester.

— Ensuite, je suis revenue ici. C'était avant que l'économie ne parte en quenouille, bien sûr. J'avais une entreprise de communication événementielle. Organisation d'événements pour des multinationales, ce style de manifestations. Ensuite j'ai travaillé dans le service des relations publiques de la Banque d'investissement de Grèce. Et maintenant je dirige le comité des relations internationales de la Fédération hellénique de football. Ce qui est beaucoup plus amusant.

— J'imagine. Alors, Anna, de quelle équipe êtes-vous supportrice ?

— Aucune. Dans mon métier, il vaut mieux éviter tout risque de parti pris. Les Grecs prennent la question de l'équipe que vous soutenez très au sérieux.

— J'ai remarqué, en effet. C'est comme de pénétrer dans une zone de guerre.

— Parce que ma mère est de Liverpool, je dis toujours que je suis fana d'Everton. C'est toujours la bonne équipe à soutenir, quand on vit en Grèce, parce qu'ils n'accèdent jamais à la Ligue des champions. Dans ce pays, deux précautions valent mieux qu'une. Il est inutile de vous le rappeler, j'en suis convaincue. (Elle secoua la tête.) Il y a eu des propos épouvantables publiés dans la presse locale, sur vous et votre équipe, monsieur Manson. Surtout au vu de ce qui est arrivé à Bekim Develi. Ce pays a longtemps été moins dur. Dernièrement, dans le football, le discours est devenu plus venimeux, comme jamais auparavant. Ces temps-ci, les Grecs ont tendance à considérer que tous les sports sont vénaux et corrompus, comme tout le reste. (Elle sourit.) Enfin, vous n'avez aucune envie d'entendre ça. Mon travail consiste à rendre le reste de votre séjour en Grèce aussi agréable que possible. Vous devez remplir une mission qui n'a rien de simple, en ce moment. Soyons clairs, même dans les circonstances les plus favorables, il n'est pas facile de faire régner la discipline entre tant de jeunes et beaux partis.

J'eus un grand sourire.

— J'ai déjà dû aller les récupérer dans un club de strip-tease, l'Alcatraz, avenue Syngrou. Les footballeurs et les strip-teaseuses. Les footballeurs et les escorts. Tout ça, ce ne sont que ragots en puissance pour les tabloïds. Et encore, vous n'en savez pas la moitié.

Cela la fit rire, et elle vida son verre.

— Enfin, bon, rectifiai-je, peut-être que si.

— Non, mais je peux deviner.

— D'après moi, vous seriez sans doute à même de faire beaucoup mieux que deviner, Anna.

— D'accord, vous avez peut-être raison, admit-elle, un peu penaude. En fait, oui, je suis bien allé à l'Alcatraz, une fois.

— C'est ce que je pensais. Connaissiez-vous très bien Bekim Develi ?

— Relativement bien, le pauvre.

— Et c'est vous qui lui avez présenté Valentina ?

— Qui ?

— Assez curieusement, lui dis-je, c'était aussi la réaction de Hristos Trikoupis quand je lui ai posé la question. Non, attendez, abstenez-vous de tout commentaire. Vous connaissez le vieux principe en vigueur chez les avocats, selon lequel vous ne devez jamais poser une question dont vous ne connaissez pas la réponse ? C'est le type de question que je viens de vous poser, Anna. Sauf que je ne suis pas avocat. Et vous ne comparaissez pas devant un juge. Alors, du calme, personne ne vous accuse de rien. Cela ne sert à rien non plus de nier que vous la connaissez.

— De quoi s'agit-il ? me lança-t-elle.

— Répondez juste à la question, Anna, s'il vous plaît.

Elle se tassa dans son fauteuil, comme si quelqu'un venait de lui dégrafer son soutien-gorge. Elle baissa les yeux sur la table, le regard hésitant. Je me rendis compte qu'elle examinait sa carte de visite.

— Très bien. Pour être tout à fait exacte, c'est Bekim Develi qui m'a présenté Valentina.

Je lâchai un soupir de soulagement qui ne visait pas qu'un effet dramatique. Enfin, j'avais l'impression d'avancer.

— Et alors ? On me présente beaucoup de monde. (Elle prit sa carte de visite et me la tendit une seconde fois.) C'est ce qui est inscrit sur cette carte, n'est-ce pas ? Relations internationales. Généralement, cela requiert un peu plus que de simples échanges de mails.

— Prenez un autre verre. Vous semblez en avoir besoin.

Je fis signe au serveur et commandai deux coupes de champagne.

— Écoutez, tout ce que je veux, c'est ramener mon équipe à Londres. Je n'ai envie de faire de mal à personne, de faire perdre son job à personne. Surtout pas à vous. Alors racontez-moi. Racontez-moi tout ce que vous savez et ensuite vous n'entendrez plus jamais parler de tout ceci.

— Je veux comprendre pourquoi vous me posez ces questions.

— Très bien. Si cela peut vous rassurer. J'imagine que Valentina a présenté Bekim à l'escort qui est maintenant couchée dans la vitrine réfrigérée de l'hôpital général Laiko. Bekim et elle avaient fait un peu la fête dans son bungalow de l'Astir Palace, la nuit précédant sa mort. Pour l'heure, l'identité de cette fille n'a toujours pas été établie. Et je suppose que Valentina serait en mesure de nous révéler son nom. (Après un temps de silence, je poursuivis :) Écoutez, soit vous décidez de m'en parler à moi, soit vous en parlerez à la police. À vous de choisir. Souvenez-vous, moi, je ne mords pas…

Elle eut un soupir de lassitude.

— Ce que vous devez comprendre, me dit-elle, c'est qu'il n'est pas inhabituel, ici, à Athènes, que les officiels de la FIFA et de l'UEFA sollicitent la compagnie de filles. Je répète simplement ce qu'on m'a dit, d'accord ? D'après ce qu'on m'a expliqué… et je ne dirai pas qui… l'important, c'est d'être aux petits soins avec nos visiteurs VIP et de leur éviter le moindre tracas. Être aux petits soins avec les VIP, cela signifie les tenir à l'écart des prostituées d'Omonia Square. Franchement, là-bas, c'est dangereux. Il y a beaucoup de toxicos et de sans-abri. La police a effectué plusieurs descentes. Dans la rue Sofokleous, il y a plus de trois cents bordels et beaucoup de filles ont le sida. La décision a été prise de faire en sorte d'éloigner nos invités sportifs les plus importants de ces endroits et de leur présenter des filles de grande qualité. J'ai décidé d'en recruter une qui se charge de traiter tout ce que je lui confie : Valentina. Pour ce rôle, elle était parfaite. Chaque fois qu'un officiel de la FIFA ou un footballeur-vedette est en ville, je l'invite à le contacter. Si c'est un officiel de la FIFA, c'est nous qui la payons. Si c'est un footballeur, alors nous la laissons négocier son tarif. Parfois, elle s'occupe elle-même du VIP, mais il lui arrive tout aussi souvent de recruter une autre jeune femme, qui prend soin de lui. Je suppose que c'est Valentina qui a fourni une fille à Bekim. Je sais qu'elle l'aimait bien et, en temps normal, elle s'en occupait elle-même. À cette occasion, elle devait être prise, alors elle lui a trouvé quelqu'un d'autre. Le vrai nom de Valentina, c'est Svetlana Yarochinskaïa, elle est originaire d'Odessa, en Ukraine. Je pense qu'au départ elle était étudiante en arts. Elle avait un appartement quelque part à Athènes. Je ne sais pas où. Quand je voulais lui parler, je l'appelais sur Skype. Son adresse Skype, c'est SvetYaro99. Ces derniers temps, elle n'était plus en ligne. Et elle n'a répondu à aucun de mes appels. Ce qui n'est pas habituel.

Le serveur revint avec le champagne. Je notai l'adresse Skype et la soumis à Anna pour qu'elle la vérifie.

— Était-elle… Svetlana était-elle la seule fille avec qui vous étiez en affaires ?

— Oui.

— Vous êtes sûre de cela ?

Je sortis mon iPhone, tapai sur l'icône « Photos », et affichai les images de la morte au tatouage que j'avais prises à l'hôpital général Laiko.

— Et ce tatouage ? Ce n'est pas tout à fait le dragon de Lisbeth Salander dans *Millenium*, je sais, mais il est quand même très caractéristique, je trouve. Non ?

— Non. Écoutez, fit-elle, l'air très tendu, vous n'allez pas mentionner mon nom, hein ? Personne n'apprécie beaucoup la police. Je préfère que mon nom n'apparaisse pas dans les journaux. Surtout pas en Angleterre. Ma mère vit encore à Liverpool.

— Des officiels de la FIFA acceptant des passes gratuites avec des call-girls de première classe ? (Je secouai la tête.) Pas de quoi en faire un article, non ? J'imagine que la plupart des gens sont convaincus que c'est une pratique courante.

Je fis glisser le doigt sur l'écran pour afficher la photo suivante, un cliché du visage de la morte.

— L'aviez-vous déjà vue ? Ce n'est pas très ressemblant, mais vu les circonstances…

— Non, je ne l'ai jamais vue, dit Anna.

— Regardez mieux.

— Je ne la connais pas. Et puis, qu'est-ce qu'il y a à voir, d'ailleurs ? Elle a l'air de dormir.

— Je ne vous ai pas tout dit. Elle est morte. Voilà ce qu'il y a à voir. C'est la fille qui a été retrouvée noyée à Marina Zea. Celle qui a baisé avec Bekim Develi.

Anna en resta abasourdie. Ses yeux s'emplirent de larmes.

Je bus une gorgée de champagne, me levai et lâchai un billet de cinquante devant elle sur la table.

— Ça, c'est pour les coupes. (Je détachai un autre billet de vingt de ma liasse.) Et ça, c'est un petit quelque chose pour vous dédommager du temps passé, Anna.

— Espèce d'enfoiré.

Je lui lâchai de nouveau un grand sourire.

— On finira par faire de toi une vraie fan de foot, ma jolie.

34

Ce soir-là, je n'allai pas dîner à bord du *Lady Ruslana*. Je n'avais pas le temps. En plus, je n'avais pas faim et je savais que je ne serais pas de bonne compagnie, pas au vu de ce que j'avais projeté de faire du reste de cette soirée de vendredi. La discussion avec Vik et Phil au sujet de l'achat de Hörst Daxenberger en remplacement de Bekim Develi attendrait. C'était l'une de ces rares occasions où les morts prennent le pas sur les vivants.

Dès que j'eus quitté Anna Loverdos, je skypai l'identifiant qu'elle m'avait communiqué, sans obtenir de réponse. Ensuite, j'appelai notre avocate, Me Christodoulakis, sur son portable, et la trouvai encore à son cabinet à 9 heures du soir.

— Vous travaillez tard ?

— Comme il fallait s'y attendre, les avis de récompense que nous avons placardés dans le Pirée ont généré une très vaste réaction, me signala-t-elle. Réussir à faire le tri entre les pistes authentiques et les sources de perte de temps va nous prendre la nuit.

Je me dis qu'elle avait sans doute l'habitude. En Grèce, la perte de temps semblait constituer un passe-temps national. Et je n'en étais pas désolé pour elle. Les avocats adorent travailler, non qu'ils aiment le travail en soi, en revanche, plus ils en font, plus leurs clients leur versent d'honoraires.

— Je m'en veux d'accroître votre charge de travail, mentis-je, toutefois, j'aimerais que vous contrôliez un nom, afin de voir ce qui en sort : d'après son véritable patronyme, la personne s'appelle Svetlana Yarochinskaïa, et opère sous un pseudo, Valentina. C'est une escort de luxe. Peut-être une amie de la fille assassinée. Née à Odessa. Je dispose d'un identifiant Skype, d'un numéro de portable et d'une adresse mail. Voyez ce que vous pouvez dénicher à son sujet. Casier judiciaire. Numéro fiscal. Taille de soutien-gorge. Tout.

— Très bien. Je vois ce que je réussis à en tirer. Rien d'autre ?

— Pas encore, affaire à suivre.

Je ne révélai pas à Me Christodoulakis où j'étais sur le point de me rendre. Une descente dans le monde de la pègre, il vaut toujours mieux que cela reste secret. Je commençais à comprendre que, pour résoudre un crime, il faut avoir un peu une âme de pèlerin. Il faut d'abord décider de ce que vous voulez savoir, et faire ensuite le nécessaire, même si vous vous exposez à l'hostilité d'un peu tout le monde. Sans parler de ceux envers qui vous vous conduisez en véritable salopard. Je n'aurais pas dû montrer les photos de la morte à Anna Loverdos. Venant de moi, c'était brutal. Pourtant, mon petit doigt me disait qu'il était normal qu'elle assume une part de la culpabilité que j'éprouvais. C'étaient des hommes comme moi qui avaient baisé et tué la fille de la morgue à l'hôpital général Laiko, en revanche, c'était une femme comme Anna qui avait contribué à créer cette situation.

Je pris une douche pour me rafraîchir et m'éclaircir les idées, et j'enfilai un vieux T-shirt. J'attrapai une liasse d'argent liquide et deux quarts de whisky, puis je descendis au sous-sol de l'hôtel. Je me sentais coupable de planter ainsi Charlie dans sa voiture, garée devant l'hôtel, mais j'avais besoin de lâcher un leurre et je ne pensai pas que mon escorte policière se laisserait de nouveau semer aussi facilement. Il est surprenant de constater à quel point les flics apprennent vite.

M'étant frayé un chemin le long de quelques couloirs humides et crapoteux, je ressortis par une porte anonyme à l'arrière du Grande-Bretagne, qui donnait sur Voukourestiou, où la chaleur du soir m'enveloppa comme une éponge chaude. De là, je marchai une courte distance vers l'ouest, débouchai dans Stadiou et pris un taxi qui me permit de faire le tour de la place avant de piquer au nord, devant le bâtiment assiégé du Parlement grec, où un mélange de touristes et de manifestants regardaient les Evzones – une unité d'apparat de l'infanterie légère hellène – procéder à la relève de la garde devant la tombe du soldat inconnu.

L'univers des tombes et de leur macabre contenu était tout à fait présent à mon esprit, mais cela n'empêcha pas un grand sourire de se dessiner sur mon visage lorsque je suivis une partie de la cérémonie illuminée par les projecteurs depuis la banquette arrière de mon taxi. Dans tous les pays, la relève de la garde est toujours un monument dédié à l'absurde, au ridicule, au grotesque. En Grèce, ce monument atteint un degré d'absurdité proprement inouï. Avec leurs souliers à pompon, leur robe de bal blanche, leur grosse moustache et leur bonnet rouge à gland, les Evzones ressemblent déjà eux-mêmes à des clowns d'un obscur cirque des Balkans, mais tout ceci n'est rien comparé à leur farcesque numéro, qui donne l'impression de pauvres soldats se livrant à une pantomime mécanique pour le compte d'un ministère de la Bêtise en marche.

J'arrivai place Saint-Thomas, tout près de l'hôpital général Laiko, peu avant 23 heures. Le docteur Pyromaglou m'avait promis de venir avec moi jeter un coup d'œil au cadavre le plus près possible de minuit, heure à laquelle il y avait moins de monde dans l'hôpital, pour éviter qu'on l'accuse d'être une briseuse de grève.

— Je ne pratiquerai pas de véritable autopsie, m'avait-elle averti au téléphone plus tôt dans la journée. D'après ce que j'ai compris, je n'en aurai peut-être pas besoin. Enfilez une vieille chemise et apportez-en une propre que vous mettrez chez vous, parce que nous ne pouvons nous montrer en tunique chirurgicale ou en blouse blanche. On risquerait de vendre la mèche.

Spiros, l'infirmier de la morgue que j'avais rencontré précédemment, avait téléphoné à Eva Pyromaglou chez elle et lui avait communiqué mon numéro. Apparemment, il serait là lui aussi, ne fût-ce que pour faire le guet.

Il y avait un restaurant en plein air, sous les orangers, à côté d'une petite église grecque aux toits multiples, et c'était là que j'avais accepté de la retrouver.

Elle était assise seule, un exemplaire de l'autobiographie de sir Alex Ferguson sur la table afin de s'identifier. À ce qu'il semblait, c'était l'exemplaire de M. Pyromaglou. Je n'aurais pu imaginer son épouse prendre plaisir à pareille lecture. Remarquez, je n'imaginerais personne y prenant du plaisir. Ce livre tentait de régler davantage de querelles familiales que les quinze dernières minutes du *Parrain*, et il ne fallait pas s'appeler Roy Keane ou Steven Gerrard pour avoir ce sentiment. La lecture de cet ouvrage m'avait appris que Fergie collectionnait de longue date les documents et autres reliques relatifs à l'assassinat de Kennedy, et il m'avait toujours paru curieux qu'il possède même une copie de l'autopsie du président. Enfin, je n'étais pas le mieux placé pour commenter. Retrouver le docteur Pyromaglou de la sorte était plus que bizarre – une scène sortie tout droit d'un film de Frankenstein – puisque nous nous apprêtions elle et moi à toucher au cadavre d'une jeune femme sur le coup de minuit.

La toubib avait la quarantaine, la peau très pâle, un visage en amande, de longs cheveux auburn et le front ridé par les soucis. Elle portait un laissez-passer hospitalier au bout d'une chaînette autour du cou, des lunettes à épaisse monture, un polo noir, un jean et des chaussures pratiques et confortables. Elle avait tout l'air d'avoir été conçue et d'être née dans une bibliothèque.

Il restait encore une demi-heure avant que la deuxième équipe de nuit ne prenne son service, aussi nous commandâmes du café.

— Je sais que vous avez déjà vu un cadavre, me dit-elle. Spiros m'a certifié que cela ne vous posait aucun problème. Regarder un corps, c'est assez différent de ce que je compte faire. J'aurai probablement besoin de votre aide pour effectuer quelques prélèvements et le cas échéant pour l'ouvrir un petit peu. Par conséquent, si vous êtes sensible à la vue du sang, vous feriez bien de me prévenir tout de suite. Je n'ai pas envie que vous tourniez de l'œil quand nous serons sur place.

— Ça ira, assurai-je bravement. Quand vous avez joué au football à côté de Martin Keown, à Arsenal, vous êtes habitué à la vue du sang.

C'était une plaisanterie, mais qui ne la fit pas rire. Je brandis les deux quarts de whisky que j'avais apportés de l'hôtel et j'en bus un sur-le-champ.

— De toute manière, j'ai apporté de quoi nous donner un peu de courage.

— Nous allons opérer dans un espace exigu, m'avertit-elle. Avez-vous apporté une chemise propre, en cas d'accident ?

Je désignai un sac plastique, près de ma jambe.

— Je vous remercie d'avoir accepté de m'aider, docteur. Et de l'aider, elle. La fille dans le tiroir, je veux dire. La police a vraiment l'air de prendre son temps pour tout.

— Ils ne sont rapides que lorsqu'il s'agit de fracasser des crânes.

— Spiros m'a parlé de votre fils. Je suis désolé. Est-ce qu'il va bien ?

— Aussi bien qu'on peut l'espérer. Je vous remercie de vous en inquiéter.

Ce style de réponse n'est jamais bon signe ; je m'abstins néanmoins de m'appesantir.

286

— Sachez, je vous prie, que ce soir rien ne sera consigné par écrit, souligna-t-elle. Du moins pas par moi. Est-ce clair ?

J'opinai.

— Vous ne serez pas en mesure de vous appuyer sur nos découvertes devant un tribunal, car ce que nous faisons là est illégal. Et puis, une autre précision, c'est vous que j'aide, monsieur Manson, pas la police. C'est une affaire privée, entre vous et moi. Je considère que si tout le monde dans ce pays peut travailler sans être déclaré, alors moi aussi.

— Bien sûr, je comprends.

— Avez-vous prévu quelque chose pour moi ? ajouta-t-elle.

Je lui tendis une enveloppe de l'hôtel contenant cinq cents euros.

Elle hocha la tête.

— Si quelqu'un vous adresse la parole, vous vous bornez à répondre en anglais, et la personne aura la certitude que vous n'êtes pas là en briseur de grève.

J'acquiesçai.

— Cette grève, c'est pour quoi, d'ailleurs ?

— Pour de l'argent, dit-elle. Il n'y en a plus. Du moins pas dans les services publics grecs.

— C'est ce que j'ai cru comprendre.

— En revanche, pour les footballeurs, apparemment ce n'est pas l'argent qui manque. Même ici, à Athènes.

Je bus mon café en silence. Ce n'est jamais une bonne idée d'essayer de justifier les salaires pratiqués dans le football, devant qui que ce soit, et encore moins devant les représentants des professions médicales. Et cela tomba fort bien qu'avant même que je n'aie pu m'y essayer, mon iPhone se soit mis à tinter : Maurice venait de m'envoyer par mail un lien vers un article de l'*Independent* signalant que Viktor Sokolnikov prévoyait de me virer dès la fin de la saison. Cela ne m'inquiétait guère : personne ne lit jamais l'*Independent*.

— Si cela se limitait juste à constituer une équipe, je ne serais pas ici, à cet instant, n'est-ce pas ?

D'un hochement de tête, Eva Pyromaglou désigna le visage au sourire sinistre en couverture du livre de sir Alex.

— Celui-ci, je ne le verrais certainement pas se changer en policier pour élucider un crime. (Elle consulta sa montre.) Il est temps d'y aller.

Elle prit son téléphone et envoya un SMS à Spiros pour l'avertir de notre arrivée.

35

L'hôpital général Laiko était aussi sombre que l'intérieur d'une église, et aussi silencieux. La nuit, l'établissement avait pour politique d'éteindre la quasi-totalité des éclairages afin d'économiser de l'argent sur l'électricité.

— Cela joue aussi en notre faveur, dit-elle en ouvrant la marche dans les couloirs sombres. Faites attention où vous mettez les pieds. Vous n'avez pas intérêt à nous faire un accident, pas dans un hôpital grec.

Je souris. Eva commençait à me plaire.

Spiros nous attendait au coin suivant. Il n'était pas seul. Sur un chariot, devant lui, masqué par un drap, il y avait le corps d'une femme, et il ne fallait pas être grand détective pour s'en apercevoir. Ses seins ressortaient comme deux châteaux de sable sur une plage.

— Par ici, dit-il.

Poussant le chariot devant lui, il nous précéda vers un autre couloir plongé dans l'obscurité, puis franchit les portes ouvertes d'un vaste ascenseur à l'éclairage cru. À l'intérieur, il tourna rapidement une clef, pour mettre la cabine en fonction, et en ressortit, nous laissant seuls, Eva et moi, avec le cadavre. Elle appuya sur l'un des boutons, les portes coulissèrent et l'ascenseur s'ébranla. Presque aussitôt, elle tourna de nouveau la clef et, avec une dernière secousse, la cabine s'immobilisa entre deux étages.

Lorsqu'elle rabattit le drap recouvrant le cadavre de la jeune morte, il m'apparut clairement qu'elle prévoyait d'examiner le corps ici, dans la cabine.

— Quel dommage, fit-elle. Elle était très belle.

— Vous allez l'examiner ici ?

— Oui. Ici, nous sommes certains de ne pas être dérangés. Spiros m'enverra un SMS quand nous pourrons redescendre en toute sécurité.

— Pourquoi ai-je l'impression que vous avez déjà fait cela ?

— Dans l'ascenseur ? Non, vous êtes le premier. Et le dernier, je l'espère. Je ne peux pas me permettre que cette grève se prolonge encore longtemps. Qui plus est, cela pourrait même devenir violent. Vers la fin, les grèves, en Grèce, deviennent toujours saignantes. Vous n'avez certainement aucun intérêt à vous laisser prendre au milieu de tout cela.

— Et c'est maintenant que vous me le dites.

Dans un sac posé entre les pieds du cadavre, Eva avait apporté tout ce qu'il lui fallait : scalpels, tampons de prélèvement, sachets pour pièces à conviction, aiguille de suture, gel antiseptique pour les mains et gants en latex. Elle posa le sac par terre, puis entama l'examen du corps, méticuleusement, comme si elle scrutait les chairs en quête de la plus petite marque. Je la laissai travailler en silence un petit moment, admirant le soin et le respect avec lesquels elle traitait le cadavre.

— Je cherche des contusions, murmura-t-elle. Des marques d'aiguille, des abrasions, des coupures, des griffures, n'importe quoi. (Au bout de plusieurs minutes supplémentaires, elle fit non de la tête.) Il n'y a aucune marque, ici.

— À ce que je vois, elle m'a l'air enceinte, dis-je, voulant me rendre utile.

— Non, ce n'est pas la grossesse, grommela-t-elle. Vous dites qu'elle s'est noyée ? À Marina Zea ?

— C'est ce que m'a dit la police.

— Alors il vaudrait mieux nous en assurer. D'ordinaire, je me contenterais de l'ouvrir pour voir ce qu'elle a dans les poumons, mais nous ne pouvons nous le permettre. Après tout, ce n'est pas une autopsie. Néanmoins, une petite incision superficielle serait admissible. Aidez-moi à la retourner sur le ventre, en lui plaçant la tête en équilibre sur le rebord du chariot.

Nous la retournâmes et Eva sortit un plateau en carton de son sac plastique, qu'elle plaça sous la mâchoire inférieure de la morte.

— Et maintenant ?

— Je voudrais que vous vous couchiez en travers de son corps, de tout votre poids. Je vous avertis au préalable qu'avec tous les gaz accumulés à l'intérieur, il se peut qu'elle se tienne mal. Je cherche ce qui peut rester d'eau de mer dans ses poumons.

— Ah, bien sûr.

Dès qu'elle fut prête, je me couchai en travers du dos de la morte et, au début, il ne se produisit rien.

— Plus fort, mon vieux. Vous ne pouvez plus lui faire de mal, maintenant. Faites-moi ça comme si vous étiez kiné du sport. Décollez vos pieds du sol. Allez. Tombez-lui vraiment dessus.

Je fis ce qu'on me disait et, quelques secondes plus tard, un pet sonore et très odorant s'échappa des parties inférieures du cadavre.

— Fini le temps du témoin silencieux, hein ? ironisai-je en détournant le visage.

Finalement, un filet d'eau dégoulina de la bouche du cadavre, et sur le plateau en carton. Eva en transféra le contenu dans un flacon qu'elle rangea dans son sac plastique.

— Bien, dit-elle. Maintenant, remettons-la sur le dos.

Nous la retournâmes non sans mal et ensuite je me redressai, m'écartant du chariot, un peu haletant. Il commençait à faire très chaud et malodorant, dans cette cabine d'ascenseur. Je me félicitai d'avoir enfilé un vieux T-shirt.

— Et ensuite ?

— Nous allons étudier ces seins de plus près. Juste les observer.

— Je les ai observés. Je les observe à l'instant. Il est difficile de ne pas regarder une paire de seins, quand ils sont comme ceux-là. J'imagine qu'ils avaient meilleure allure quand elle se promenait. Peut-être un peu plus naturels.

— C'est votre avis.

Elle disposa ses instruments au pied du chariot, avec tout le soin possible.

— Ils ont drôlement l'air au garde-à-vous, non ? Bien plus qu'hier, dirais-je.

— Quand le silicone refroidit, il durcit un peu. Ou parfois il rétrécit.

— Je connais cette sensation.

Elle prit un scalpel, puis saisit fermement le sein de la morte, le déplaça d'un côté, puis de l'autre, comme pour repérer où pratiquer l'incision.

— Au moins, celle-ci a encore ses tétons, murmura-t-elle. C'est déjà quelque chose, j'imagine.

— Oui, j'en ai entendu parler. Hannibal Leventis, c'est ça ? Le chauffeur de bus athénien qui a tué d'autres filles ?

— Vous êtes bien informé.

— Pas par la police, ça, non.

— Croyez-moi, ici, c'est une tout autre histoire.

— Vous vous exprimez comme si vous aviez connaissance de ces affaires.

— En effet. C'est moi qui les ai disséquées.

— On avait évoqué la possible existence d'un complice de Leventis, si je ne me trompe ?

— Oui, en effet. Et il en avait un, à mon avis. Mais la police a décidé que Leventis avait agi seul. Parce c'était ses propres dires. Et cela les arrangeait de le croire.

— Je vois.

— Très bien, maintenant, soyez attentif. C'est pour voir ça que vous avez payé. Vous repérez cette cicatrice quasi invisible, ici, sous le sein ? C'est par là que l'on a enfilé l'implant mammaire. Et c'est par là que nous allons le ressortir.

— Ah oui ? Et pourquoi cela ?

— Votre téléphone contient-il une application pour mémos vocaux ?

— Elle a de gros seins, certes, je ne pense cependant pas que ce soit eux qui l'ont fait couler au fond de la marina. C'était un gros poids attaché à ses pieds.

Je sortis maladroitement mon téléphone de ma poche et pressai sur l'icône de l'enregistreur.

— Avec un peu de chance, les seins de cette petite nous livreront son nom et son adresse complète. Alors vous feriez aussi bien de lancer l'enregistrement.

Lorsque Eva incisa profondément la chair le long de la cicatrice, sous le sein, avant d'extraire l'implant, je tressaillis un peu.

— Cela n'est pas considéré comme un geste invasif ? m'étonnai-je.

— Vous pourrez avoir l'impression que je finasse, mais non, ça ne l'est pas, car nous entrons et sortons par une cicatrice existante. Tout conservera le même aspect qu'avant. Plus ou moins.

Séchant l'implant avec un bout d'essuie-mains en papier, elle le retourna comme on retournerait une méduse, et le palpa un instant.

— Sous le simple effet de la chaleur de ma main, il est déjà plus mou et plus flexible. Et c'est exactement ce que j'espérais. Du côté de la face intérieure de l'implant, vous verrez un marquage comprenant le nom du fabricant, le style et la taille, ainsi que le numéro de série. Après placement de la prothèse, une copie de ce numéro de série et les autres éléments d'information ont été renvoyés au fabricant, pour traçage, à des fins de contrôle qualité et de recherche. Cet implant précis a été fabriqué par Mentor. Il me suffit de leur téléphoner dans la matinée et ils me diront ce que j'ai besoin de savoir. (Elle lut le numéro de série et

la taille de la prothèse près du micro de mon iPhone.)
Et voilà. À moins de jouer de beaucoup de malchance,
nous devrions être en mesure d'identifier cette fille en
moins de vingt-quatre heures.

Elle remit l'implant en place et recousit en vitesse le
sein de la jeune morte.

— Bon Dieu, c'est aussi simple que ça ?

— Mmh-mmh. Quand Spiros m'a parlé de ses
seins, j'avais dans l'idée que nous pourrions procéder
de la sorte. À l'heure actuelle, les implants mammaires
sont des moyens d'identification aussi efficaces qu'une
micropuce dans l'oreille d'un chat ou d'un chien.

— Génial.

Ayant terminé sa suture, elle recouvrit les fils d'une
couche de beurre corporel et d'un peu de fond de teint.
Lorsqu'elle eut terminé, les points étaient quasiment
invisibles.

— Impressionnant, dis-je.

Au moyen d'une seringue, elle préleva un échantillon de sang au bras de la fille.

— Dois-je continuer le mémo vocal ?

— Non, vous pouvez couper ce truc. Nous n'en
avons pas encore terminé, monsieur Manson. Je vais
procéder à quelques analyses de son sang, chez moi,
pour déterminer la nature et la quantité de drogue et
d'alcool présents dans son organisme à l'heure de la
mort.

— D'accord.

Je rangeai l'iPhone dans ma poche.

— J'aurai aussi besoin d'effectuer quelques prélèvements dans son vagin, sa bouche et son anus. Si je
relève quoi que ce soit qui ne corresponde pas à son

groupe sanguin, cela nous procurera un moyen utile d'identifier qui a eu des rapports sexuels avec elle. Et peut-être son tueur. Si tueur il y a eu. Je dois dire qu'aucun élément ne permet d'affirmer que cette fille s'est beaucoup défendue. J'ai vu des morts subites du nourrisson en apparence plus violentes.

— Peut-être qu'elle a été droguée, en fin de compte.

— Si nous trouvons quoi que ce soit sur les tampons de prélèvement, cela nous permettra d'éliminer les joueurs de votre équipe. Bien sûr, pour ce faire, il nous faudra aussi des prélèvements pour chacun d'eux. Vous inclus, naturellement.

— Naturellement.

— Plus vite nous vous éliminerons de la liste, mieux cela vaudra, je pense, monsieur Manson.

Je l'aidai à ensacher ses tampons de prélèvement. Elle coupa aussi une mèche de cheveux de la fille et quelques poils pubiens.

À en croire Eva Pyromaglou, notre autopsie en version allégée avait porté ses fruits.

— Et maintenant, qu'est-ce qui va se passer ? lui demandai-je.

— Maintenant, nous espérons que cet ascenseur démarre quand je vais tourner la clef. Cela me déplairait de rester prise au piège ici toute la nuit.

Comme obéissant à un signal, le cadavre relâcha de nouveau un gaz.

— Je vois ce que vous voulez dire.

Eva était sur le point de recouvrir la morte de son drap quand je l'arrêtai.

— Attendez, dis-je en regardant le visage de la jeune femme. Le portrait-robot de la police ne lui ressemble pas du tout. Et la photo que j'ai prise précédemment ne paraît pas lui rendre justice. Elle a les yeux fermés. Aucune photo n'est ressemblante quand la personne a les yeux fermés. Pensez-vous pouvoir les ouvrir ?

— Je peux faire mieux que ça, m'assura-t-elle.

Elle ressortit sa trousse à maquillage et, en quelques petites minutes, avec un peu de fond de teint, de l'ombre à paupières, du mascara, du blush et du rouge à lèvres, elle avait transformé la morte en une personne bien réelle. Elle vaporisa même les yeux avec une solution d'Optrex Actimist, un collyre, pour leur restituer un peu d'éclat.

— Fantastique, dis-je, et je pris plusieurs photos avec mon iPhone.

— Non. (Elle secoua la tête.) Je crois avoir eu la main un peu lourde avec le blush. Je lui ai donné l'air… d'une putain.

— Non, ce n'est pas si mal. Pas mal du tout. (Je vérifiai la photo prise avec mon iPhone et me rembrunis.) C'est étrange, maintenant que vous l'avez un peu fardée, elle ressemble exactement à mon ex-femme.

36

Lisant les pages sportives sur mon iPad en regardant
Football Focus, l'émission de BBC World, je me sentais comme un poisson hors de l'eau. J'aurais donné
n'importe quoi pour être de retour à Londres, occupé à
préparer notre gros match contre Chelsea. J'avais toujours apprécié de me rendre à Stamford Bridge, surtout en août. Chelsea l'été, c'est toujours particulier.
J'imagine que c'est pour cela que j'y habite.

Aurions-nous battu les Blues de Chelsea ? Au
début de la saison, quand l'ensemble de votre équipe
est en forme, tout est possible. C'est pour la même
raison que ce sont les équipes récemment montées en
Premier League, comme Leicester City, qu'il faut surveiller de près. C'est seulement quand le championnat
est plus avancé que battre les équipes de tête devient
de plus en plus compliqué. Si, comme les Blues, vous
disposez d'un groupe composé de vingt-cinq internationaux, alors vous pouvez raisonnablement estimer
être dans la course pour une place parmi les quatre
premiers en fin de saison. Vous pouvez aussi raisonnablement estimer que si, avec une équipe de cette

envergure, vous ne vous qualifiez pas pour la Ligue des champions, alors vous finirez par prendre la porte.

Il était encore très tôt dans la saison pour mettre un entraîneur à la porte, mais selon les journaux, c'était ce qui venait d'arriver à l'un de mes vieux copains. Nick Broomhouse était l'entraîneur de Leeds United depuis tout juste deux mois et, après un début de championnat calamiteux où il avait essuyé une défaite 6-0 contre les Wolves de Wolverhampton, récemment montés en Premier League, puis un 5-0 contre Huddersfield, le nouveau président et propriétaire du club avait déclaré qu'il avait perdu toute confiance en lui. Le match contre Huddersfield était un de ces derbys que tout entraîneur de Leeds se doit tout bonnement de remporter. Ma thèse, c'est que l'autre guettait le premier prétexte pour se débarrasser de celui qui était l'employé du précédent propriétaire. J'avais mon lot de soucis, évidemment, ce qui ne m'empêcha pas d'envoyer un SMS exprimant toute ma sympathie à ce pauvre vieux Broomhouse.

Cela va de soi, tout entraîneur s'attend toujours à se faire virer, tout comme un cambrioleur s'attend à se faire prendre et à finir en prison. C'est inscrit dans votre psychisme : la porte fait partie des risques du métier. C'est probablement l'une des raisons pour lesquelles une partie d'entre nous est payée si cher. Toutefois, lorsqu'on vous retire votre équipe sans préavis, l'argent n'offre pas de compensation suffisante. Cela ne m'est jamais arrivé, et pourtant, mon tour viendra, je n'en doute pas. Parfois, le métier d'entraîneur d'une équipe de football s'apparente à un jeu de chaises musicales. Avec un contrat de six ans

comme le mien, certains de mes confrères se senti-
raient en sécurité. Pas moi. Un type aussi fortuné que
Viktor Sokolnikov remarquerait à peine les cinq millions de livres qu'il aurait à débourser pour se débarrasser de moi. Pour un homme comme Vik, je ne suis
pas donné, mais on n'en est pas loin.

Je méditais encore sur ma propre obsolescence quand
Louise m'appela de mon appartement de Chelsea. Nous
enchaînâmes alors avec l'une de nos conversations
typiques, d'humeur taquine, comme c'est le cas lorsque
deux êtres se croient amoureux et qu'aucun des deux ne
veut être le premier à l'admettre.

— Tu me manques, me confia-t-elle sur un ton
plaintif.

— Tu me manques aussi.

— Je suis allongée dans ton grand lit, nue, avec
tous les journaux, et j'aimerais que tu sois là.

— Tant que ce n'est qu'avec les journaux, ça me va.

— J'ai juste envie de savoir très exactement ce qui
te manque, là, Scott.

— Crois-moi, je sais ce qui me manque. Et d'une,
il y a ce match contre Chelsea. Sans parler de quelques
grosses primes, si nous avions battu ces enflures. Ce
dont nous aurions été capables. Même sans Bekim.

— Ce n'est pas ce que j'avais en tête.

— Je sais ce que tu avais en tête, ma chérie. Mais
comme tu me taquinais, j'avais envie de te taquiner à
mon tour. (Je ris.) C'est pour ça que le football a été
inventé : pour faire croire aux femmes que nous ne
pensons pas qu'au sexe.

— Et ça marche ?

— Bien sûr. Très exactement quarante-cinq minutes. Jusqu'à la mi-temps, quand nous pouvons de nouveau penser au sexe, rien qu'un quart d'heure.

— Tu ne penses jamais à moi, pendant le match ? Pas une fois ?

— À un ou deux moments, peut-être.

— Vraiment ?

— Seulement à partir de la seconde où mon équipe a marqué. Quand on en a mis trois à Man U, et quand Fergie, dans les tribunes, tire une tête de cul qui vient de se prendre une fessée. Ça, dans la bio de n'importe quel entraîneur, c'est encore mieux que le sexe.

— Cela ne figure pas dans la tienne.

— Tu l'as lue ?

— Il y en a dix exemplaires dans ta bibliothèque. J'aurais eu du mal à la louper.

— Mais tu n'en as lu qu'un exemplaire, non ?

— Très drôle. Je l'ai lu en pensant que cela pourrait m'éclairer sur ta personne.

— Tu ne trouveras rien de tel dans mon livre.

— Tu penses ?

— Tu veux avoir des lumières sur ma façon de penser ? Lis le programme du match du jour.

— Je vois bien que c'est toi qui l'as écrit, Scott. Le livre, j'entends. Une partie de cette phraséologie…

— Bien sûr que c'est moi qui l'ai écrit. Pas un nègre. Tu me prends pour Wayne Rooney ?

— Cela m'a permis d'apprendre plein de choses que j'ignorais.

— C'est aussi ce que m'a dit Wayne.

— Cela m'a appris que tu t'attirais tout le temps des ennuis. Que je devrais peut-être m'envoler pour

Athènes. Que tu avais besoin de moi pour t'éviter les problèmes.

— C'était dans le livre, ça ?

— Et pour te tenir compagnie dans ta suite royale.

— Cela me plairait assez, à moi aussi. Donc, vois un peu si tu réussis à attraper un vol. Pourquoi pas ? Je commence à te faire couler un bain. C'est une grande baignoire.

— Très bien, je m'en occupe. Je ne vais pas te casser ton coup ? Il doit y avoir un tas de filles grecques qui meurent d'envie de coucher avec toi.

— Pas depuis le petit déjeuner.

— Tu peux, tu sais. Cela m'est égal.

Je protestai bruyamment et changeai de sujet.

— J'ai parlé à ton ami, Wakeman.

— Et ça s'est passé comment ?

— Il s'est montré un peu insultant. Premièrement, à mon avis il considère tous les Africains comme des escrocs. Ce qui est souvent le cas, bien sûr. Enfin, personne n'a envie de s'entendre rappeler ce genre de travers. Il n'y a pas si longtemps, je venais moi-même d'Afrique.

— Désolée.

— Pas ta faute, mon chou.

— Bon, moi, j'ai parlé à Sara Gill.

— Qui ça ?

— Cette femme de Little Tew, dans l'Oxfordshire, tu sais ? Celle qui s'était fait agresser par Thanos Leventis. Le tueur que la presse grecque a surnommé Hannibal. Je vais t'envoyer son portable et son adresse Skype par SMS.

— Elle accepte de me parler ? De ce qui lui est arrivé ?

— Oui, elle te répondra. Elle veut bien parler à tout le monde de ce qui s'est passé. Jusqu'à présent, son problème, c'est plutôt de convaincre les gens de l'écouter.

— Je vais l'écouter, moi. Je sais être à l'écoute.

Louise éclata de rire.

— Tu crois ça ? Tu te trompes ! Tu es payé pour causer, Scott. Pour parler au bon moment, et pour tenir les bons propos. Ce qui signifie que tu as tendance à dire uniquement ce que tu veux que les autres croient que tu penses, ce qui n'est pas toujours le cas, cela va de soi. C'est un sacré talent que tu as : l'art de parler à bon escient.

— C'est ce que tu penses de moi ?

— Tu n'as aucune envie de savoir réellement ce que je pense de toi, mon chéri.

— Bien sûr que si. C'est pour ça que je couche avec toi, ma jolie. Pour pouvoir écouter ce que tu marmonnes à mon sujet dans ton sommeil.

— En réalité, je pense que tu es un homme très solitaire. Comme beaucoup d'entraîneurs de football. C'est un peu toi contre le reste du monde. Toi contre la foule. Toi contre le type du banc de touche d'en face. Toi contre ton père. Toi contre la presse. Toi contre la police métropolitaine. Et maintenant, c'est toi contre la police grecque. Tu es quelqu'un qui a quelque chose à prouver, Scott. Parce que tu es un survivant. Parce que tu es déterminé. C'est pour cela que tu te changes en détective, une fois encore. Parce que tu es incapable de laisser les choses en l'état. Parce que tu veux te montrer juste.

— Et moi qui pensais que c'était parce que je voulais contribuer à laver l'honneur de Bekim Develi et ramener mes gars à Londres.

— Tu crois que c'est pour ça, je le sais. Ce n'est pas vrai. Tu le fais parce que, comme la plupart des hommes, tout au fond de cet égo boursouflé, ce que tu appelles ton âme, tu te figures être un détective-né, purement et simplement. Pour toi, ce n'est jamais qu'une compétition de plus.

Ce qui me fit sourire. Louise m'avait vraiment bien cerné. C'était l'une des raisons pour lesquelles je l'aimais tant.

— Ça se peut.

— Tiens, j'ai du nouveau pour toi, mon amour : en ce monde, rien ne se résout comme tu penses que cela devrait se résoudre. À ton entière satisfaction, j'entends. Rien dans ce métier ne s'achève jamais comme cela devrait. Plus vite tu le comprends, mieux cela vaut.

37

Charlie me conduisit à l'hôtel Astir Palace, à Vouliagmeni. Cette fois, cela ne me gênait pas que les flics nous suivent. Je n'allais rien faire là-bas que j'aurais souhaité leur cacher.

Comme convenu avec Kojo Ironsi la veille au soir, Prometheus se tenait devant la porte d'entrée de l'hôtel. Il portait une chemise en denim, un jean qu'ont aurait dit criblé d'éclats d'obus, des baskets roses S Dot, des lunettes de soleil Alexander McQueen et plus de chaînes en or que le maire de Hatton Garden[1]. D'un geste vif, il retira le casque Dr Dre de ses oreilles cloutées de diamants et s'approcha de la fenêtre de la voiture, précédé d'un nuage d'eau de Cologne et de mauvaise humeur. Si j'avais nourri le moindre doute sur ce que j'allais potentiellement trafiquer, le mot DOPE était obligeamment imprimé en blanc sur la casquette de base-ball du gaillard.

---

1. Quartier de Londres où l'on trouve la plus forte concentration d'enseignes de joailliers et de bijoutiers de tout le Royaume-Uni.

Je lui suggérai de poser son sac sur la banquette arrière du Range Rover et de monter.

— Comment s'est passé l'entraînement ce matin ?

Il haussa les épaules.

— Correct.

Nous roulâmes en direction de la Marina d'Astir. Je m'étais organisé pour emprunter la chaloupe du yacht de Vik, juste deux heures, pour que nous puissions sortir dans le golfe d'Égine – un ruban de mer bleue situé à l'extrémité du monde, avant qu'il ne se transforme comme par magie en un site où les héros bataillèrent contre les dieux et les monstres, où Aristote aurait, dit-on, tenté d'enseigner à Alexandre le Grand une importante leçon de vie, où les téléphones portables ne captaient aucun signal et où nous ne pourrions en aucun cas être interrompus.

La chaloupe était un Regulator de dix mètres équipé d'une console centrale et de deux moteurs hors-bord affichant une vitesse de pointe de cinquante-deux nœuds, soit 96 km/h. Je n'avais plus piloté de bateau depuis un certain temps, aussi cabotai-je le long de la côte un moment pour me faire une idée de la mer et de l'engin, avant d'accélérer et de piquer au nord-ouest, vers le large. En route, nous aperçûmes le *Lady Ruslana*, qui se dressait devant la côte comme un *Argo* cuirassé de métal. Je discernai à peine les membres de l'équipage. Sur fond de coque bleu marine, leurs shorts et leurs polos orange leur donnaient l'air d'une frise de figurines peintes sur la circonférence d'un gros vase grec.

— On rejoint le yacht de M. Sokolnikov ? me demanda-t-il.

— Pas aujourd'hui.

— Dommage. J'ai entendu dire que c'était assez classe. J'aimerais bien voir ça, un de ces jours.

— Tu en auras sans nul doute l'occasion. Pour cette fois-ci, nous sortons prendre une petite leçon d'histoire.

— J'ai jamais été très bon en histoire, admit-il.

— Ce n'est pas tant l'histoire qui importe que la leçon, dis-je.

Au bout d'une quinzaine de kilomètres, la mer se resserrait peu à peu entre deux promontoires, et je ralentis l'allure, pour finalement avancer au pas et positionner la manette des gaz sur neutre. Je ne jetai pas l'ancre. La leçon ne serait pas longue. En plus, j'avais besoin de pouvoir manœuvrer.

— C'est ici, annonçai-je.

— C'est où, ici ?

— C'est ici que la leçon va avoir lieu.

Prometheus hocha la tête et, son téléphone toujours en main, il se pencha d'un côté du bateau, fixant du regard les profondeurs liquides et bleues comme s'il s'attendait à voir surgir Poséidon lui-même, ou peut-être un monstre marin. Il y avait une forte houle et cela ne nous aurait surpris ni l'un ni l'autre qu'une grosse pièce fasse son apparition dans l'eau. Un thon, qui sait, ou même un requin.

— Écoute, patron, fit-il, scrutant toujours le fond comme s'il n'osait pas soutenir mon regard. Je suis désolé de ce qui s'est passé, de ce que j'ai fait à Bekim. C'était pas bien et je me sens vraiment très coupable. J'ai mis le mauvais œil à cet homme et ça me remue complètement les tripes, tu vois ? J'avais juste l'intention de lui flanquer un peu la frousse, c'est la vérité vraie, je le jure devant Dieu. Si j'avais su que ça pourrait vraiment marcher, jamais j'aurais fait ça, il faut me croire. J'y pense, et j'arrive plus à dormir, j'arrive plus à manger. Si je pouvais remonter dans le temps, je le ferais, hein ? Je donnerais tout. Absolument tout. Parole d'honneur.

— Tout ça, c'est de la foutaise, dis-je. Le mauvais œil, ça n'existe pas. Tu t'es conduit en petit con, c'est tout.

— Sérieusement, patron, j'ai l'impression que plus jamais je me sentirai bien dans ma peau.

— Très bien, alors tu ne me sers plus à rien, lançai-je et, lui plaquant un pied dans le creux des reins, je le balançai par-dessus bord.

Il heurta la surface dans une gerbe retentissante, avant de disparaître.

Dès qu'il fut dans l'eau, je m'installai au volant et j'éloignai le Regulator – de quelques mètres à peine, qu'il soit tout juste hors de portée et retienne la leçon, bien comme il faut.

— C'est quoi ce bordel ? s'exclama-t-il en émergeant, battant l'eau de ses deux bras rageurs. Pourquoi tu as fait ça, putain ? J'ai perdu mes lunettes de soleil. Et mon téléphone, merde. Et ma casquette.

— La casquette ne me plaisait pas, lançai-je. Pour être franc, tu es mieux sans. Et par ici, tu n'auras pas besoin de téléphone. De toute manière, il n'y a pas de signal.

Il se mit à nager vers le bateau. Je l'éloignai encore un peu plus.

— Hé ! Qu'est-ce que tu fous, mec ? C'est quoi, le plan, là ? C'est pas marrant. Ce téléphone, c'était un

Vertu Signature avec haut-parleurs Bang et Olufsen, service concierge et tout. Il m'a coûté sept mille.

— Pour un téléphone ? Ils t'ont vu venir, mon garçon.

— Va te faire foutre, mec.

Il nagea une seconde fois vers le bateau, et je l'éloignai à nouveau.

— Reste où tu es, bordel, le menaçai-je. Sinon, je te plante ici. Je suis sérieux.

— Sale nègre de merde, cracha-t-il, et maintenant il pataugeait sur place en serrant entre ses doigts l'un des nombreux crucifix qu'il avait autour du cou, comme s'il allait prier.

— Ah, tu crois ? Si j'en suis un, c'est pas une bonne nouvelle pour toi. Tu vois, moi, je suis le nègre dans le bateau. Et toi, tu es le nègre dans l'eau. Pour être tout à fait précis, tu es dans le détroit de Salamine. À l'ouest, derrière toi, nous avons l'île grecque de Salamine. Et à l'est, dans mon dos, c'est la Grèce continentale et le port du Pirée. Tu pourrais sans doute nager jusqu'à l'une ou l'autre, si tu as de la chance. J'ignore quels sont les courants, par ici, mais tu pourrais y arriver, selon le type de nageur que tu es. Cela étant, je dois te signaler que, contrairement à ce que pensent la majorité des gens, en mer Méditerranée il y a des requins, notamment les gros prédateurs comme le grand blanc, le requin-bouledogue et le requin-tigre. Dans tous les cas de figure, tu es dans la détresse, enculé de ta mère. Et c'est pas une blague, c'est une simple constatation.

— Très bien, j'ai pigé, t'es fumasse contre moi. Bon, j'ai dit que j'étais désolé pour Bekim. Qu'est-ce que je peux faire de plus pour te le prouver ?

— Tu peux écouter ce que j'ai à dire... enfin, pour ça, t'as pas vraiment le choix.

— Très bien, j'écoute, putain.

— Merde, moi aussi, j'écoute. (Je dressai une oreille dans la brise.) Il se pourrait que je parvienne à entendre quelque chose, ici, en pleine mer. Tu vois, nous sommes sur le site d'une grande bataille navale. La bataille de Salamine. Certains historiens ont affirmé qu'il s'agissait de la bataille la plus importante de l'histoire. Difficile à croire, n'est-ce pas ? Ce bras de mer, bleu et profond, couvert de sang, de poix et d'huile bouillante. Des hommes hurlant à l'agonie. Pourtant, c'est bel et bien arrivé, en 480 avant Jésus-Christ, à peu près vers la même époque que celle des Thermopyles, et c'est une partie de l'histoire locale dont tu es déjà informé. Si j'en crois ta page Facebook, *300* serait ton film préféré.

Une énorme vague frappa le Nigérian et, l'espace d'une seconde, il disparut. Quand il remonta, il avait le regard pétrifié par la peur.

— Hé, la prochaine fois que tu mettras la tête sous l'eau, tu me diras ce que tu entends, toi, au juste. Ce seront peut-être les voix de tous les hommes qui ont connu leur fin dans ces eaux... noyés, embrochés par un javelot, transpercés par une flèche, brûlés à mort par le feu grégeois. Des milliers et des milliers d'hommes qui n'ont jamais revu leur famille. Ce sont leurs ossements qui composent le lit de la mer, à des centaines de mètres sous tes pieds.

J'envoyai les gaz et manœuvrai le bateau en cercle autour de la tête du Nigérian. Elle paraissait très petite, dans l'eau, une noix de coco flottante.

— Alors, ensuite. Xerxès, le roi des Perses... tu connais, j'imagine... a fait voile vers ces parages avec la flotte la plus puissante qui ait jamais pris la mer, et dans la précipitation, comme d'habitude. Mille deux cents vaisseaux, disait-on, contre trois cent soixante-dix navires hellènes, que l'on appelait des trirèmes. Et il s'est produit à peu près la même chose ici qu'aux Thermopyles. Il y avait tout bêtement trop de bâtiments perses tentant de franchir cette passe trop étroite et, à peu près comme nous l'avons fait nous-mêmes l'autre soir contre l'Olympiakos, ils ont rompu la formation. Thémistocle, le commandant grec, a veillé à ce que les Grecs maintiennent la leur. Sans parler de leur sens de la discipline.

« À bord de chaque navire grec, il y avait des hoplites, l'infanterie cuirassée, qui combattait au corps-à-corps. Ces hommes portaient une épée et une lance et, leur atout le plus important peut-être, un bouclier enfilé au bras gauche avec lequel ils se protégeaient, non seulement eux-mêmes, mais aussi le soldat placé à leur gauche. En d'autres termes, chaque homme comptait sur son voisin pour sa protection. Ainsi, tout comme les navires ont conservé leur formation, les hoplites ont conservé la leur. Tous ces Grecs n'étaient pas amis entre eux. En fait, d'après ce que j'en ai retenu, les Spartiates et les Athéniens étaient de très anciens rivaux et se haïssaient probablement. Contre les Perses, ils s'étaient unis et, malgré une adversité écrasante, ils l'ont emporté.

« La voilà, ta leçon. Tu veilles sur le type à ta gauche car le type à ta droite en fait autant pour toi. Les Grecs étaient un peuple superstitieux, néanmoins, lorsqu'un Perse tentait de leur transpercer le cou avec une lance, ils ne plaçaient pas leur foi dans leurs dieux. Dans une bataille, c'était le type posté à ta droite qui faisait gaffe à tes fesses, et tous les porte-bonheur et toutes les putains de prières du monde ne modifieraient en rien ce fait. Ça, c'est du travail d'équipe, mon bonhomme. C'est une chose en laquelle tu peux croire. Qu'il s'agisse de guerre ou de football, cela revient à peu près au même. Tu veilles sur ton voisin. Comme ça, une fois la rencontre terminée, tu peux regarder tes potes dans les yeux, et tu sais que tu as fait tout ce que tu pouvais, bordel. Sinon, ton équipe vaut que dalle.

Je coupai le moteur et m'assis vers la poupe.

— Ce qui nous amène à la dernière partie de la leçon : toi-même, Prometheus. Maintenant, j'imagine, tu pourrais sans doute prier Dieu pour qu'il te tire le cul de la mer et qui sait, bordel… peut-être qu'un bateau passera par là et te sauvera. Ou alors tu pourrais placer ta foi en ton prochain, à savoir moi. Alors, ce sera lequel des deux ?

Je me penchai au-dessus du bastingage et lui tendis la main.

— Moi, ou Dieu ?

Prometheus fit un grand sourire et m'attrapa la main.

Quelques minutes plus tard, il était allongé sur le pont du Regulator, fixant le soleil en rigolant.

— Qu'est-ce qu'il y a de si drôle ? lui demandai-je.

— Je réfléchissais. Je crois que c'est la leçon d'histoire la plus intéressante que j'aie jamais entendue. Peut-être que si j'avais eu un prof comme toi, j'aurais pu passer quelques examens au lieu de jailbreaker des smartphones volés.

Je secouai la tête.

— Ne t'inquiète pas pour ça, mon garçon. Si par hasard tu avais passé le moindre examen à l'école, tu ne serais pas ce que tu es maintenant : l'un des avants-centres les plus naturellement doués que j'aie vus de ma vie. Sérieusement. Tu es une future star.

Il se redressa, toujours souriant. Je devais lui reconnaître ça : c'était un garçon au caractère enjoué.

— Tu le penses vraiment, patron ?

— Je le sais. Tout ce que tu dois faire, c'est apprendre à jouer pour l'équipe. Il n'y a pas de limite à ce que tu peux réaliser sur le terrain, pourvu que tu ne te soucies plus de savoir à qui en revient le mérite.

Il opina.

— En plus, tu as passé le meilleur examen qui soit, mon ami. Tu joues en Premier League de football avec l'une des meilleures équipes du pays. Si tu écoutes bien ce que je te dis, tu iras jusqu'au bout, mon garçon. Si c'est ce que tu veux.

Prometheus me tendit la main. Je la serrai dans la mienne, de nouveau. Et cette fois, il avait les larmes aux yeux.

— C'est tout ce que j'ai toujours voulu. (Et il me fit de nouveau son grand sourire.) Ça, et un nouveau téléphone.

— Je t'en rachèterai un.

— Non, c'est bon. J'en ai deux pas chers dans ma chambre à l'hôtel. Juste au cas où.

38

— Où étiez-vous ? me demanda Eva Pyromaglou.
Je vous appelle depuis une heure.

J'étais de retour à l'Astir Palace, dans mon bungalow, avec une heure à tuer avant de monter dans
le bus de l'équipe pour aller assister au match du
Panathinaïkós, heure que j'occupais à répondre à
des mails et à examiner le contenu du Keepall Louis
Vuitton de Bekim Develi. Je ne sais pas pourquoi
j'aurais dû trouver choquant que Bekim ait porté des
sous-vêtements Frigo N° 1, pourtant le fait était là. En
réalité, je sais pertinemment pourquoi je trouvais cela
choquant : les caleçons Frigo N° 1 coûtent cent livres
la pièce.

— J'étais sur un bateau, lui dis-je.

— Moi, j'ai passé toute la matinée là-dessus au
labo alors que j'aurais dû m'occuper de mon fils.

Je ne répondis rien. Je finissais par m'habituer à
ce que les Grecs se plaignent pour une chose ou une
autre. Si vous les laissez dire, ils se plaindront même
des Romains, de ce qu'ils ont tout chipé à la Grèce – et
cela remontait à deux millénaires.

— Qu'avez-vous à m'annoncer, docteur ?

— Vous aviez mentionné une prime, monsieur Manson ?

Cela me fit rire.

— Vous devriez jouer au football.

— Comme je vous l'ai expliqué, j'ai un fils qui a besoin de médicaments coûteux.

— En réalité, vous ne m'avez rien dit de tel, mais peu importe. J'avais proposé cinq cents de plus si vous découvriez quelque chose. Avez-vous découvert quelque chose ?

— Oui.

— Je vous envoie l'argent par coursier. Ce matin. C'est d'accord ?

Je commençais à entrevoir quels problèmes vous pouviez rencontrer, vivant en Grèce. Dans ce pays, toute chose comportait son code-barres, et le seul article auquel il ne fallait pas s'attendre, au moment de passer à la caisse, c'était l'article gratuit.

— Ce serait tout à fait satisfaisant, dit-elle, non sans brusquerie. Bien, alors, j'ai un nom pour vous. Natalia Matviyenko, âgée de vingt-six ans, taille de soutien-gorge 85A. Ses implants ont été posés dans une clinique de Thessalonique il y a environ deux ans. Elle a payé cash. (Elle soupira.) À peu près cinq mille euros.

— Avez-vous trouvé une adresse ?

— Oui. Une adresse au Pirée, dans un immeuble sur Dimitrakopoulou. C'est à moins d'un kilomètre de l'endroit où son corps a été retrouvé, à Marina Zea. Elle avait les poumons remplis d'eau de mer, ce qui est cohérent avec la noyade, ainsi que du fioul.

Là encore, c'est cohérent avec l'endroit où elle a été retrouvée. J'ai trouvé des traces de lubrifiant dans son anus… en revanche pas de sperme… et de la cocaïne dans son sang. S'il y avait eu des traces de sperme dans sa bouche ou son vagin, l'eau de mer les aura presque certainement détruites. L'eau de mer a un pH radical et c'est un antibiotique extrêmement efficace. J'ai aussi trouvé des traces d'épinéphrine. Mon hypothèse, et c'est juste une hypothèse, c'est qu'elle était probablement sous antidépresseurs. C'est le cas de beaucoup de ces filles. Ne me demandez pas pourquoi, je n'en sais rien. Elles devraient essayer de travailler dans un hôpital grec.

— Rien d'autre ?

— La concernant ? Non, cela s'arrête là, je regrette. Je vous envoie ça par mail tout de suite. Ce mail contient mon adresse, alors s'il vous plaît, souvenez-vous de ce que j'ai dit. Je n'ai pas envie que les flics aient accès à mes constatations.

— Si seulement vous saviez à quel point je déteste la police, vous ne vous inquiéteriez pas de cela, ma jolie.

Je jetai un œil à mon Mac. Un mail au suffixe grec fit son apparition dans ma boîte de réception.

Un instant plus tard, j'entendis frapper à la porte de mon bungalow.

— Je dois y aller. Merci beaucoup, doc. Je vous envoie l'argent tout de suite. Si vous pensez à quoi que ce soit d'autre qui serait susceptible de m'aider, appelez-moi.

Je mis fin à l'appel et j'ouvris la porte, m'attendant plus ou moins à ce que ce soit la femme de chambre, au lieu de quoi c'était Simon Page avec son rapport de séance d'entraînement et une liste de blessures possibles. Au milieu de son visage hâlé, ses yeux avaient l'éclat du marbre.

— Il y a une infime possibilité qu'Ayrton Taylor soit de nouveau en condition pour mercredi. J'espère bien, putain, parce que le gars du Nigéria, Prometheus… pour l'instant, jouer au football n'a pas du tout l'air de l'intéresser. J'ai essayé de lui coller une fusée dans le cul, mais il se contente de me regarder avec une telle expression de bêtise insolente que ça me donne envie de lui coller un pain dans la figure. Du moins, je crois que c'est de la bêtise insolente. J'ai l'impression terrible qu'il est juste bête. Sérieusement, je l'ai regardé essayer d'enfiler son putain de jean, ce matin, et il a réussi à se prendre les pieds dans toutes ces foutues chaînes à sa ceinture et à s'affaler sur le cul comme un vrai handicapé moteur. S'il a du mal à enfiler son froc, comment il pourra comprendre la différence entre 4-4-2 et 4-3-3 ? Il pensera qu'au total ça fait toujours dix et n'ira pas chercher plus loin.

— Ne t'inquiète pas pour lui, dis-je. Nous avons eu une conversation très constructive au sujet d'un peu tout, lui et moi. J'ai parlé, et il a écouté. Je peux me tromper, Simon… ça m'arrive quelquefois… pourtant, je crois qu'à partir de maintenant, avec ce gars-là, tout se passera bien. Du moins, quand il aura compris dans quelle poche de son jean je lui ai fourré les burnes. En tout cas, il n'est pas aussi bête que tu le penses. En réalité, je crois qu'il pourrait être tout à fait malin.

— Espérons que tu aies raison, fit le grand gaillard du Yorkshire.

Mon téléphone sonna de nouveau. Je ne reconnus pas le numéro mais je répondis quand même. Rétrospectivement, j'aurais préféré éviter. Simon entendit tout, jusqu'au dernier mot.

— Monsieur Manson ?

— Oui.

— C'est Francisco Carmona. D'Orientafute.

Orientafute – ou Representação Sports e Agência de Orientação – était le principal agent de footballeurs et d'entraîneurs d'Europe. Et Francisco Carmona en était le fondateur, aussi brésilien que rapace. Il avait conclu des marchés avec tous les grands clubs et, selon la rumeur, aurait touché une commission de douze millions d'euros pour le transfert, en plein mercato estival, de Getúlio au Real Madrid pour cent vingt-cinq millions d'euros… la commission la plus importante jamais empochée par un agent dans le football.

— J'ai été si désolé d'apprendre la nouvelle au sujet de Bekim Develi. C'était un grand joueur. Un homme bien.

— Oui, en effet.

— Écoutez, je serai à Athènes lundi et si vous y êtes encore, je me demandais si nous ne pourrions pas nous rencontrer et avoir une conversation.

— Monsieur Carmona. Je ne sais pas comment vous avez obtenu ce numéro. Je ne vois aucun intérêt à vous parler, ni maintenant ni à aucun moment dans le futur. J'ai déjà un agent, merci.

— Pas de problème. Si vous changez d'avis, je serai à l'hôtel Astir Palace.

Je mis fin à l'appel et secouai la tête.

— Putain de Frank Carmona. Je parierais qu'il est ici pour essayer de débaucher quelques-uns de nos gars.

— Eh oui, il n'y a rien que les joueurs aiment davantage que quelqu'un qui vient leur raconter combien ils pourraient gagner dans un autre club.

Je voyais bien que Simon pensait que cela incluait aussi les entraîneurs, même si, pour une fois, il se montra trop diplomate pour le dire.

— On ne peut rien faire contre ça, dis-je. Le marché des transferts n'est pas clos avant une semaine.

— Tu as parlé à Vik du remplaçant de Bekim ?

— Pas encore.

— Bon Dieu, ce que j'en ai marre d'être ici, soupira Simon. Jamais je n'aurais cru dire une chose pareille, mais j'aimerais qu'on soit de retour à Londres.

— J'y travaille.

— Avec tout le respect qui t'est dû, patron, cela ne me remplit pas précisément d'optimisme, putain. Trouver le tueur de Zarco, là-bas, chez nous, c'était une chose, par contre, ici, c'est la Grèce. Ici, ils font pas les choses comme nous.

— Et le plus souvent, Simon, ils ne les font même pas du tout. C'est vraiment à cela que je me suis employé ces derniers jours. Ou alors tu t'imaginais peut-être que je faisais du tourisme, que je visitais l'Acropole et le Parthénon. Que j'organisais un rendez-vous secret avec Francisco Carmona, qui sait.

— Ce que tu fais de ton temps libre, patron, ça ne me regarde pas, bon sang.

— Eh bien, je n'ai rien fait de tel. Franchement. Je n'avais encore jamais adressé la parole à ce branleur. Ce charognard.

— Je te crois. Écoute, patron. Il y a un truc que je dois te dire. Hier soir, je causais avec un mec, un Anglais, à l'hôtel. Il a un pote animateur d'une émission de radio locale. Le mec s'appelle George Hajidakis. L'émission, je crois que c'est l'équivalent grec de notre TalkSport. En tout cas, ce type, Kevin, il s'appelle, il m'a raconté que Hajidakis l'avait prévenu que, mercredi, l'Olympiakos ne laisserait rien au hasard. Il croit qu'ils ont déjà acheté l'arbitre. C'est un Irlandais.

— Écoute, Simon, les Grecs crient toujours à l'injustice. Le seul sujet sur lequel ils sont capables de s'entendre, c'est que les clubs des autres sont un ramassis de tricheurs.

— Oui, enfin, le mec m'a certifié que George Hajidakis allait mentionner l'arbitre irlandais ripou pendant l'émission, sauf qu'il s'est fait démonter la tête par deux gros bras qui ont joué du coup de poing américain. Maintenant, il est à l'hôpital.

— Le dire et le savoir, c'est une première étape. Le prouver en satisfaisant aux critères des juges de l'UEFA, c'en est une autre. Bon sang, ces enflures ont infligé une amende de plus de cinquante mille euros à José Mourinho, à l'époque où il était à Madrid, juste pour avoir laissé entendre que personne n'avait aucune chance de disputer un match honnête contre Barcelone. Alors tu m'excuseras, je la boucle, Simon. Si ton ami a raison, s'ils ont acheté l'arbitre, il va falloir contourner l'obstacle, comme si c'était une crotte de chien dans la cage du gardien. (Je secouai la tête.) Laisse tomber. J'ai pas besoin de ça pour le moment.

— Toi, comme enfoiré, Scott Manson, t'es pas mal non plus, y a pas de doute. Je t'annonce que l'arbitre a sans doute été acheté et tu t'en soucies comme de ta dernière chaussette. Alors, tu prétends qu'il faut en tenir aucun compte, ou quoi ?

— Sérieusement, Simon, nous avons assez d'ennuis en Grèce sans y ajouter ça. Au cas où tu l'aurais oublié, nous ne sommes pas autorisés à quitter le pays. Dans les faits, l'équipe est assignée à résidence, et l'un des nôtres est soupçonné d'avoir trempé dans le meurtre d'une fille.

— La poule de luxe. D'accord.

— Maintenant, tu gardes ça pour toi, j'ai pu avoir son nom. Alors je vais appeler l'avocate, maintenant, et le lui communiquer.

— Je vois. Tu veux que je te laisse ?

— Non. Je ne préfère pas. Si quelque chose m'arrivait, il vaut mieux que quelqu'un d'autre soit aussi informé de son nom. Quelqu'un d'anglais.

— Qu'entends-tu par là ?

— Simplement que je ne sais pas vraiment ce que je fous, ou dans quel foutoir je me suis fourré. Il se pourrait que ce soit plus dangereux que je ne croyais.

J'appelai Mᵉ Christodoulakis en activant le haut-parleur, pour que Simon puisse entendre notre conversation, et je lui communiquai le nom de la fille, sans lui indiquer ce que j'avais en tête pour la suite.

— Comment avez-vous pu apprendre ça ? s'étonna-t-elle.

— Peu importe.

— Vous n'ignorez pas que taire des informations relatives à une enquête criminelle constitue un délit pénal, m'avertit-elle. Même en Grèce. En droit, je suis réellement tenue d'informer l'inspecteur-chef Varouxis. Je risquerais d'être radiée du barreau sinon.

— Patientez juste un petit moment, lui suggérai-je. Pour me laisser au moins une chance de remonter cette piste.

— Très bien. Seulement jusqu'à lundi, d'accord ?

— Bien sûr. Comment se déroulent vos propres investigations ? Avez-vous pu découvrir quoi que ce soit concernant Svetlana Yarochinskaïa ?

— Pas encore. Comme vous le disiez, c'est le week-end. La plupart des Grecs ne travaillent pas le samedi.

Je faillis lui demander quel jour précisément ils travaillaient, mais je m'en abstins, me disant que cela aurait pu paraître grossier.

— Très bien. Dès que vous aurez du neuf, passez-moi un coup de fil.

Je raccrochai et croisai le regard de Simon.

— Cela me laisse moins de quarante-huit heures.

Il fronça le sourcil.

— Pour savoir qui l'a assassinée et pourquoi.

— Tu devrais peut-être laisser tomber, me dit-il. On n'a vraiment pas besoin que tu te fasses tuer, patron. Pour le moment, tu sembles être le seul à avoir une touche pour nous ramener à la maison. Alors sois prudent, d'accord ? Depuis qu'on est ici, j'ai déjà un pauvre mec qui m'a claqué entre les doigts. J'ai pas envie d'en avoir un autre.

39

Le Panathinaïkós avait pris des dispositions pour qu'un autocar nous conduise à leur match contre l'OFI, à Leoforos, ce que les autochtones appelaient le Stadium Apostolos-Nikolaidis. Lorsqu'il quitta l'hôtel Astir Palace, j'allai vers le fond du car jeter un œil par la lunette arrière pour voir si une Škoda Octavia nous filait. Je pus constater qu'elle était là, en effet, et cela me fit sourire. C'est toujours sympa de constater qu'on a vu juste. Surtout quand il s'agit des flics.

Je m'assis et fermai les yeux. C'était fantastique de se rendre à un match de football, même si ce n'était pas nous qui jouions. Mon seul regret, c'était que je n'assisterais pas au match proprement dit. Pour l'après-midi, j'avais d'autres plans. Dans le car, l'humeur était turbulente, c'était le moins qu'on puisse dire. Gary Ferguson, non content d'être le meneur de l'équipe, ces temps-ci, en devenait aussi son principal animateur et humoriste, même si ses blagues étaient plus prévisibles que le peu de cheveux qui lui poussaient sur le crâne.

— Regardez-moi l'état de ce pays, se plaignit-il alors que le car fonçait vers le nord. Des vitrines condamnées avec des planches. Des routes pas réparées. Des gars à tous les feux avec leur raclette à vitres. Les gens prétendent que c'est le krach du crédit, et moi, bordel, je sais pas trop ce qu'on entend par là. Depuis que je suis arrivé, je regarde Bloomberg tous les jours dans ma chambre pour tâcher de piger ce qui est arrivé à ce pays de merde. (La vision de Gary collé devant Bloomberg provoqua une belle crise de rire.) C'est la chaîne financière avec tous ces chiffres qui défilent en bas de l'écran. Pour être franc, la première fois que j'ai vu ça, j'ai cru que c'étaient des résultats de matchs, en fait il paraît que c'est des actions et des titres, ce genre de merdier. En tout cas, ma parole, sur Bloomberg, les gars, vous aurez jamais de réponses qui vous expliquent pourquoi leur récession a été aussi brutale, par ici. Si vous voulez savoir ce qui a mal tourné, suivez mon conseil et regardez des chaînes porno grecques. Là, on vous explique tout. C'est simple, en Grèce, tout le monde se fait baiser.

Nouveaux rires.

— En fait, c'est pour ça que je me sens tellement chez moi dans ce trou à rats. Ce pays fabrique le café de l'Allemagne comme l'Écosse fabrique le thé de l'Angleterre. D'après moi, pour ce qui est de vivre à ne rien foutre, les Grecs auraient deux ou trois trucs à apprendre aux Écossais.

J'adorais toujours écouter Gary se lancer dans ses impros. Après tout, il avait peut-être un avenir dans la télévision, une carrière de comique. Or, au bout d'un moment, une autre idée vint trotter au premier rang de mes pensées et resta piquée là comme un vigile en veste fluo qui s'attendrait à des débordements de fin de match, et même si j'aurais préféré l'oublier, je ne pouvais guère me permettre de l'ignorer. Je me levai et allai m'asseoir derrière le chauffeur. Il avait la soixantaine, estimai-je. Une masse de cheveux blancs, de grandes lunettes de soleil, une peau aussi tannée que du cuir, un T-shirt Nikos Galis – un joueur hellène de basket –, une odeur corporelle digne de la serviette du fond de panier au sauna et une haleine de plantation de tabac.

Au feu rouge suivant, j'alignai quelques billets de vingt bien moites devant lui sur le tableau de bord.

— Je me demandais si vous connaissiez Thanos Leventis. Hannibal Leventis ? ajoutai-je après un temps de silence.

— Je l'ai connu. (Le chauffeur secoua la tête.) C'est vraiment épouvantable, ce qu'il a fait. Je vais être sincère avec vous, monsieur, jamais je n'aurais cru que c'était son style. Je veux dire, pour faire ce qu'il a fait, il faut être dingue, hein ? Non, il n'était pas dingue du tout. Même pas méchant. Il était juste ordinaire.

Il garda le silence un moment, le temps de négocier un virage serré.

— Le bruit courait à l'époque que Leventis n'avait pas agi seul, continuai-je. Qu'il aurait eu un complice.

— Oui, monsieur. C'est ce qu'avait affirmé l'une des victimes. La police a jugé les éléments de preuve sujets à caution, apparemment. Elle avait salement dérouillé, c'est certain. Je suppose que c'est pour cela qu'ils ont jugé son témoignage peu digne de foi.

En matière de preuves douteuses, j'en savais moi-même un bout.

— Et qu'en pensez-vous ?

— J'ai entendu dire que, d'après elle, l'autre type travaillait pour les Nations unies, car il portait un T-shirt de l'ONU ou un truc dans ce goût-là. C'est pour ça que les flics ont écarté sa déposition. Enfin, qui enfilerait un T-shirt de l'ONU ? Et quel genre d'employé des Nations unies irait violer et assassiner les gens ? Ces crimes-là, ils sont censés les empêcher, pas y participer.

— J'imagine que vous avez raison.

— Quoi qu'il en soit, vous savez, s'il y avait un autre type, tôt ou tard ils l'attraperont. Après tout, celui qui a commis ce genre de crimes, il recommencera, c'est presque une certitude.

— À moins qu'il n'ait déjà recommencé.

Nous tournâmes dans Leoforos Alexandras. Certains de nos joueurs, qui n'avaient pas encore vu le stade, furent surpris par son état apparent de délabrement.

— Ce n'est pas exactement Stamford Bridge, remarqua Xavi Alonso. Ou Silvertown Dock.

— Il m'a l'air bon pour la démolition, observa un autre.

Ayrton Taylor, lui, avait des infos sur l'état des lieux.

— En fait, expliqua-t-il, ils étaient censés le démolir il y a plus de dix ans. Le Panathinaïkós a déménagé de Leoforos en 1984 pour aller jouer au tout nouveau stade olympique. Ils ont dû revenir ici en 2000 pendant les rénovations, des travaux de mise en conformité avec les normes de l'UEFA. Pour faire bref, ils ont été à court d'argent et maintenant ils sont coincés ici jusqu'à nouvel ordre.

— C'est exactement comme je disais, insista Gary. Ce pays est baisé.

— Et dire qu'en Angleterre les gens rouspètent encore contre les mesures d'austérité, soupira un autre. Ils ne connaissent pas leur bonheur.

— Venez en Grèce, et ensuite votez tory, ironisa Ayrton. Pour moi, ça paraît parfaitement logique.

Antonis Venizelos, notre agent de liaison avec le Panathinaïkós, nous accueillit à l'accès principal. Il portait une chemise verte à manches courtes et une cravate vert et blanc. L'abondante pilosité de ses bras lui donnait l'air d'un chirurgien iranien.

Il nous tendit des billets, alluma une cigarette mentholée et nous descendîmes sous terre en lui emboîtant le pas comme un seul homme.

— Alors, fis-je, manière d'engager poliment la conversation, l'équipe d'en face, OFI. D'où sont-ils ?

— De Crète, me répondit-il, où les putes anglaises vont en vacances se faire sauter par de gentils jeunes Grecs.

— Je suis sûr que ce n'est pas la seule raison, répliqua Simon, non sans raideur.

— C'est l'île des putes anglaises et des singes des sables.

— Les singes des sables ? fis-je en fronçant les sourcils. Qu'est-ce que c'est ?

— La Crète, c'est là que rappliquent tous les clandestins de Libye et d'Égypte à bord de leurs cargos. (Venizelos haussa les épaules.) Pour eux comme pour nous, c'est un vrai problème, et l'Union européenne ne fait rien. Tant qu'ils ne débarquent pas en Allemagne ou en France, personne n'en a rien à foutre. Toutes les semaines, nos garde-côtes doivent secourir des bateaux entiers de ces gens. Rien que l'autre jour, ils en ont ramassé quatre cent huit dans un de ces navires. Ce sont quatre cent huit personnes dont nous devons maintenant nous charger. À mon avis, nous aurions dû laisser ces salopards se noyer. Là, peut-être que quelqu'un nous aurait aidés à trouver la solution.

Lorsque la foule nous vit prendre place, elle se mit à applaudir, et Venizelos nous laissa. Leur stade s'écroulait peut-être, mais leur accueil tenait la route. Et la pelouse semblait en excellent état.

— Je suis pas mécontent qu'il soit parti, dit Simon. Pour un homme qui fume des menthols, il tient des propos franchement fétides. Parfois, j'aurais à moitié envie de lui en coller une, patron.

— Ne fais pas ça, bon sang. Ce sont les seuls amis que nous ayons en Grèce.

— Vous savez quand même que c'est une enflure de nazi, un membre d'Aube dorée, le parti d'extrême droite ? Du moins à ce qu'on m'a dit.

— Il est loin d'être le seul, je crois. Ils ont dix-huit sièges au Parlement.

— Cela ne signifie pas qu'ils aient raison.

— Non, bien sûr que non. (Je consultai ma montre.) Écoute, je dois me rendre quelque part, et je ne serai probablement pas de retour à ma place avant la fin du match. Si les flics s'imaginaient que je suis resté ici ces cent cinq prochaines minutes, cela m'irait très bien. Alors ne t'inquiète pas. Je ne suis pas sur le point de disparaître comme Zarco.

— Où vas-tu, patron ?

— Il vaut sans doute mieux que je ne te le dise pas. Profite du match, c'est tout. Et si plus tard quelqu'un te pose la question, je n'ai pas bougé d'ici.

Simon acquiesça.

— Pas bougé d'un poil, patron. Et souviens-toi de ce que je t'ai dit : sois prudent.

Je sortis par la porte sud où Charlie m'attendait au volant du Range Rover, devant la boutique officielle du Panathinaïkós. Nous roulâmes à vive allure, vers l'ouest, avant d'obliquer au sud, en direction du Pirée.

— Je n'aurais jamais cru m'entendre dire ça, me dit-il, n'empêche, quel dommage que vous ne soyez pas allé voir jouer l'Olympiakos. Ce serait plus près et nous aurions eu plus de temps.

— On n'y peut rien. Si nous loupons tout le match, cela n'a pas tellement d'importance. L'important, c'est que nous ayons encore semé les flics.

Charlie jeta un coup d'œil dans le rétro, comme pour s'en assurer, avant de confirmer d'un signe de tête.

40

Dimitrakopoulou était la rue située côté nord d'une petite place agrémentée de jardins bien entretenus, ponctués d'arbres élancés et d'une aire de jeux où plusieurs enfants s'amusaient bruyamment aux balançoires sous l'œil vigilant de leurs mères.

Charlie descendit de voiture et sortit d'un sac en plastique rangé dans le coffre un vieux sweat-shirt bleu de la police et une casquette de base-ball assortie.

— Je les ai apportés de chez moi, me précisa-t-il, enfilant le sweat-shirt et coiffant la casquette. Cela ne suffirait pas à convaincre un vrai policier, mais pour n'importe qui d'autre ça conviendra très bien. Et n'adressez la parole à personne. Il vaut sans doute mieux que vous paraissiez de mauvaise humeur, surmené, et que vous gardiez vos lunettes de soleil. Comme cela, vous aurez l'air d'un authentique inspecteur de police.

L'appartement de Natalia Matviyenko se situait au dernier étage d'un immeuble de couleur ocre. Une multitude de dais en toile verte protégeant ses nombreux balcons du violent soleil de l'après-midi, on eût dit qu'il naviguait toutes voiles dehors. Le rez-de-chaussée était occupé par une pharmacie qui, d'après l'écriteau en plastique en forme d'horloge accroché à la porte, était sur le point de fermer pour l'après-midi et, à côté de la pharmacie, il y avait une porte d'entrée moderne, en verre, avec plusieurs boutons de sonnette.

— Nous avons une Natalia Boutzikos ici, remarqua Charlie, en revanche, pas de Natalia Matviyenko.

— Ce doit être elle, dis-je. Vous ne croyez pas ?

Il acquiesça, et sonna. Il était toujours possible qu'une autre personne habite dans le même appartement – M. Boutzikos, peut-être. Il n'y eut pas de réponse.

— Et maintenant ? demandai-je.

— Maintenant, nous attendons la cavalerie.

— Nom de Dieu de merde, sifflai-je.

Une voiture de police arrivait lentement dans Dimitrakopoulou, gyrophare allumé.

— Du calme, me dit-il. Ce sont eux. La cavalerie, je veux dire. Ces gars-là n'ont rien à voir avec le GADA. Ce sont des amis à moi. J'ai passé un appel à la police du Pirée pour qu'un véhicule de patrouille se pointe et rende les choses encore un peu plus convaincantes, du moins aux yeux des riverains. Ils vont continuer de faire le guet pour nous le temps qu'on rentre dans l'appartement. Vous avez deux billets de vingt ?

Je lui en tendis quatre de dix et le regardai s'approcher, se pencher à la fenêtre du conducteur. Je ne le vis pas lui remettre l'argent, c'était déjà fait, je suppose, car le policier dans son véhicule éteignit son gyrophare, alluma deux cigarettes et s'installa, prêt à attendre que nous ayons fini de faire ce que nous avions à faire. Charlie retourna à la porte de l'immeuble au moment où le pharmacien sortait sur le trottoir, toujours vêtu d'une blouse blanche impeccable, curieux de savoir ce qui amenait la police dans sa rue.

Charlie lui adressa quelques mots et, après un petit moment, le pharmacien rentra dans son officine. Tâchant de maîtriser mes nerfs, je sortis mon téléphone, consultai la liste des appels récents, puis j'appelai Francisco Carmona, d'Orientafute.

— Francisco ? C'est Scott. Désolé, je ne pouvais pas parler tout à l'heure.

— C'est bon, Scott. J'ai l'habitude des gens qui font semblant de ne pas me connaître.

— J'ai été un peu interloqué d'apprendre que tu venais à Athènes, Francisco. Quand je t'ai appelé, c'était parce que je voulais te parler d'un joueur d'un autre club. Quelqu'un que tu représentes. Hörst Daxenberger, du Hertha.

— Tu cherches à remplacer Bekim Develi ?

— C'est exact. Pourquoi tu n'annules pas ton vol pour Athènes ? Tu sauterais dans un avion pour Berlin et tu verrais combien voudrait notre Allemand pour venir jouer à Londres, au lieu d'essayer de semer le trouble chez certains de mes joueurs avec tes salades d'Orientafute.

— Ce ne sont pas tes joueurs qui m'intéressent, Scott. La raison de ma venue à Athènes, c'est toi. Je voudrais te représenter. D'après ce que j'ai entendu, tu pourrais avoir besoin d'un agent.

Charlie revenait.

— Écoute, je ne peux pas te parler, pas maintenant. Discute déjà avec ce garçon allemand et vois si cela l'intéresse.

Je mis un terme à l'appel et me tournai vers Charlie.

— C'est un coup de chance, m'annonça-t-il. M. Prezerakou est le propriétaire de Natalia et il est allé nous récupérer les clefs. Je lui ai raconté que nous recherchions des immigrants clandestins et naturellement, il n'est que trop désireux de nous aider. Par ici, personne n'apprécie les clandestins. Il ne l'a plus revue depuis des jours. À cette époque de l'année, ce n'est pas inhabituel. Il m'a expliqué qu'elle part souvent en vacances à Corfou. Apparemment, c'est une bonne locataire, elle paie toujours son loyer à l'heure et il affirme avoir pu consulter tous ses papiers avant qu'elle ne loue l'appartement. À l'origine, il était loué au nom de M. Boutzikos, son mari, qui travaille à Londres maintenant, et Natalia occupe le logement seule.

Dix minutes plus tard, nous étions à l'intérieur de l'appartement de Natalia, occupés à fouiller dans ses affaires ce qui, du moins en ce qui me concernait, me faisait curieusement l'effet d'une violation. Charlie ne paraissait nullement tracassé par ce que nous faisions là, bien que nous ayons tous deux enfilé des gants de latex. Ce n'était pas à seule fin de ménager les apparences, puisque M. Prezerakou était resté au rez-de-chaussée, dans son officine. En revanche, les flics avaient déjà mes empreintes digitales et il n'eût pas été du meilleur effet qu'ils découvrent mes empreintes un peu partout dans l'appartement de Natalia.

Tout était net et rangé, et meublé de ce style de mobilier Ligne Roset que les Européens continentaux ont l'air de trouver chic et contemporain. Il y avait une grande photographie signée Terry O'Neill de Faye Dunaway se prélassant au bord de la piscine de l'hôtel Beverly Hills, ce qui m'amena à penser que Natalia avait raisonnablement pu s'imaginer qu'elle ressemblait à la star oscarisée. À part cela, l'endroit évoquait une jeune femme appréciant plus la lecture que le cinéma – il n'y avait pas de télévision et sa bibliothèque souffrait sous le poids des livres en grec, en russe et en anglais. Son placard était rempli de pièces de créateurs et, dans sa minuscule salle de bains, son chariot à maquillage aurait eu de quoi fournir une école de filles de belle dimension.

Charlie avait trouvé son passeport dans la porte d'un petit bureau.

— Elle était ukrainienne, m'annonça-t-il. Née à Kiev en 1989.

Il me le tendit et je le posai sur la table de la cuisine, avant de sortir sur le balcon jeter un œil vers les toits des immeubles environnants. Avec leurs nombreuses citernes d'eau, leurs cordes à linge et leurs paraboles, la vue n'était pas particulièrement enthousiasmante, mais au moins c'était typique.

Sur le balcon proprement dit, un tapis de yoga et un certain nombre de poids étaient soigneusement rangés, notamment des kettlebells, et je me demandai si le meurtrier de la jeune femme ne s'était pas servi d'un de ceux-ci pour le lui attacher aux pieds avant de la lâcher dans la marina toute proche. Je les pris en photo avec mon iPhone. Charlie avait déniché son sac à main

– ou du moins le sac qu'elle avait sans doute utilisé le soir de sa mort. J'avais vaguement dans l'idée qu'il devait correspondre à celui qu'elle portait sur la vidéo de surveillance que Varouxis m'avait montrée, celle de sa visite au bungalow de Bekim Develi, à l'hôtel Astir Palace. Comme tout le reste, c'était une pièce de créateur très coûteuse.

Charlie le vida sur la table de la cuisine, à côté du passeport, et nous nous assîmes tous deux pour en examiner le contenu. Il y avait là une pochette de maquillage, un porte-monnaie garni de mille euros en billets de cent tout neufs, des cartes de crédit et d'identité, un permis de conduire, un téléphone portable, une petite bougie parfumée, un collyre, des boucles d'oreilles, des clips de chaussure, un trousseau de clefs, une photo d'un homme dont nous supposâmes que c'était Boutzikos, plusieurs préservatifs, un gel lubrifiant, une paire de menottes, un vibromasseur, un gel antiseptique pour les mains, un paquet de lingettes, une culotte de rechange, une paire de bas autofixants. Les produits pharmaceutiques, me signala Charlie, étaient plus intéressants : quatre auto-injecteurs d'épinéphrine, un flacon de ceftriaxone et un autre de flunitrazépam.

Je pris une photo de tout – y compris le passeport et le permis – avec mon iPhone.

— On dirait qu'elle était allergique à quelque chose, remarquai-je en sortant l'un des auto-injecteurs de son étui.

Il n'avait pas été utilisé. Aucun des quatre ne l'avait été.

— Pas nécessairement, objecta Charlie. L'épinéphrine est un vasodilatateur. En Grèce, quand les clients n'arrivent pas à bander, bon nombre de prostituées s'en servent comme d'un substitut du Viagra, à action rapide. Après tout, ce n'est que de l'adrénaline. Et, à l'inverse de la cocaïne, si un flic en trouve en possession de la fille, elle ne tombera pas pour ça.

— Qu'est-ce que la ceftriaxone ?

— C'est juste au cas où.

— Juste au cas où quoi ?

— Juste en cas de gonorrhée. En Grèce, beaucoup de maladies vénériennes sont résistantes à la pénicilline, alors on prescrit de la ceftriaxone. Ou de l'azithromycine. Si vous réussissez à en trouver. Apparemment, elle n'était pas disposée à courir ce risque.

— Et la Levonelle ? demandai-je en examinant une petite boîte d'un produit pharmaceutique imprimée en caractères cyrilliques. Qu'est-ce que c'est censé soigner ?

— Les bébés non désirés. C'est la pilule du lendemain.

— Le flunitrazepam ? (Je versai des petits comprimés bleu et blanc dans la paume de ma main.) C'est un sédatif, n'est-ce pas ? Contre la dépression.

Charlie s'esclaffa.

— Si vous saviez lire le grec, vous verriez que l'appellation commerciale du flunitrazepam est aussi imprimée sur la boîte. C'est du Rohypnol. Ce qu'on appelle la drogue du viol. Beaucoup de putes en glissent dans les boissons de leurs clients les plus mal élevés. Bon, il semble que cette petite se soit préparée à toutes les éventualités.

— Excepté à ce qui lui est arrivé. À cela, elle n'était pas préparée.

— Non, j'imagine que non.

Charlie balaya l'ensemble pour tout remettre dans le sac.

— Personne n'est jamais prêt à rendre visite à Perséphone, lâcha-t-il.

Je pris l'iPhone 4 de Natalia, protégé dans une coque plastique d'apparence soignée munie d'une chaîne en or qui le faisait ressembler à une petite pochette de soirée, je retirai l'un de mes gants en latex et tapai de l'index sur l'écran. La batterie étant dans le rouge, il restait assez de charge pour s'apercevoir que, comme pour mon propre téléphone, un code de sécurité serait nécessaire pour accéder à son contenu.

— Il faut que nous arrivions à entrer dedans, dis-je. Il peut nous servir à savoir qui elle a vu ce soir-là. Nous allons donc le conserver un petit moment. Au moins jusqu'à dimanche, quand notre avocate devra informer la police de l'existence de cet endroit.

— Alors nous ferions tout aussi bien d'emporter aussi le sac à main, fit Charlie. Sans quoi, cet inspecteur trouvera cela étrange. Quand vous n'en aurez plus besoin, nous aurons toujours la possibilité de graisser la patte de quelques Roms pour qu'ils le rapportent à votre avocate afin de toucher la récompense. Rien ne les empêchera de raconter qu'ils l'ont trouvé dans une benne à ordures sur la marina. (Il secoua la tête.) De toute manière, l'inspecteur va trouver ça étrange quand le pharmacien du rez-de-chaussée lui apprendra que la police est déjà venue ici. En Grèce, les flics ont l'habitude que des collègues travaillent un peu en indépendants. Il saura que c'était vous, bien sûr, ou quelqu'un que vous avez payé pour s'en charger. (Il consulta sa montre.) Nous ferions donc bien de retourner au match et à votre alibi pour cet après-midi.

Je glissai le téléphone dans ma poche, mais il ajouta encore un mot :

— Pour ce qui est de savoir comment vous allez contourner la sécurité du téléphone, je n'en sais pas plus que vous. Je ne connais personne qui soit capable de craquer ce genre de code.

— Ne vous inquiétez pas, dis-je. Je connais pile l'homme qu'il nous faut.

41

Une petite minute après que j'eus repris ma place, le Panathinaïkós marqua l'unique but de la rencontre. Ce n'était pas un but d'anthologie. Les quatre défenseurs de l'OFI couraient comme s'ils portaient des poids aux chevilles, le gardien réussit à se jeter du mauvais côté alors que l'avant au maillot vert avait déjà téléphoné son geste, indiquant où il prévoyait de tirer. Rien de tout cela n'empêcha la foule de fêter l'événement comme si c'était le 31 décembre 1999 : un immense feu d'artifice de couleur verte éclata à la porte 13. La pétarade fut si assourdissante que tous les joueurs et l'encadrement sportif de London City – moi inclus – plongèrent sous les gradins comme si un hélicoptère Apache venait de tirer un missile dans le stade.

— Foutredieu, éructa Simon. Et merde, c'était quoi, ça ?

Un nuage de fumée verte dériva lentement au-dessus du terrain, masquant tout le stade et, l'espace d'une minute, on se serait cru au fond de la mer, avec les marins noyés de la bataille de Salamine.

— Je crois que c'était tout simplement la célébration du beau jeu par Zorba le Grec, dis-je.

— Il y a de quoi se demander comment ils ont fêté leur victoire à l'Euro 2004. Je vais te dire, si je savais parler grec, et s'ils m'entendaient, je passerais au moins pour Platon, putain. Chaque arrière a cru que son équipier allait tacler. Quatre types dans la surface et pas un seul qui marque son homme. Chaque fois que l'équipe d'en face entrera dans la nôtre, de surface, tu sais ce que je veux ? Je veux que nos quatre arrières meurent dans la tranchée, pour défendre les dix-huit mètres. C'était comme ça que tu défendais, et c'était comme ça que je défendais. Il en faut du cran pour jouer au football de cette façon, patron. Et ces gars-là n'en ont aucun, un point c'est tout. Regarde-les, avec leurs tatouages à la con partout sur le corps. Il n'y a qu'un seul tatouage, un seul slogan qui devrait être inscrit à l'encre sur la poitrine de tout grand arrière central : *¡No pasarán!* On ne passe pas. C'est ce que je me serais tatoué, moi, si j'étais défenseur, aujourd'hui.

Je repris le bus pour rentrer à l'Astir Palace avec l'équipe et m'assis à côté de Prometheus.

— Qu'est-ce que tu en as pensé ?

— Pas grand-chose. Et puis ce sont des racistes. Chaque fois qu'un de leurs joueurs noirs touchait le ballon, j'ai entendu des cris de singe. Je croyais que les Grecs étaient des gens civilisés.

— Qu'est-ce qui a bien pu te souffler cette idée ?

— C'est le berceau de la démocratie.

— Possible. Enfin, même à l'époque, ça ne comptait sûrement pas trop, à mon avis. Si tu entends des cris de singe mercredi soir, voici ce que tu feras. Marquer un but. Et ensuite, tu m'en marques un autre. C'est le meilleur moyen de faire taire ces salopards. Enfin, si tu avais joué sur cette pelouse cet après-midi, tu m'en aurais marqué trois. Avant la mi-temps.

Prometheus sourit – un immense sourire.

— L'équipe que nous venons de voir est championne de Grèce, continuai-je. Par défaut, peut-être. N'empêche, c'est un club de première catégorie. Tout comme l'Olympiakos. Et quand nous jouerons contre ceux-là, mercredi soir, je veux que tu m'en mettes trois, pas pour Bekim Develi, mais pour toi-même. Comme dit Aristote : « Béni est celui qui dessille les yeux des aveugles. » Donc, je veux voir le joueur que tu es capable d'être, je le sais.

— Compris, patron.

— Ce matin, tu me racontais que tu jailbreakais des téléphones, lui rappelai-je. Quand tu étais gamin.

Il haussa les épaules.

— Je continue. Juste pour garder la main. J'aime bien savoir comment ça marche, ces machins.

Je lui tendis celui de Natalia.

— Tu pourrais contourner le code sur celui-ci ? Sauf que tu devras procéder discrètement, sans en parler, car ce que je te demande pourrait nous valoir de nous faire arrêter tous les deux.

— Ce serait pas la première fois que ça m'arriverait, patron.

— Je n'en doute pas. Enfin, là, c'est du sérieux. Et on a affaire à des gens sérieux. Si on se fait choper, ce sera six mois dans une taule grecque.

Il prit le téléphone, appuya sur le bouton pour le sortir de la veille.

— Laisse-le-moi, patron. Je viens du Nigéria. Si je ne trouve pas, j'aurai aussi vite fait d'appeler quelqu'un chez moi qui saura.

De retour dans mon bungalow de l'Astir Palace, je relevai mes mails, puis je jetai de nouveau un œil au contenu du Keepall Louis Vuitton de Bekim Develi et de sa trousse de toilette assortie. Je savais déjà quel genre de sous-vêtements il portait, mais je cherchais autre chose – une clef pour comprendre la mort de Natalia, et qui me permette de gagner encore une fois la police de vitesse. J'imaginais bien que le simple fait de connaître son nom et son adresse mail ne suffirait pas. Quand on enquêtait sur un meurtre, on ne détenait jamais trop d'informations, me semblait-il.

J'étalai le contenu du Keepall par terre, imitant l'exemple de Charlie, l'ex-flic, avec le sac à main de Natalia. Sur ce plan, j'apprends vite. J'examinai encore ces objets comme si je jouais au jeu de Kim, quand j'entendis le discret gargouillis à la tonalité aquatique de Skype. C'était Sara Gill, l'Anglaise qui s'était fait violer et presque assassiner à Athènes. Je l'avais contactée par Skype précédemment, en laissant un message pour qu'elle me rappelle par le même canal.

Je cliquai sur la petite bulle verte pour sélectionner l'appel vidéo et me retrouvai en face d'une Asiatique aux cheveux courts et bruns qui devait avoir la trentaine. Un peu enrobée, elle était vêtue d'un T-shirt blanc et d'une veste grise. La pièce où elle se trouvait était typique de la région des Cotswolds, avec une grande cheminée et un chien endormi sur le sol derrière elle.

— Bonjour, monsieur Manson, fit-elle. Je suis Sara Gill. Vous m'avez contactée par Skype. À cette heure-là, j'étais dans le jardin. L'inspecteur principal Considine m'a expliqué votre situation au téléphone. Et j'ai lu dans les journaux ce qui est arrivé à cette malheureuse jeune femme, bien sûr. Par conséquent, je vous aiderai si je le peux.

— Merci de m'avoir rappelé, Sara. C'est un peu scabreux, je sais, mais je me demandais s'il y avait une possibilité pour que sa mort ait un lien avec ce qui vous est arrivé, à vous-même, et à un certain nombre d'autres femmes, à Athènes, il y a quelques années de cela. Voyez-vous, la jeune fille décédée la semaine dernière était une prostituée, et il m'a paru un peu étrange que la police ne mentionne pas que les autres femmes assassinées étaient également des prostituées. Les policiers n'ont pas non plus pensé à mentionner un éventuel rapport avec le football. Thanos Leventis était bien conducteur d'un bus qui transportait l'équipe de football du Panathinaïkós, n'est-ce pas ?

Avec placidité, elle m'écouta progresser laborieusement dans mon explication, aussi empoté qu'un ivrogne. Avec toute la diplomatie de l'équipe d'Angleterre de rugby, j'essayai de lui expliquer que personne n'avait laissé entendre qu'elle serait elle-même une prostituée, et je ne me sentais pas moins gêné de lui demander ce qui s'était passé. Cependant, même sur Skype, elle s'en rendit compte et tâcha de me mettre à l'aise. Ensuite, elle me raconta son histoire, avec patience et clarté, et de longues minutes s'écoulèrent avant que je ne sente un léger tremblement filtrer dans sa voix. Quand elle fut arrivée à la fin de son poignant témoignage, elle avait une boule dans la gorge et je vis ses mains trembler.

— Merci, lui dis-je. Pour vous, cela n'a pas dû être facile.

— En effet, m'avoua-t-elle. Néanmoins, j'ai décidé que c'était seulement en en parlant que j'obtiendrais un jour justice.

— Pourquoi pensez-vous que la police n'a pas cru à votre affirmation… que deux hommes vous avaient agressée ?

— Tout d'abord, ils détenaient les aveux de Thanos Leventis. En outre, il avait déclaré avoir agi seul. Je ne pense pas qu'ils aient eu envie de courir le moindre risque de contrarier sa version des faits. Enfin, on m'avait frappée, au point que j'avais perdu connaissance, et il s'était écoulé plusieurs jours avant que j'aie de nouveau les idées claires. J'étais sous le choc, naturellement. En d'autres termes, je m'étais contredite lors de ma déposition initiale. Lorsqu'ils ont appréhendé Leventis, j'étais de retour en Angleterre et personne ne s'intéressait beaucoup à ce que j'avais à déclarer. J'ai de nouveau téléphoné à la police, à plusieurs reprises, je leur ai rappelé qu'il y avait un autre homme, mais cela n'avait pas l'air de beaucoup les intéresser. C'est alors que j'ai contacté les journaux grecs pour les en informer. À mon avis, la majorité des gens préféraient se contenter d'escamoter toute cette histoire et de l'oublier. Et puis, soyons lucides, c'était la période où l'économie grecque s'effondrait, ruinant tout et tout le monde. Les gens essayaient de retirer leur argent des banques et n'y parvenaient pas, des émeutes éclataient dans les rues. La presse avait d'autres chats à fouetter. La police ne m'a même pas demandé d'assister au procès en tant que témoin. Avant même que j'aie eu le temps de m'en apercevoir, tout était terminé, et je n'ai jamais eu l'occasion d'être confrontée à Thanos Leventis à l'audience.

Elle s'essuya le coin de l'œil avec un mouchoir.

— Je suis désolé de vous avoir amenée à reparler de tout cela, Sara.

— Je vous en prie, répliqua-t-elle avec fermeté. S'il y a la moindre chance pour que votre intervention facilite la capture de cet homme, alors je vous en suis reconnaissante, monsieur Manson.

— Pouvez-vous me fournir une description ? Du deuxième homme.

— Oui. Il était plus âgé que Leventis. La fin de la trentaine, je dirais. Grand, le cheveu noir et un corps très poilu, comme beaucoup de Grecs. Je le sais parce qu'il m'a forcée à un rapport sexuel oral. Je me souviens qu'il avait une haleine très sucrée, comme s'il avait mangé des bonbons à la menthe. (Elle rit.) Pas du tout comme un Grec, si vous voyez ce que je veux dire.

— Oh, je vois. Je vois.

— Et maintenant voici l'aspect qui, à mon sens, a laissé penser à la police que j'étais victime de mon imagination. C'était qu'il avait trois sourcils.

— Trois sourcils ?

— Du moins c'est ce qu'il m'a semblé.

— Le reconnaîtriez-vous ?

— Je crois. Oui, j'en suis certaine.

— Que portait-il ?

— Un jean et un T-shirt, avec une espèce de logo de l'ONU. Là encore, je n'en suis pas sûre. Une sorte de… une sorte de couronne faite de rameaux d'olivier ? Sauf qu'entre les rameaux ce n'était pas une carte du monde, cela ressemblait davantage à une espèce de labyrinthe.

— Un labyrinthe ?

— Comme celui de la légende de Thésée et du Minotaure. À ceci près, selon moi, que celui-ci ne devait pas être aussi compliqué. J'ai parfois l'impression que c'est la clef de tout, non pas sur un plan métaphorique, mais bien réel. Si je pouvais saisir ce que signifiait ce signe, cela m'aiderait à trouver l'homme qui m'a violée. Pas Leventis. La vérité, c'était que Leventis était incapable de bander, si vous me passez l'expression. C'est pour ça qu'il m'a assommée. Et c'est grâce à cela que je suis en vie aujourd'hui. Il m'a cru déjà morte. Ils m'ont jetée dans le port et l'eau était si froide que je me suis réveillée. Lorsqu'ils sont repartis, je suis certaine qu'ils me croyaient morte.

— Ils vous ont jetée dans le port ? Je ne savais pas. Où, exactement ?

— Précisément, je l'ignore. Quelque part au Pirée, je suppose. L'agression proprement dite a eu lieu dans un terrain vague, à côté d'un stade de football. L'endroit ne se situait pas très loin du port, puisque c'est par là que je me promenais à pied quand j'ai été agressée. Je me souviens en effet que les gens qui m'ont repêchée m'ont conduite à la réception d'un hôtel tout proche.

— Réussiriez-vous à vous souvenir du nom de l'hôtel ?

— Oui, c'était l'hôtel Delfini. Ils ont été très gentils avec moi, et ils ont averti la police. De là-bas, ils m'ont accompagnée à l'hôpital Metropolitan, juste à côté du stade et de là où j'avais été agressée. Je pouvais voir le stade de mon lit. Sauf que ce n'était pas celui où joue le Panathinaïkós, c'était l'autre équipe d'Athènes qui joue là-bas : l'Olympiakos. Oui, je m'en souviens, maintenant. C'était l'autre lien avec le football. Hormis le fait que le chauffeur du car ait été employé par le Panathinaïkós.

— Quel jour de la semaine l'agression a-t-elle eu lieu, Sara ?

— C'était un samedi soir, en septembre.

— Et vous souviendriez-vous, par hasard, s'il y avait un match de football ce jour-là ?

— Non, je ne m'en souviens pas. C'était le dernier samedi de septembre, vous aurez donc sans doute la possibilité de le vérifier.

Après la fin de notre conversation sur Skype, je consultai Google Maps et constatai que le stade Karaiskakis, où évoluait l'Olympiakos, se situait à exactement trois kilomètres et demi de l'hôtel Delfini, dans Marina Zea. Et un vaste terrain s'étendait immédiatement au sud-ouest du terrain, côté Pirée. Connaissant l'endroit où on l'avait balancée après l'agression, il devenait réellement possible d'établir un lien entre la mort de Natalia, le viol de Sara Gill et celui d'autres femmes. Eu égard au racisme des Grecs, s'était-on attaqué à elle parce qu'elle était asiatique ? Les journaux hellènes faisaient souvent état d'agressions perpétrées par l'organisation d'extrême droite Aube dorée contre des Roms et des Pakistanais. Et, de ma propre expérience, je savais qu'une peau sombre suffisait à vous attirer la haine et le mépris. J'étais également intrigué par la description que Sara m'avait faite du logo sur le T-shirt de son agresseur : le terme de « labyrinthe » m'avait évidemment rappelé le tatouage sur l'épaule gauche de Natalia. Y avait-il aussi un lien ?

L'esprit ailleurs, je considérai les effets de Bekim Develi, étalés sur le sol du bungalow, en songeant à la réflexion finale de Sara Gill. Tout au fond de ma tête, une idée encore un peu indistincte gagnait peu à peu en clarté. Au bout de quelques instants, je me rendis compte que j'avais peut-être sous les yeux la clef que j'avais moi-même cherchée. Je me baissai et la ramassai par terre.

Ce n'était pas la clef d'une valise, d'une voiture, d'une chambre d'hôtel ou d'un casier de consigne à bagages, mais celle de la maison de Bekim sur l'île de Paros.

42

Le lendemain, j'embarquai à bord d'un DHC-8-100, un appareil à hélices assurant la liaison pour Paros à l'heure du déjeuner, et secoué de beaucoup plus de vibrations que celles des Beach Boys – et toutes beaucoup moins bonnes. Paros était une île de l'archipel des Cyclades qui, vue du ciel, ressemblait à un ticket de pari sportif déchiré en mille morceaux éparpillés sur un tapis d'un bleu éclatant. Paros n'était pas la plus petite de ces îles, mais au vu du minuscule aéroport et de sa piste au format timbre-poste, il était permis de le croire sans qu'on vous en tienne rigueur.

Je louai une petite Suzuki 4 x 4 chez Loukis Rent-a-Car, juste en face du terminal assoupi, et, me basant sur les indications du type au comptoir du loueur, je me mis en route vers la pointe sud-ouest de l'île, où se trouvait la villa de Bekim. En elle-même, l'île ressemblait à un vaste parcours de golf – terres broussailleuses sillonnées de murs de pierres sèches et de très rares arbres. N'était le crissement omniprésent des cigales, on aurait presque pu se croire dans une région reculée d'Irlande soudainement écrasée par une vague de chaleur d'une intensité inhabituelle. L'air de paysans, les gens du cru étaient tout aussi desséchés. Presque toutes les constructions que je vis étaient faites de pierre blanche et toutes les portes, les encadrements de fenêtres et les volets, les rambardes des balcons et les portails étaient peints de la même nuance de bleu, comme si la quincaillerie du coin ne fournissait que cet unique coloris. Ou bien tout le monde sur l'île était supporter d'Everton.

Moins d'un quart d'heure plus tard, je roulais sur une piste défoncée vers un chapelet de bâtiments blancs rectangulaires entourés d'une portion de terre déserte et raboteuse longeant une petite plage privée immaculée. La tanière de Bekim évoquait l'avant-poste d'une colonie française oubliée. Je garai mon véhicule derrière la bâtisse, à l'ombre, et tentai d'appeler Prometheus, pour savoir s'il arrivait à un résultat avec le téléphone de Natalia, mais je ne recevais aucun signal.

À l'intérieur, la maison était bien moins tradition-nelle, avec ses pièces d'un seul tenant, ses parquets vernis et le style de mobilier Charles Eames qui aurait eu sa place dans les décors de la série *Mad Men*. Sur le mur, à un emplacement de choix, en face de l'im-mense cheminée, était accroché un magnifique tableau d'un match de football par Peter Howson, qu'instanta-nément je convoitai. Dans la salle à manger, il y avait un autre tableau de Howson, cette fois-ci un portrait de Henrik Larsson peint durant sa septième saison au Celtic, en 2003-2004, et, là encore, je l'aurais volon-tiers emporté. Ailleurs, je trouvai de nombreuses sculptures modernes en marbre blanc et en granite noir poli, œuvres d'un certain Richard King, aussi belles qu'agréables au toucher. À première vue, il n'y avait ni télévision ni téléphone fixe, et très peu de courrier, ni sur le paillasson ni ailleurs.

Dans la cuisine, je me préparai un café grec, m'assis à la table et feuilletai de vieux exemplaires d'*Athens News*, un journal en langue anglaise. Une lecture déprimante. Sur chaque première page ou presque s'étalaient des photos en couleurs de la police hellénique s'en prenant à des émeutiers devant l'édifice du Parlement grec. Sur une autre première page, je vis un homme à l'allure de voyou brandissant un grand drapeau noir orné d'un symbole ressemblant un peu au logo de l'ONU, des branches de rameaux d'olivier enserrant un petit labyrinthe couleur d'or. À ceci près qu'en réalité ce n'était pas un labyrinthe, plutôt une sorte de swastika simplifiée. Je tournai la page et découvris une autre photographie, cette fois d'un homme vêtu d'un T-shirt noir imprimé du même insigne. D'après la légende, l'homme appartenait à l'ordre de l'Aube dorée, le parti politique d'extrême droite. Et subitement, je compris quelle sorte de T-shirt portait l'agresseur de Sara Gill. C'était un néonazi, un fasciste.

Je finis mon café, puis je procédai à une fouille minutieuse du logis qui ne livra absolument rien d'autre d'intéressant, excepté un penchant particulier de Bekim pour les soupes en boîte et les spaghettis à la sauce tomate Heinz. Il y en avait des placards pleins. J'étais sur le point d'en conclure que toute cette excursion n'était qu'une perte de temps lorsque la porte de derrière s'ouvrit et une petite femme, une sorte de hobbit, entra dans la cuisine, chargée d'un panier de produits et ustensiles de nettoyage. En me voyant, elle laissa échapper un cri et lâcha le panier sur le sol. M'étant excusé de lui avoir causé une telle frayeur, je lui expliquai que j'étais un ami de M. Develi.

— Il n'est pas ici pour le moment, me répondit-elle.

À l'évidence, cette femme – elle s'appelait Zoï – ignorait même le décès de son employeur. Je jugeai préférable de ne pas le lui apprendre, du moins par pour le moment : c'était des informations que je voulais, pas des larmes.

— Il joue au football, à Londres.

— Oui, je sais, dis-je en levant en l'air la clef de la villa. C'est M. Develi qui me l'a donnée.

Elle hocha la tête, toujours soupçonneuse.

— J'étais sur le continent, à Athènes, et Bekim m'a suggéré de venir ici séjourner un petit moment, si j'en avais l'occasion.

Cela, en tout cas, c'était la vérité.

— Vous restez ici cette nuit ? me demanda-t-elle.

— Oui. Si c'est possible. Je repars demain.

— Vous voulez que je vous fasse votre lit ?

— Non, je pense pouvoir m'en occuper. (Je regardai autour de moi.) Vous travaillez pour lui depuis longtemps ?

— Je fais le ménage pour M. Develi depuis qu'il est arrivé dans l'île. Il y a huit ans. Il aime beaucoup cet endroit parce que Paros, c'est tranquille, et les gens le laissent en paix. La plupart des habitants ne savent même pas que c'est un footballeur si célèbre. Il est très discret, ici. Comme les autres riches qui vivent à Antiparos.

352

Antiparos était l'île plus petite située à l'ouest.

Il paraissait étrange d'entendre Bekim évoqué au présent, comme s'il n'était pas mort. Bien sûr, dans l'esprit de cette femme, il était encore tout à fait en vie.

— Bekim Develi. La famille Goulandris. Tom Hanks. Sa femme, Rita Wilson, elle est d'origine grecque. Tout le monde apprécie cet endroit parce que personne ne sait que ces gens célèbres sont ici. C'est un grand secret.

Je ne pus m'empêcher de m'interroger à ce sujet, constatant l'empressement de Zoi à me révéler leur présence dans l'île.

— Vous cuisinez aussi pour lui ? Bekim, je veux dire.

— Non. Il dit qu'il est très difficile. Il n'aime pas la cuisine grecque. Seulement le vin grec. Rien que des plats anglais très ordinaires. Des œufs, du pain, de la salade. Je lui apporte ces choses, mais il se prépare toujours ses repas tout seul.

Il semblait étrange d'avoir une résidence de vacances sur une île grecque si la cuisine vous déplaisait. Enfin, apparemment, la plupart des touristes anglais de Grèce assuraient leur subsistance grâce à un régime de hamburgers et de frites.

— Je peux faire la cuisine pour vous, si vous voulez, monsieur… ?

— Manson. Scott Manson.

Je pris une photographie posée sur l'une des étagères de la cuisine et la lui montrai. C'était un portrait d'équipe pris à la fin de la dernière saison, quand nous venions d'assurer notre quatrième place en Premier

League et notre qualification en Ligue des champions. Je ne pouvais m'empêcher de me demander ce qui serait arrivé si nous avions fini cinquième. Bekim serait-il encore en vie ?

— Là, c'est moi, lui dis-je.

— Oui, fit-elle, plus rassurée. C'est vous.

— Ce soir, j'irai sans doute en ville dîner dans une taverne locale, dis-je. Alors ce n'est pas la peine de vous donner tant de mal.

— Cela ne me donne pas de mal. J'aime bien cuisiner. Ce sera comme vous voudrez, monsieur.

— Sinon, je peux me contenter d'un plat de spaghettis en conserve. Comme M. Develi.

Rien qu'à cette idée, elle fit grise mine.

— Beuh. Je ne comprends pas comment il peut avaler ces choses en boîte.

— Vous travaillez pour quelqu'un de difficile, dirait-on.

— M. Develi ? (Elle se rembrunit et secoua la tête.) C'est un homme merveilleux, protesta-t-elle. Personne n'a jamais travaillé pour quelqu'un d'aussi bien. Je n'ai jamais rencontré personne d'aussi gentil et généreux. D'autres qui le connaissent vous répéteront la même chose.

— Vraiment ? Je croyais vous avoir entendu dire qu'il était très discret, par ici.

— Il a des amis sur l'île. Évidemment qu'il a des amis. Il y a cette dame qui est artiste, à Sotires, c'est elle qui le connaît le mieux, je pense. Mme Yaros. M. Develi et elle sont très bons amis. Elle est sculpteur. Beaucoup de sculpteurs vivent à Paros. Ils venaient ici pour la beauté du marbre, par contre, maintenant, de tout le meilleur marbre, il ne reste plus rien, je crois bien. Je pense que de tous, c'est peut-être elle qui le connaît le mieux.

— J'aimerais rencontrer cette Mme Yaros. Pensez-vous qu'elle soit chez elle ?

Zoi me le confirma.

— Je l'ai vue ce matin. Au supermarché.

— Quelle est son adresse ?

— Je ne connais pas son adresse. En tout cas, sa maison est facile à trouver. En sortant d'ici, vous prenez la route à gauche, vous continuez cinq kilomètres, vous passez devant le vieux garage, vous tournez à droite et son habitation se situe tout en haut d'une pente assez raide. Elle est gris et blanc. Il y a un grand portail bleu. Et parfois un chien. Le chien n'est pas gentil, vous feriez mieux d'attendre dans la voiture qu'elle vienne vous chercher.

— Merci pour le conseil.

Je finis mon café, puis je remontai en voiture. Bien que j'eusse garé la petite Suzuki à l'ombre, l'habitacle était une fournaise, un crématorium. Je mis la climatisation en marche, démarrai et redescendis le chemin en direction du garage. Quelques minutes plus tard, je franchissais le portail bleu et grimpais une étroite voie pavée très raide dont la petite Suzuki peinait à atteindre le sommet. N'était la mise en garde concernant le chien, j'aurais presque pu sortir et finir à pied. Enfin, le terrain s'aplanit en bordure d'un jardin en espaliers et, au-dessus du bruit du moteur, j'entendis ce qui ressemblait à une fraise de dentiste. Ensuite, dans l'encadrement d'un atelier, j'entrevis une silhouette mince en combinaison bleue de mécanicien couverte d'une fine poussière blanche. Il était difficile de discerner s'il s'agissait d'un homme ou d'une femme en raison du masque de protection qu'il ou elle portait. Je manœuvrai pour me garer à l'ombre de l'auvent réservé aux voitures et attendis le chien ou son propriétaire, mais comme ni l'un ni l'autre n'arrivait, j'ouvris la portière avec précaution et appelai.

— Madame Yaros ? Pardonnez-moi d'arriver chez vous comme cela. Je m'appelle Scott Manson. Et je suis un ami de Bekim Develi.

Le temps de parcourir les quelques pas me séparant de l'atelier, la silhouette en combinaison avait coupé la bouteille d'air comprimé alimentant une fraise minuscule qu'elle utilisait pour façonner une spirale de marbre d'une beauté époustouflante, évoquant un morceau de matière tombé du ciel, retira son masque et secoua une masse de cheveux blonds d'une épaule à l'autre.

J'identifiai instantanément la jeune femme. C'était Svetlana Yarochinskaïa, que je connaissais mieux sous le prénom de Valentina.

43

— Mais enfin, qu'est-ce que vous fabriquez ici ? Je ne comprends pas. C'est une propriété privée. C'est Bekim qui vous a indiqué où me trouver ?

Je ne sais comment, mais cette femme réussissait à paraître encore plus belle dans sa combinaison poussiéreuse, quoique cela pût avoir un rapport avec le fait qu'elle l'avait déjà déboutonnée, révélant son généreux décolleté. J'ouvris la bouche pour lui expliquer les raisons de ma présence ici, malheureusement elle n'était pas encore d'humeur à entendre de quelconques explications.

— Je trouve très déplacé de sa part de vous avoir révélé où j'étais. Vous pourrez le lui dire : je suis très en colère. Il m'a trahie.

Les sandales roses qu'elle portait et ses ongles de pied vernis étaient à peu près les seules concessions faites à sa féminité, ainsi que le clou serti d'un diamant que je voyais étinceler à son nombril.

— Ce n'est pas Bekim qui m'a dit comment vous trouver, la détrompai-je. C'est Zoi. Sa femme de ménage.

— Bon, comment saviez-vous que je serais là ?

— Je ne le savais pas. Je suis venue voir une Mme Yaros. Et à la place, c'est vous, Valentina. Franchement, je suis aussi surpris que vous. J'avais supposé que Mme Yaros était grecque. Je veux dire, cela sonne grec.

Elle hocha la tête.

— Cela me plaît ainsi. Yaros est un diminutif de Yarochinskaïa… mon vrai nom. Et s'il vous plaît, cessez de m'appeler Valentina. Pas à Paros. Quand je suis ici, je ne suis jamais Valentina. Mon prénom, c'est Svetlana.

— Très bien. (Je levai les mains en signe de reddition.) Pas de problème.

— Alors pourquoi êtes-vous ici ?

Comme Zoï, Valentina ignorait visiblement tout de la mort de Bekim. J'envisageai un instant de lui répondre que j'étais venu acheter une sculpture, une façon de la ménager encore un peu, pourtant, dans sa combinaison couverte de poussière, elle paraissait assez solide pour entendre ce que j'avais à lui annoncer sans que j'aie à me lancer dans le long discours de l'entraîneur à son équipe.

— Je suis ici parce que Bekim est mort, dis-je sans détour. Mardi dernier, dans la soirée, en plein match de football contre l'Olympiakos. Il s'est écroulé, il est mort, sur le terrain, devant vingt-cinq mille personnes.

— Oh mon Dieu ! s'écria-t-elle. Pauvre Bekim. Je ne le savais pas.

— C'est ce que j'ai cru comprendre.

— Vous devriez entrer.

Elle me précéda, contournant une piscine à la forme bizarre vers une petite porte dérobée, et enjamba un chien assoupi.

— Zoi m'avait prévenu qu'il était féroce, dis-je, hésitant.

— Il l'était. Il est trop vieux pour défendre grand-chose, maintenant.

— Un sentiment qui ne m'est pas étranger.

Je la suivis à l'intérieur, où l'ameublement spartiate évoquait davantage un musée abritant des œuvres qui devaient être les siennes, supposai-je. Nous traversâmes un salon et passâmes dans la cuisine où elle alluma une cigarette et prépara un café grec. À côté de la cuisinière, il y avait une photo de Svetlana à Saint-Pétersbourg, à quelques pas d'une énorme statue équestre de Pierre le Grand. Je l'avais vue par la fenêtre du bus, lors de notre tournée d'avant-saison en Russie. Sur le moment, cette tournée m'avait paru un désastre, mais évidemment, c'était avant que je ne ressente tout l'effet de ce qu'est un véritable désastre au football.

— De quoi est-il mort ? demanda-t-elle. D'une crise cardiaque, je suppose.

— Quelque chose de cet ordre. Nous attendons encore l'autopsie, j'en ai peur. À Athènes, rien n'avance rapidement, surtout quand tout le monde est en grève.

Elle soupira.

— Je suis désolée, je l'ignorais.

— Je commence à comprendre pourquoi Bekim aimait tant cet endroit, remarquai-je. Ici, tout le monde croirait que la télévision, Internet et les journaux n'ont pas encore été inventés.

Elle réagit d'un geste désabusé.

359

— La plupart des gens qui viennent vivre sur cette île souhaitent échapper au monde, me répondit-elle. Nous sommes un peu comme les Lotophages dans l'*Odyssée* d'Homère. Vous savez ? Une fois que vous avez mangé le fruit du lotus, vous perdez tout désir de repartir… Je ne sais pas… comme la plupart des insulaires, j'ai juste envie de vivre dans la paix et le silence. Aujourd'hui, à la télévision, dans les journaux, ce ne sont que de mauvaises nouvelles. À Paros, nous essayons de ne pas prêter attention à ce qui se passe à Athènes. C'est presque toujours si déprimant.

Mon attention fut attirée par un dessin encadré sur le mur face à moi, un joli dessin, d'une jeune femme qui ressemblait à Natalia.

— Je ne suis pas ici pour lui ou même pour elle. Je suis ici pour moi. Et pour l'équipe. Vous voyez, aucun de nous n'est autorisé à quitter Athènes jusqu'à ce que la police ait la certitude que Bekim n'avait rien à voir avec la mort d'une fille avec laquelle il a couché la nuit précédant sa mort. Une jeune Russe, que vous connaissez, je crois.

Svetlana laissa échapper un soupir qui emplit la cuisine de fumée de cigarette et me donna envie d'en fumer une moi-même.

— Natalia.

— Ce dessin, c'est elle ?

— Oui.

— Elle a été retrouvée dans le port, un poids attaché aux pieds.

— Oh mon Dieu. (Sur le moment, elle en eut les larmes aux yeux, puis elle arracha un morceau d'essuie-tout et les sécha, une longue minute.) La pauvre gamine.

— Jusqu'à présent, j'ai essayé de cacher votre nom à la police. Une faveur.

— Merci.

— Votre nom, votre numéro de téléphone, votre adresse Skype, votre e-mail. Enfin, je ne vois pas quelle différence cela aurait pu faire. De toute manière, vous ne répondez jamais.

— Ici, mon téléphone ne capte aucun signal. Je n'ai pas de ligne fixe. Pour le moment, mon ordinateur est chez le réparateur. Un truc qui ne marche pas. (Son visage s'assombrit.) Et la police s'imagine quoi ? Que Bekim a quelque chose à voir avec la mort de Natalia ?

— Quelque chose de ce genre.

— Impossible. Il a toujours été gentil avec elle. Et elle avait beaucoup d'affection pour lui. Presque autant que moi.

Elle décrocha le dessin du mur et le regarda tristement.

— Je suis heureux de l'apprendre, dis-je. Notamment parce que je remonte moi-même quelques pistes dans l'espoir de blanchir sa réputation. Considérez que je suis devenu détective privé en partant du principe que je ne pourrais faire moins bien que la police grecque. Je suis venu sur cette île en quête d'un indice me permettant de comprendre comment et pourquoi elle a trouvé la mort. Et apparemment, j'avais raison. J'ai trouvé quelque chose.

— Ah ? Et quoi ?

— Vous, bien sûr.

— Moi ? Je ne peux vous expliquer ce qui lui est arrivé.

Elle remit le dessin en place, sur le mur, et se passa la main sur un sein, l'air absente.

— Peut-être pas. Vous pouvez au moins m'aider à combler les blancs. Si vous faites ça, je m'efforcerai de dissimuler votre nom à la police.

— J'ai besoin de me laver et de me détendre.

Elle déboutonna sa combinaison, la laissa glisser à terre et, complètement nue, but un peu du délicieux café qu'elle avait préparé. La tasse, et plus particulièrement la soucoupe, donnait encore plus d'attrait au naturel de son apparence.

— Vous n'imaginez pas la chaleur qu'il fait dans cet atelier. La climatisation est tombée en panne. Et j'ai de la poussière partout sur le corps.

Sèche ou mouillée, il n'y avait rien de plus beau à voir que Svetlana à des kilomètres à la ronde. Pendant qu'elle prenait sa douche, j'en profitai pour admirer certaines des sculptures qui entouraient la piscine : d'élégantes pièces de marbre et de granite qui possédaient tout le caractère d'objets naturels – plantes, coquillages, faune sous-marine – ce qui, compte tenu qu'elles étaient taillées dans la pierre, les rendait d'autant plus impressionnantes.

Je me retournai en entendant Svetlana sortir sur la terrasse, serviette en main, la peau luisante. Elle étala la serviette sur le dossier d'une chaise en cannage puis elle plongea dans l'eau, nagea deux longueurs et revint au bord. Je m'assis sur une chaise près d'elle.

Elle se laissa couler sous la surface un petit moment, puis ressurgit d'un coup, se hissa sur le bord en s'aidant de ses bras, plus musclés que dans mon souvenir, et resta là, au soleil, comme la Petite Sirène.

— Alors, maintenant, racontez-moi ce que vous croyez savoir, me dit-elle.

Je le lui dis. Cela ne fut pas très long. J'étais presque gêné de prendre soudain conscience du peu que je savais. Peut-être était-ce propre au travail de détective. Vous ne savez rien, et, quelques minutes plus tard, vous vous figurez presque tout savoir.

— La dernière fois que j'ai parlé à Bekim, c'était il y a environ deux semaines, me confia-t-elle à son tour. Il m'avait envoyé un mail de Londres, il avait l'intention de faire un saut à Athènes et de m'y retrouver. Je lui ai répondu que je ne pouvais pas, je travaillais. Et il a compris. Il a donc dû contacter Natalia, naturellement. Non, attendez. Il faut que je reprenne au début, il y a environ six ans. Ce n'est pas que j'éprouve le besoin de me justifier devant vous, Scott. Pas du tout. C'est juste que, lorsque vous m'avez dit que vous cacheriez mon nom à la police, je me suis rendu compte que vous me rendiez un grand service. J'estime qu'en échange il faut que je vous raconte absolument tout.

44

— En 2008, quand le pays a été très durement frappé par la récession, certains établissements bancaires semblaient au bord de la faillite. Comme beaucoup de Russes, j'avais de l'argent à la Banque de Chypre, et, pendant une période, j'ai cru que j'allais tout perdre. Depuis un certain temps, mes œuvres ne se vendaient plus. Les achats d'art, c'est toujours le premier poste de dépense sur lequel les gens rognent. Pas Bekim, qui a un œil très sûr pour la peinture, et pour la sculpture aussi. Il m'a sauvée de la débâcle. Il m'a acheté plusieurs pièces, puis il m'a suggéré une source de revenus plus régulière. Il m'a dit que, même en Grèce, il y avait quantité de types dans le football qui seraient disposés à payer pour une GFE – une *girlfriend experience* – avec une femme qui ne soit pas escort professionnelle.

« Au début, j'ai cru à une blague. Cependant, il m'a ensuite présenté une Anglaise de la Fédération hellénique de football, Anna Loverdos, et un Grec de l'UEFA qu'elle fréquentait. Ils trouvaient l'idée de Bekim géniale. Toute cette histoire, c'était son idée à lui. Il m'a affirmé qu'on rendrait service à un tas de types qui sans cela se contenteraient d'aller à Sofokleous, le quartier chaud d'Athènes, et se créeraient un tas de problèmes. Bekim a été le premier à en profiter, bien sûr. Cet homme a une libido de bouc.

« La première fois que je suis sortie avec un autre de ces messieurs, il s'agissait d'un type âgé, de la FIFA. Cela avait un lien avec la Coupe du monde au Qatar. J'étais la cerise sur le gâteau, en plus de l'argent qu'il avait touché en échange de son vote. Côté sexe, c'était nul, mais il y avait une belle somme à la clef. J'ai été payée cinq mille euros rien que pour passer le week-end avec lui, une partie de cette somme étant le prix de mon silence. Le type m'a laissé un pourboire de mille euros. Il avait les moyens, bien sûr. Plus tard, j'ai lu dans le journal qu'il avait perçu plus d'un million de dollars pour son vote.

« Ensuite, Anna m'a rappelée et, avant que j'aie bien réalisé, elle en a pris l'habitude, une ou deux fois par mois. Elle me mettait en contact avec un footballeur ou le cas échéant un officiel de la FIFA ou de l'UEFA. J'étais payée jusqu'à deux mille euros la nuit, en liquide. Je me disais que faire des passes n'était pas une si mauvaise idée, pour une artiste. Baiser avec quelques types ne me paraissait pas plus condamnable que certaines choses qu'avaient pu faire le Caravage ou Benvenuto Cellini. (Elle haussa les épaules.) On peut tout justifier à ses propres yeux, si on le veut. J'estimais que tout ce qui m'importait, c'était mon travail, et que si je devais baiser avec un riche pour continuer de créer, je m'y résoudrais. Je ne nie pas qu'il y a même eu plein de fois où j'y ai pris du plaisir. Surtout quand c'était un footballeur. Il y a pire que de coucher avec de jeunes types beaux et musclés.

« Comme je vous le disais, c'était à temps partiel. Peut-être deux fois par mois. Cela payait mes factures. Cela m'a même rapporté assez pour que je m'achète un petit appartement à Athènes. Ensuite, Anna s'est mise à me téléphoner un peu plus souvent. Apparemment, dans le football, ce ne sont pas les types friqués qui manquent. Agents, managers, joueurs, officiels, même quelques arbitres que certains voulaient acheter avant un gros match. J'ai donc déniché une autre fille, une Russe, pour me seconder quand j'étais prise. Natalia. Elle était plus professionnelle que moi. Et bien meilleure, aussi. Soit je voyais le client moi-même, si j'avais besoin d'argent, soit je confiais le travail à Natalia, et je touchais 10 %. Cela me semblait juste. C'est moins que ce que réclame le marchand qui vend mes œuvres. De toute manière, je crois que Bekim la préférait à moi. Elle était plus aventureuse. S'il venait à Athènes, il m'appelait moi, ou Natalia, en direct. Il était bien intentionné, évidemment. Il nous recommandait toutes les deux à quelques personnes. Vous inclus.

« Au bout d'un certain temps, je n'ai plus eu envie de continuer. J'avais vendu une partie de mes œuvres à une compagnie de bateaux de croisière et j'étais bien moins disposée à baiser avec des types du foot pour de l'argent. Vous aurez peut-être du mal à le croire, mais en réalité vous étiez mon dernier client. Franchement, je n'ai accepté que pour rendre service à Bekim. Il m'a payée d'avance et m'a promis que je n'avais pas besoin de baiser avec vous si je n'en avais pas envie, que vous étiez un type sympa, que vous sauriez vous conduire. De toute manière, juste pour que vous le sachiez, avec vous je l'ai fait parce que j'en avais envie. En revanche, ici, à Paros, cela ne m'est jamais arrivé. Même pas avec Bekim. Quand je suis à Athènes, je suis Valentina. Quand je viens ici, je deviens Svetlana Yaros, le sculpteur. Et jusqu'à ce jour cela n'a posé aucun problème. (Elle attacha ses cheveux en une queue-de-cheval et les essora.) Restez là, fit-elle.

Elle se leva et alla chercher non pas ses vêtements ou un peignoir mais une cigarette dans la cuisine, et je n'eus pas à le regretter. Calypso elle-même n'aurait pas eu l'air plus séduisante.

— Parlez-moi de Hristos Trikoupis, dis-je.

— Vous a-t-il parlé de moi ?

— Non. C'est Jasmine.

— Ah, Jasmine. Vous avez été méthodique, vous. Pendant un temps, j'ai eu une relation suivie avec Trikoupis. Il voulait que je devienne sa maîtresse, mais ce genre de relation ne m'intéressait pas. Il était trop poilu pour moi. Trop comme un animal. Et en plus, il a une haleine épouvantable. (Elle fronça le nez, l'air contrarié.) Nous sortions dîner chez Spondi, ensuite je montais à son appartement, près du stade, et je couchais avec lui. Par la suite, j'ai cessé de le voir et je suis plus ou moins sortie de cette affaire d'escort pour VIP du foot. Quand nous sommes allés assister à ce match contre le Hertha, vous et moi, il nous a vus, ça l'a rendu furieux. Je n'avais pas l'intention de le mettre en colère. Il était si jaloux de vous... Véritablement comme s'il vous haïssait.

— Cela explique bien des choses. Il a tenu contre moi dans la presse quantité de propos virulents que j'ai considérés comme de la pure et simple joute verbale, avant le match. Pourtant, je me suis peut-être trompé à ce sujet.

— Je ne sais pas. C'est possible.

— Quand avez-vous vu Natalia pour la dernière fois ?

— En mai, je crois. Nous avons bu un verre ensemble au Grande-Bretagne, avec deux Blacks. Un joueur du Panathinaïkós et son agent. Nous sommes sortis tous les quatre dîner dans un restaurant qui s'appelle Nikolas tis Schinoussas, où nous avons retrouvé un autre joueur, un Roumain qui joue pour l'Olympiakos. Ensuite, nous avons raccompagné le Roumain chez lui, à Glyfada. L'agent est rentré de son côté, à son hôtel. (Elle se rembrunit.) Vous comptez que je me remémore les noms, n'est-ce pas ? Je ne suis pas très bonne à ce jeu-là.

— Essayez.

— Le Roumain s'appelait Roman quelque chose.

— Roman Boerescu ?

Elle hocha la tête.

— Et les autres ? Les deux Blacks ?

— Alors, voyons. Le joueur portait un nom qui évoquait les anges. Oui. C'était Séraphin.

J'opinai.

— Séraphin Ntsimi. Le Panathinaïkós l'a racheté à Crystal Palace l'été dernier.

— Si vous le dites. Je ne sais rien à ce sujet. Moi, je couche juste avec eux.

— Et l'agent ?

— Tojo. Du moins, je crois que c'est son nom. Un grand type. La tête comme une boule de bowling.

Là encore, j'acquiesçai.

— Oui, je sais qui c'est.

Je demeurai un moment silencieux.

— Je m'en sors comment ? me demanda-t-elle.

— Bien.

Elle ferma les yeux et leva le visage vers le soleil.

— Prévoyez-vous de rester dormir dans la villa de Bekim, ce soir ?

— C'est l'idée.

— Qu'allez-vous faire pour le dîner ?

— Je pensais aller en ville trouver une petite taverne. Sans parler d'un signal de portable et d'un réseau wifi.

— Vous ne trouverez rien de potable. Pas en août. Tous les endroits raisonnables seront complets. Pourquoi ne dîneriez-vous pas ici ? (Elle haussa les épaules.) J'ai déjà préparé quelque chose. En général, je cuisine pour deux, et cela me dure deux jours. Donc c'est votre jour de chance, franchement.

— Cela ne me déplairait pas. À une condition. Que vous enfiliez des vêtements.

— Vous êtes sûr d'y tenir ? Il y a des messieurs qui paieraient une grosse somme pour qu'une femme nue leur cuisine quelques plats. En plus, chez moi, je ne porte jamais de vêtements, à part mes combinaisons de travail. Que je n'aimerais pas porter pour servir à dîner.

— Peut-être pourrions-nous en excuser l'absence pour l'occasion, fis-je vaguement. Je crois qu'il fait très chaud.

45

Svetlana était bonne cuisinière, et elle avait préparé tout un assortiment de plats grecs délicieux.

— C'est agréable d'avoir quelqu'un pour le dîner, dit-elle en apportant un plat après l'autre sur la terrasse que prolongeait un petit jardin encombré de blocs de pierre. Quand je suis ici, j'ai tendance à vivre comme une nonne.

Elle me servit un verre de vin blanc frappé, puis passa dans le fond de la maison, me laissant un moment seul. Pour une raison ou une autre, je pensai à Sara Gill. En même temps, je pensais au football. La vérité, bien sûr, c'est que je pense presque tout le temps au football. Et, très souvent, lorsque je pense au football, je me souviens d'une réflexion que me répétait João Zarco. C'était un penseur bien plus original que ne l'imaginaient la majorité des gens. Je l'entendais presque, en cet instant :

« Je lisais ce philosophe grec qui s'appelait Zénon, me disait-il. Tu connais ? Cette histoire de la flèche en plein vol ? C'est un argument contre le mouvement. Comme quoi le temps est entièrement composé d'instants, de sorte qu'à chaque instant du temps il ne se produit aucun mouvement. Je me demandais si cette réflexion pouvait s'appliquer au football, et je crois que c'est possible. Dans le football, tout peut être décomposé en phases de jeu distinctes comparables au mouvement de la flèche ; et chaque phase de jeu peut à son tour être décomposée en moments de transition, ceux où un match bascule de façon décisive : un tacle, un dégagement médiocre, une passe en profondeur. Ces moments de transition peuvent posséder la force de la révélation, quand on sait voir ces moments de révélation pour ce qu'ils sont. Afin de pouvoir agir sur eux. C'est aussi là que réside tout le futur. »

À ce stade, je ne prétendrais pas avoir eu de révélation, mais je me levai de table et brandis le poing. Une chose que Svetlana avait dite – je n'étais même pas sûr de ce que c'était – m'avait fait deviner la probable identité de l'homme qui avait aidé Thanos Leventis à agresser Sara Gill, l'homme qui l'avait violée et laissée pour morte dans le port.

Quand Svetlana revint sur la terrasse, elle portait un élégant pantalon noir, un T-shirt à manches longues assorti, et elle s'était parfumée.

— Vous avez l'air content de vous, observa-t-elle.

— Si c'est le cas, cela me change par rapport au reste de ce voyage, dis-je en me rasseyant. Je n'ai jamais été de ceux qui restent passivement à se féliciter. J'imagine que tous les entraîneurs de football sont ainsi faits : assaillis de réflexions sur ce qui aurait pu être. Il me semble abriter parfois au fond de ma tête un type en permanence fâché contre moi. (Je soupirai.)

Pauvre Bekim. Cela aurait pu être la meilleure de toutes ses saisons.

Nous nous assîmes à table et commençâmes à dîner.

— J'admire franchement votre appétit, remarquai-je en la regardant dévorer un grand plat de moussaka. Il n'y a pas beaucoup de femmes capables d'avaler tout cela la conscience tranquille.

Je savais que je n'avais aucun besoin de lui débiter des niaiseries sur l'élégance de sa silhouette – nous savions tous deux qu'elle était superbe –, toutefois, j'étais très désireux de m'assurer sa coopération. Svetlana m'en avait déjà révélé beaucoup, mais j'éprouvais le besoin de tout savoir.

Quand nous eûmes fini de dîner, elle alluma une cigarette et, comme nous étions dimanche soir – la seule soirée où je m'autorise à fumer –, j'en pris une, moi aussi.

— Merci pour cet excellent dîner, dis-je. Et de m'avoir évité une soirée en solitaire. C'était soit la *taverna* du village, soit les spaghettis en conserve.

— Des spaghettis en conserve ?

— Les placards de la cuisine de Bekim en sont pleins.

— Oui, bien sûr, forcément. Il adorait la cuisine anglaise. Vous savez, je crois que Natalia est la dernière personne pour qui j'ai cuisiné. Elle est venue séjourner ici quelques jours, il y a environ six mois. Elle traversait une mauvaise période, la pauvre, elle était déprimée. Je n'en suis pas exactement certaine, malgré tout, je pense qu'elle avait fait une tentative de suicide quand son fiancé avait filé en Angleterre.

— Çe devait être ce type qui s'appelait Boutzikos.

— Nikos Boutzikos. Oui.

— Alors vous étiez amies ? Elle et vous ?

— Ce n'était pas que pour affaires. Nous étions… enfin, disons juste que nous étions proches.

— Non, je vous rappelle que vous avez accepté de tout me raconter, insistai-je. Afin de mieux protéger votre nom de la police. Alors j'ai besoin de tout savoir, si cela ne vous ennuie pas.

— Très bien. (Elle prit le temps de laisser échapper un filet de fumée par les deux narines, comme un dragon sur le point de cracher le feu.) Si vous devez réellement savoir que nous avons couché ensemble… C'était son idée. Elle avait envie de moi plus que moi d'elle, et je l'ai fait uniquement parce que je pensais que cela lui permettrait d'aller mieux. En fait, c'est moi qui allais mieux, après. Elle m'a fait jouir comme une folle. Ce qui est curieux parce que j'ai très peu d'expérience avec les femmes.

Je haussai les épaules.

— J'imagine qu'elle savait ce qu'elle faisait. Une professionnelle comme elle. Après tout, c'était son job, non ? Trios, parties carrées, est-ce que je sais. Ce genre de choses.

— Vous présentez cela de manière bien sinistre.

— Telle n'est pas mon intention. Enfin, avec le recul, c'est l'effet qu'elle produit sur moi : une professionnelle. Sinon, comment décrire quelqu'un qui est prêt à droguer ses clients ?

— Ridicule. Ce n'était pas du tout ce style de fille.

— Et ça, que croyez-vous que ce soit ? Des pastilles pour garder l'haleine fraîche ?

Je tapai sur l'icône des photos de mon iPhone et lui montrai celle des comprimés de Rohypnol que j'avais récupérés dans le sac à main de Natalia.

— Je les ai trouvés dans son sac, précisai-je.

Svetlana fit encore non de la tête.

— Vous vous trompez complètement. Natalia ne s'en servait pas pour endormir les clients. Ce n'est pas comme ça que fonctionne ce job. Pas à notre niveau, en tout cas. Non, ces pilules étaient pour elle. Ce sont des antidépresseurs. Une fille de la place Omonia aurait pu faire ce que vous suggérez, pas quelqu'un comme Natalia. À mille euros pour une GFE de deux heures, ce n'était pas exactement la putain qui fait le trottoir.

Je lui montrai la photo suivante.

— Et je suppose que le ceftriaxone, c'était juste pour le cas où elle s'enrhumerait.

— Les accidents, ça arrive. Il vaut mieux s'y préparer. (Elle se renfrogna.) Comment savez-vous cela, d'ailleurs ? Au sujet du Rohypnol ? Je croyais que les flics n'avaient rien découvert.

— Ils n'ont rien découvert, en effet. Moi, si. Avec l'aide de mon chauffeur, Charlie. Il a longtemps été inspecteur dans la police grecque. Nous avons convaincu le propriétaire de Natalia, au Pirée, de nous permettre d'accéder à son appartement, ensuite nous avons un peu fouiné. J'ai emporté son sac afin de le conserver en lieu sûr. Et j'en ai photographié le contenu, comme vous le constatez.

Je lui tendis mon téléphone et la laissai regarder les photos que j'avais prises.

— Pour le moment, je garde encore ce sac, bien que l'avocat de notre équipe, à Athènes, considère que j'aurais intérêt à le rendre à la police, le plus tôt étant le mieux.

Quand elle vit la photo de l'iPhone de Natalia, Svetlana s'arrêta dessus.

— Donc, les flics vont vouloir me parler, au bout du compte. Je veux dire, ils vont presque certainement trouver mon numéro, dans son téléphone. Sans parler de quelques SMS, peut-être.

— Pas nécessairement. L'un de mes joueurs fauchait des téléphones pour vivre. Il essaye de percer le code d'accès. Il se pourrait que je sois en mesure d'effacer un ou deux fichiers avant de le rendre.

— Je vois. (Elle fit glisser le doigt sur l'écran pour afficher la photo suivante, et fronça les sourcils.) Attendez une minute.

— Quoi ?

Elle retourna mon téléphone, pour me montrer une photo d'un des quatre auto-injecteurs d'épinéphrine de Natalia.

— Ces EpiPen. Je ne pense pas qu'elle ait été allergique à quoi que ce soit. En fait, j'en suis sûre. J'ai cuisiné pour elle. Elle me l'aurait signalé.

— Charlie estime que ce n'est pas pour ça qu'elle avait ces doses sur elle. Il m'a expliqué qu'en Grèce le Viagra est introuvable et qu'une injection d'adrénaline aide certains types à bander.

— Absurde. Croyez-moi, il n'y a aucun Viagra qui soit aussi puissant qu'une fille de vingt-cinq ans comme Natalia.

Elle pinça l'image, écarta le pouce et l'index et agrandit la photo de l'EpiPen.

« En plus, regardez ce qui est imprimé sur la tranche de la boîte. C'est en russe. Ce n'était même pas à elle. Cet EpiPen a été prescrit à Saint-Pétersbourg. À Bekim Develi.

— Quoi ?

— Elle a dû lui prendre. Les lui prendre.

L'espace d'un instant, j'envisageai l'éventualité que Bekim se soit injecté de l'épinéphrine en guise d'optimiseur de performances, comme l'éphédrine qui avait valu à Paddy Kenny de se faire coincer quand il jouait pour Sheffield United en 2009. Tout à coup, il semblait qu'il ait pu lui-même s'infliger cette crise cardiaque.

— Bon Dieu, l'imbécile, grommelai-je. Bekim devait se servir de cette substance comme d'un stimulant.

— L'imbécile, mais pas de la façon que vous pensez, objecta Svetlana. Bekim pouvait être plein de choses, mais ce n'était pas un tricheur. Vous saviez sûrement qu'il souffrait d'une grave allergie ?

— Une allergie ? À quoi ?

— Aux pois chiches. Il ne voyageait jamais sans au moins un de ces auto-injecteurs.

— Vous en êtes certaine ?

— Bien sûr que j'en suis certaine. Il me l'a dit lui-même.

— J'ai vu le rapport médical établi avant son transfert. Il n'y avait aucune mention de la moindre allergie.

— Alors il a dû mentir à votre médecin. Ou le médecin a accepté de couvrir la chose.

— Notre toubib n'aurait jamais accepté de tremper dans une dissimulation pareille. (J'eus une moue dubitative.) Bon, enfin, les pois chiches, cela ne devait pas être si sérieux.

— Pas à Londres, peut-être. Au contraire, en Grèce, c'est sérieux. On se sert de pois chiches pour préparer le houmous. Et dans les currys, naturellement.

— Seigneur. C'est ce qui explique les spaghettis.

Elle opina.

— Depuis que je connaissais Bekim, il faisait toujours attention à ce qu'il mangeait. Surtout en Grèce.

— Alors il n'est pas étonnant qu'il n'ait pas laissé Zoi lui préparer ses repas.

— S'il avait accidentellement avalé des pois chiches, il aurait subi un choc anaphylactique.

— Et sans l'EpiPen, ce choc aurait été potentiellement fatal.

Elle hocha la tête.

— Tout de même, au Dynamo Saint-Pétersbourg, son ancien club, quelqu'un devait certainement être informé ?

Ce n'était plus à elle que je posais la question, je me la posais à moi.

— Et s'ils ne l'avaient pas mentionné ? (Elle laissa cette question quelques secondes en suspens, avant de formuler ce que j'avais déjà en tête.) Cela aurait affecté le montant de son transfert, n'est-ce pas ?

— Cela aurait affecté la totalité de son transfert, rectifiai-je.

— Je connais les Russes beaucoup mieux que le football, me confia Svetlana. Ils ne laisseraient sûrement pas un quelconque problème de divulgation de renseignements médicaux affecter une grosse transaction. C'est vrai non seulement de son ancien club, mais aussi de Bekim. Il était vraiment ravi d'aller jouer pour un grand club londonien. Les Russes adorent Londres.

— Par conséquent, il a dû y avoir tromperie et collusion, dis-je. Entre le Dynamo et lui.

— Pourquoi pas ? fit Svetlana. Votre propre médecin s'est sans doute borné à lui poser la question : Êtes-vous allergique à quoi que ce soit ? Et lui, il a dû se contenter de répondre simplement non.

Je tirai une longue bouffée de ma cigarette, avant de l'éteindre. L'arôme me rappela des souvenirs forts de la prison, quand une simple clope peut paraître aussi délicieuse qu'une bouffe dans un bon restaurant.

— Il y a une question plus importante, maintenant. Que faisaient les EpiPen de Bekim dans le sac à main de Natalia ?

Svetlana ne répondit rien. Elle alluma une autre cigarette. Je l'imitai. Tout cela donnait fortement matière à réflexion, une matière qui n'avait rien de plaisant.

— C'est grave, n'est-ce pas ? dit-elle au bout d'un petit moment.

— J'en ai peur. Si Natalia lui a pris ses auto-injecteurs, c'est qu'elle a été payée pour ce faire.

— Par qui ?

— Je l'ignore. Cependant, il y a quarante-huit heures, un type de l'Unité de renseignement sur les paris sportifs, qui fait partie de la Commission des jeux, en Angleterre, m'a demandé si Bekim aurait pu être intoxiqué. Malgré ce que je lui ai répondu, il semblerait que tel puisse bien être le cas, en fin de compte.

— Intoxiqué ? Qu'est-ce que cela signifie ?

— Cela veut dire piqué. Trafiqué. Drogué, comme un cheval. Empoisonné.

Je tâchai de me rappeler ce déjeuner tardif qu'on nous avait servis à tous, à l'hôtel, préparé par nos chefs cuisiniers selon les règles édictées par Denis Abaïev, le nutritionniste de l'équipe : poulet grillé et beaucoup de légumes verts et de patates douces, suivis de pommes au four et de yaourt grec. Rien d'inquiétant dans tout cela. Même pas pour quelqu'un souffrant d'allergie aux pois chiches. À moins que quelqu'un en ait délibérément introduit dans l'assiette de Bekim.

— Il a dû manger quelque chose contenant des pois chiches avant le match, dis-je. Il n'y a pas d'autre explication.

— D'accord, creusons cette piste. Combien de temps avant le match avez-vous déjeuné ?

— Trois ou quatre heures.

— Alors cela ne peut pas être ça. En cas d'allergie, la réaction est quasi instantanée. À la minute où il avalait, il aurait déclenché un choc anaphylactique. Dans les avions, on vous avertit parfois qu'on ne sert pas de cacahuètes au cas où une personne souffrant d'allergie en ingérerait même un minuscule morceau.

— Oui, vous avez raison. Ce qui permet de se rendre compte que pour la personne allergique, une cacahuète ou un pois chiche peuvent s'avérer aussi puissants qu'une dose de ciguë.

— Et d'ailleurs, ajouta-t-elle, pourquoi commettrait-on un acte pareil ?

— Simple. Parce que le soir où Bekim est mort, quelqu'un en Russie a misé une très grosse somme sur le match. À l'heure actuelle, les gens parient sur tout ce qui peut se produire pendant un match : tout événement survenu à la dixième minute, l'horaire du premier corner, le joueur qui marquera le prochain but, le premier joueur à sortir… tout et n'importe quoi. Cela signifie que quelqu'un, à l'Olympiakos, ou en Russie, a dû s'arranger pour intoxiquer Bekim. Un événement de la dixième minute, comme Bekim marquant avant d'être ensuite évacué du terrain. Ce doit être ça.

— Intoxiqué. Oui, je comprends.

Je jetai un œil à mon iPhone et constatai qu'il n'y avait toujours pas de réseau.

— Zut, murmurai-je. Il faut vraiment que je passe quelques appels.

— Vous n'y arriverez pas, m'assura-t-elle. Pas ici, en haut. Par contre, je pourrais vous conduire à Naoussa, à l'hôtel Aliprantis, où ils reçoivent un signal correct. Et puis j'ai un ami là-bas qui nous laissera nous servir de sa connexion Internet. Si vous pensez que c'est nécessaire.

— J'en ai peur. Svetlana, si je ne me trompe pas, ce n'est pas seulement Natalia qui a été assassinée, mais Bekim aussi.

46

Naoussa était une petite bourgade de bord de mer grecque typique, avec son dédale de rues pavées sinueuses, quantité de constructions toutes blanches, et une foule de touristes, anglais pour la plupart. L'air était humide et chargé d'odeurs d'agneau et de feu de bois émanant des nombreux grills. Une musique enjouée de bouzouki se déversait des petits bars et des restaurants et, malgré les éclats de voix en anglais, on n'aurait pas été surpris de voir un Anthony Quinn mal rasé surgir au premier coin de rue en dansant le sirtaki. Une corde tendue de drapeaux grecs reliait une extrémité de la petite place principale à l'autre et, derrière deux oliviers antédiluviens, se nichait une taverne appartenant à l'hôtel Aliprantis.

À la minute où nous entrâmes dans les lieux, je captai cinq barrettes de signal sur mon iPhone et les SMS et mails déferlèrent comme le décompte des points aux cadrans d'un flipper. En un rien de temps, un petit 21 rouge s'afficha dans l'icône « Messages », et un 6 sur fond rouge dans l'application Mail. Fort heureusement, il y avait moins de messages vocaux.

Tandis que Svetlana me précédait à travers la salle du restaurant et me guidait vers la minuscule réception de l'hôtel, le retour de la vie qui me rattrapait m'arracha un borborygme. Il y avait pire encore : quatre loubards, tous aussi roses qu'une carte ancienne de l'Empire britannique, attablés devant leurs bières, venaient de me reconnaître. L'innocente atmosphère de vacances de l'Aliprantis ne tarda pas à être gâchée, car ils entonnèrent un refrain sportif aux accents typiquement anglais :

Il est rouquin,
Il est défunt,
Il est couché dans un taudis,
Develi, Develi.

Et, non moins injurieux, bien que j'eusse déjà entendu la moitié de cet air-là :

Scott, Scott, sale violeur, sale queutard,
Tu devrais être au mitard,
Et on a rien à foutre de ton Bekim Develi
Ton connard de rouquin russe s'est chopé le sida au lit.

Svetlana s'adressa en grec au directeur de l'hôtel, un grand gaillard au teint basané avec une barbe en forme de balai à chiottes, puis elle me présenta. Nous nous serrâmes la main et, tandis qu'il nous conduisait tous les deux à l'étage, dans son bureau, où je pourrais passer quelques appels en privé et envoyer quelques mails, je m'excusai de ce que je pouvais très distinctement entendre à travers le plancher. En un sens, au cours de cette semaine frustrante passée en Grèce, j'avais oublié que s'ils le voulaient, les supporters anglais pouvaient se montrer tout aussi odieux que leurs pires homologues de l'Olympiakos et du Panathinaïkós. C'est le foot.

— Je suis désolé pour tout ça.

— Non, monsieur, c'est moi qui suis désolé pour vous et votre équipe, qu'on vous réserve un accueil d'une si piètre hospitalité pendant votre séjour en Grèce. Bekim Develi venait souvent prendre un verre ici. Et tous les amis de Bekim Develi sont mes amis.

— J'aurais dû prévoir qu'on risquait de me reconnaître. Je devrais m'en aller. Avant que cela ne dégénère.

— Non, monsieur, c'est moi qui vais les prier de partir. Restez ici, passez vos coups de téléphone, lisez vos mails. Cette racaille, je m'en charge.

— Très bien, dis-je. Je pose une condition. Que je paie leur repas. (Je posai un billet de cent euros sur le bureau.) Comme ça, quand vous leur demanderez de partir, ils s'imagineront avoir obtenu un dîner gratuit et ils s'en iront sans créer de difficultés.

— Ce n'est pas nécessaire.

— S'il vous plaît, insistai-je. Croyez-en mon expérience. C'est vraiment la meilleure solution.

— D'accord, chef. Tout de même, je vous apporte quelque chose à boire, non ?

— Un café grec, alors.

Le gérant lança un regard à Svetlana, qui lui commanda un ouzo.

Je pris mon iPhone et entamai la lecture de mes SMS.

Peter Scriven Persuadé directeur hôtel Astir Palace de laisser équipe rester jusqu'à vendredi. Mais ensuite on DOIT partir. Sans faute. Essaie toujours de trouver solution de rechange.

Frank Carmona J'ai parlé à Hörst Daxenberger et il EST intéressé par un transfert à London City. Je pense que je peux l'avoir pour 35 MILLIONS D'EUROS. Par contre il faudra bouger vite car Dortmund est aussi sur le coup.

Jim Brown, Daily Express Voulez-vous commenter une rumeur dans El Pais sur Cheikh Abdallah qui vous aurait fait une offre d'entraîner Malaga ?

Louise Considine Suis arrivée Grande-Bretagne ; jolie chambre ; mais où es-tu ? love.

Simon Page Bonne nouvelle : Ayrton Taylor sera en condition pour mercredi. Et Prometheus a été excellent à l'entraînement aujourd'hui. Côté négatif, Kenny Traynor a un pouce douteux. Pourrait même être fracturé. Je prends RDV pour radios demain matin.

Charlie Ai repéré un Rom qui va nous « retrouver » le sac à main de Natalia et le remettre à Mᵉ Christodoulakis dès que vous vous serez décidé. 100 euros.

Réseau Lookers Land Rover Land Rover Battersea a déménagé pendant ses travaux au 44 Weir Road, Wimbledon SW19 8UG. Appelez 02072283001 pour infos. Pour ne plus recevoir de SMS : STOP au 66777

Kojo Ironsi J'ai parlé à Phil Hobday du gardien de St Étienne Kgalema Mandingoane et il est intéressé ; dit que vous devez l'appeler ce jour et fixer RDV avec Vik. D'après ce que je sais Kenny est blessé !

Maurice McShane Tottenham a perdu ; Arsenal a perdu ; Crystal Palace a perdu ; West Ham a perdu ; Burnley en tête de la Premier League. Je dois être défoncé.

Sara Gill Merci d'avoir essayé de m'aider. Faites-moi savoir si je peux encore vous être utile. Sara Gill

Bastian Hoehling Désolé d'avoir appris tous vos soucis ; appelle-moi si je peux faire quoi que ce soit. Mieux, quand tout sera terminé, viens passer un week-end en Allemagne ; nous irons à l'Oktoberfest à Munich.

Prometheus Parlé à un pote à Lagos et entré dans cet iPhone. Plus difficile que je pensais. En fait tu maintiens bouton allumage jusqu'à ce que la fonction Éteindre apparaisse ; tu appuies sur annuler sans relâcher le bouton Éteindre, d'accord ? Ensuite tu passes un appel sur un numéro d'urgence, sans aller jusqu'au bout ; après tu relâches le bouton d'allumage juste un instant et après tu appuies encore une fois dessus ; il affiche de nouveau la fonction Éteindre ; là, tu appuies sur Annuler et l'écran devient noir, OK ? Ensuite tu appuies sur le bouton Home et en même temps tu relâches le bouton d'allumage. Il y a un éclair et tu es entré dans l'iPhone, d'accord ? Tu appuies deux fois sur le bouton Home et le téléphone est à toi. Tu peux accéder aux photos, tout. Cette fille avait un mail bloqué dans sa boîte Brouillons qui est trop long pour être envoyé par SMS. Je te l'envoie. Simon dit que j'ai été bon à l'entraînement aujourd'hui. Impatient d'être à mercredi, patron. Je te décevrai pas. P.

Me Christodoulakis L'inspecteur-chef Varouxis m'a appelée ; il veut vous parler ; je crois que la grève des médecins se termine demain et nous pourrons faire pratiquer l'autopsie de Bekim Develi et Natalia. Ne vous inquiétez pas. Je ne lui dirai rien.

Louise Considine Où es-tu, Scott ? Je commence à m'inquiéter. Je t'aime. Love.

Sarah Crompton Peux-tu donner une interview ces 2 prochains jours avec le correspondant football du Daily Telegraph, Henry Winter pour son blog Le Coin Foot d'Henry Winter sur Google Plus ? J'aime assez Henry. Il est intelligent. Et il est grand temps que tu fasses un peu de relations publiques.

Phil Hobday Kojo me parle d'un gardien qu'on devrait acheter. Mandingo. Tu en penses quoi ? Et c'est quoi cette histoire ? Tu pars au Malaga FC ?

Inspecteur-chef Byrne Le procès de John et Mariella Cruikshank s'ouvre dans une semaine demain ; serez-vous de retour à Londres pour faire une déposition à l'audience ? Tenez-moi au courant au plus vite.

Viktor Sokolnikov Venez dîner demain soir à bord du Lady Ruslana ; amenez Louise ; je l'ai vue hier au Grande-Bretagne. J'ignorais qu'elle était à Athènes. Appelez Russell Gordon, le commandant du bateau, et il vous enverra la navette.

Paolo Gentile Le Malaga FC cherche un nouveau manager. Le propriétaire, Cheikh Abdallah, aimerait te rencontrer. Son yacht, le Al Mirqab, est ancré à Hydra. Il enverra un hélicoptère te chercher. Le cheikh a de grands projets pour le club et veut un nouveau manager avec une vision.

Papa Je dois aller à l'hôpital pour des examens de routine ; ne t'inquiète pas, je vais bien ; je voulais juste te tenir informé. Les Rangers sont maintenant en tête du championnat écossais. L'année prochaine ils remonteront. Je t'embrasse

Inspecteur-chef Varouxis J'ai d'autres vidéos de surveillance. J'ai besoin que vous les visionniez ; pouvez-vous me contacter ? Je vous enverrai une voiture, ou je viens à votre hôtel.

Au rez-de-chaussée, les chants dans la salle du restaurant avaient cessé et s'étaient déplacés à l'extérieur, où ils persistèrent encore un bon moment. J'allai à la fenêtre jeter un coup d'œil sur la place et vit les quatre fautifs assis sur la margelle de la fontaine, devant les locaux de Blue Star Ferries, buvant de la bière et fumant des cigarettes. L'un d'eux portait un T-shirt avec le vieux slogan gouvernemental remis au goût du jour : *Keep Calm and Carry On* (« Du calme et en avant ») ; un autre en portait un que j'avais déjà vu à maintes reprises : *Lookin' to Score BRAZIL* (« Brésil, je veux ma dose »). Ils s'attardèrent là un moment puis s'en furent, au soulagement de tous.

J'attrapai mon iPhone et j'écoutai mes messages, mais il s'agissait – plus ou moins – des mêmes correspondants qui m'avaient envoyé des SMS, et des mêmes contenus. Il n'y avait pas assez de bande passante pour télécharger le document que Prometheus avait joint à son mail. Le reste était sans importance. J'appelai mon père pour m'assurer qu'il allait vraiment bien. Et puis j'appelai Louise.

— Salut, je suis désolé de ne pas avoir été là pour ton arrivée, dis-je. J'aurais dû t'accueillir à l'aéroport.

— Pas de problème. Où es-tu ? Je commençais à m'inquiéter.

— Sur l'île de Paros.

— Paros ? Qu'est-ce que tu fais là-bas ?

— Je me suis rendu dans la villa de Bekim Develi pour vérifier certains éléments. Je ne suis pas mécontent d'avoir pris cette initiative, car les choses me paraissent bien plus claires à présent.

— Alors, tu as terminé là-bas, Sherlock ?

— Oui, mais je suis navré, je ne serai pas en mesure de rentrer à Athènes avant demain matin. C'est simple, il n'y a pas de vol.

J'entendis un rire à l'arrière-plan.

— Et d'ailleurs, où es-tu ? lui demandai-je.

— Sur le yacht de Viktor Sokolnikov, me répondit-elle. Il m'a invitée à dîner. Attends une minute. Il veut te parler.

Il y eut un silence un peu longuet, puis Viktor vint au bout du fil.

— Scott ? Que faites-vous à Paros ? Vous devriez être ici, avec votre fiancée.

Je lui répétai ce que je venais d'expliquer à Louise.

— Paros n'est qu'à une demi-heure d'ici, insista-t-il. Je vais envoyer un hélicoptère vous chercher tout de suite. Rejoignez l'hôtel Astir sur la côte nord, où je crois savoir qu'il existe une hélistation que nous pouvons utiliser. Je vous l'envoie et il vient vous chercher. Vous pouvez être avec nous dans l'heure.

— Ce n'est pas la peine de vous donner tout ce mal.

J'étais impatient de retrouver Louise, bien que quelque peu mortifié d'avoir oublié qu'elle venait à Athènes. J'étais aussi un peu tendu à l'idée d'effectuer un vol de nuit en hélicoptère.

— Je peux attraper le vol pour Athènes demain.

En même temps, je savais qu'il était plus sage de rentrer sur le continent dès que possible. Je pouvais difficilement retarder plus longtemps le moment de déclarer à la police ce que je savais. En outre, le wifi à bord du *Lady Ruslana* était aussi rapide qu'à terre et j'étais impatient de lire le mail de la boîte « Brouillons » de Natalia. J'avais le sentiment que ce serait une pièce à conviction dans l'identification de son meurtrier.

— Absurde, s'écria Vik, cela ne me dérange pas du tout.

— Vous êtes sûr ?

— Évidemment que je suis sûr. Écoutez, vous pouvez tous deux passer la nuit ici, sur le yacht. Et la navette vous ramènera à terre dans la matinée. D'accord ? En plus, je veux vous parler de cet Allemand, Hörst Daxenberger. Et du gardien de Kojo, Mandingo. Ensuite vous me raconterez tout ce que vous avez découvert depuis que vous avez coiffé votre casquette de Sherlock Holmes et allumé votre bouffarde en écume de mer préférée.

47

Nous remontâmes dans la voiture de Svetlana et roulâmes lentement vers la sortie de la bourgade de Naoussa, en contournant la baie vers l'ouest en direction de Kolymbithres et de l'hélistation de l'Astir. Nous avions amplement le temps. L'hôtel était à moins de huit kilomètres et les geckos les seules causes de ralentissement.

— Je connais le type de chez Loukis Rent-a-Car, me dit-elle. J'irai là-bas demain matin lui demander de venir chercher la voiture chez moi. Zoï fermera, bien sûr. Elle est tout à fait de confiance.

— Je regrette de ne pas avoir eu le cran de lui annoncer que Bekim était mort.

— Ne vous inquiétez pas. Je vais le lui dire. Que va-t-il se passer, à votre avis ? Pour la maison ?

— Franchement, je n'en ai aucune idée, avouai-je. Je suis désolé de devoir repartir aussi vite. Je ne suis pas resté ici très longtemps, mais je comprends aisément pourquoi vous, vous y êtes. C'est une île magnifique. Et je vous promets de tout faire pour cacher votre nom à la police, Svetlana. Toutefois, pour cela, j'aurais peut-être besoin de vous reparler. Alors demain, et ces prochains jours, pouvez-vous faire en sorte de repasser à l'Aliprantis, ou dans un autre endroit où vous serez en mesure de consulter vos SMS et vos mails ?

— D'accord. Je vous le promets.

Je serrai sa main sur le pommeau du levier de vitesse.

Nous avions parcouru trois kilomètres depuis Naoussa lorsque je reconnus deux hommes sur la route qui faisaient du stop. Je jetai un œil à la grosse montre Hublot à mon poignet ; elle m'indiqua qu'il était tout juste l'heure d'une petite revanche.

— Arrêtez-vous, dis-je. Je connais ces deux types.

— Ce sont les hooligans du restaurant ?

— Deux sur quatre, en tout cas.

— Je vous en prie, Scott, je ne pense pas que ce soit une bonne idée.

— En réalité, c'est une excellente idée. Quoi qu'il arrive, vous restez dans la voiture et s'ils s'en prennent à vous, vous filez. D'accord ?

Svetlana ne répondit rien.

— Je suis sérieux. Vous démarrez, et rien d'autre. Vous n'hésitez pas une seconde.

Je retirai ma montre, la déposai soigneusement sur le tableau de bord, boutonnai ma chemise jusqu'au bouton de col et sortis de la voiture. La route était déserte et il n'y avait personne dans les environs, ce qui me convenait tout à fait. Je pouvais apercevoir au loin le halo bleuté de ce qui devait probablement correspondre à la piscine de l'Astir, éclairée par les projecteurs. Et quelque part, très loin – peut-être au même endroit –, on entendait de la musique : cela ressemblait à du Pharrell Willams. Les deux types couraient déjà vers l'endroit où nous nous étions arrêtés, sous un olivier noueux, croyant avoir décroché leur billet de retour au bercail. Pourtant, quand ils comprirent vers qui et vers quoi ils couraient, ils s'immobilisèrent.

Je marchai vers eux au clair de lune, en frappant dans mes mains et en entonnant une chanson sur l'air du traditionnel *Cwm Rhondda*, un chant joyeux et plein de sarcasme que l'on pouvait entendre dans tous les stades de foot, tous les jours de matchs de toute la saison.

— Alors tu ne chantes plus. Alors tu ne chantes plus.

Celui qui portait le T-shirt *Lookin' to Score BRAZIL* mesurait à peu près un mètre quatre-vingts, baraqué, une chaînette en or autour de son cou tout rose et la bille tellement tapissée de poils blonds et ras qu'on aurait cru un champ de blé fraîchement moissonné. L'autre – celui qui portait le T-shirt *Keep Calm and Carry On* – était plus grand et plus mince, la bouche aussi fine qu'une entaille dans une tomate, le front creusé d'irritation et d'inquiétude. Il expédia sa cigarette sans penser une seconde aux feux de forêt qui ravagent souvent cette région du monde. Rien que pour ça, il méritait une bonne beigne. Ce n'étaient pas les meilleurs, ce n'étaient pas des lumières, ces deux-là, loin de là, mais ils n'en paraissaient pas moins coriaces.

— On cherche pas des crosses, mec, fit-il.

— Non ?

— Non. On cherche pas.

— Tu aurais dû y penser quand tu étais en ville, lui rappelai-je. J'ai pas apprécié ce que tu m'as chanté là. C'est les raclures dans votre genre qui donnent sa mauvaise réputation au foot anglais. Qui gâchent le jeu pour les honnêtes gens. Cela étant, je ne suis pas ici pour moi. Je suis ici pour mon ami Bekim Develi. Mon ami n'aimait pas ce que vous chantiez, lui non plus.

— Écoute, Manson, remonte dans ta putain de caisse et roule, espèce de naze, connard de Black.

Je souris à belles dents. Si j'avais eu le moindre doute sur mes intentions, ces doutes venaient de s'évanouir.

— C'est exactement ce que je vais faire. (Pendant tout ce temps, je ne cessais d'avancer vers le duo.) Dès que ce connard de Black se sera occupé de vous.

S'il est une chose que j'ai appris en taule, c'est à me battre comme si ma vie en dépendait. C'est le seul moyen de réussir à se battre, quand on est en taule. Ce n'est pas le genre de combat où vous verrez les hooligans se précipiter dans la rue, si tant est qu'on puisse appeler ça se battre. Ce sont les chimpanzés qui se battent ainsi, et c'est plus de la frime qu'autre chose. Ils se ruent les uns sur les autres, se bousculent un peu, poussent des cris, s'arrêtent, reculent de quelques pas, se ruent de nouveau sur l'adversaire, poussent les autres à les imiter, histoire de voir qui est vraiment décidé, où sont les faiblesses et, en conséquence, où attaquer en premier. Au contraire, en taule, vous apprenez à taper vite – avant qu'un maton ait l'occasion de s'en mêler et d'y mettre un terme – et dur – assez dur pour faire vraiment mal. Et vous n'en avez rien à branler de vous faire mal parce que vous n'avez pas le temps de penser à ce genre de détails. Une fois que vous vous engagez, vous vous engagez, rien à foutre du reste. L'autre truc que vous apprenez, rapport à la violence en taule, c'est à garder les pieds fermement plantés au sol et à vous servir de votre tête et de vos épaules, pour viser petit, car en cellule ou sur un palier, là où vous cognez un autre taulard, il n'y a pas beaucoup de place. Et il n'y a pas de cible plus petite et plus efficace que le nez du type d'en face.

Sans un instant d'hésitation, je collai un coup de boule en pleine tête du plus grand des deux, un vrai coup de bélier, je sentis quelque chose céder, comme le bruit d'un œuf qui se brise, et je l'entendis lâcher un hurlement de douleur. Bref, le combat était déjà à moitié terminé parce qu'il s'écroula sur le macadam et resta au sol en se tenant le visage. Un joueur comme Les Ferdinand aurait été fier de moi. Je venais de mettre une tête parfaite.

Et d'un, et plus qu'un à suivre.

Le deuxième marcha droit sur moi et me balança une grande droite qui, si elle avait atteint sa cible, aurait certainement causé quelques dégâts, mais il était fatigué, probablement plus ivre que moi, et son punch me donna l'impression d'arriver de très loin, de la riante agglomération de Luton, dans le Berfordshire, en Airbus d'EasyJet, retardé, comme de juste. J'eus tout mon temps pour le bloquer de mon avant-bras gauche, ce qui me laissa amplement l'opportunité de ramener le coude droit dans l'axe du buste et de cueillir mon adversaire à la tempe gauche. Il était sans doute tout à fait inutile de le frapper une deuxième fois, mais je cognai quand même – un coup de massue en plein dans l'aile du nez, qui le faucha comme une pile de boîtes en carton, de quoi le rendre aussi monstrueux à voir qu'il avait été monstrueux à entendre à l'hôtel Aliprantis. Contrairement à ce que j'avais annoncé à ces deux lascars, je n'avais pas seulement frappé pour Bekim : je les avais aussi cognés pour toutes les bananes qu'ils avaient pu me lancer, pour toutes les épithètes racistes et tous les sarcasmes obscènes qu'ils m'avaient hurlés pendant un match. Sans rire, il n'y a pas un type en Premier League qui n'aimerait pas en faire voir de toutes les couleurs à une bande de supporters de temps à autre. Posez un peu la question à Éric Cantona.

Ce fut entièrement plié en moins de soixante secondes. Aucun des deux ne manifesta la moindre intention de se relever et de continuer le combat. J'eus envie de leur flanquer un coup de pied à chacun, tant qu'ils étaient à terre, et j'écartai aussitôt cette idée. Savoir quand s'arrêter est aussi important que de savoir quand commencer. Je n'avais même rien dit. J'avais déjà dit tout ce qu'il y avait à dire. À mon avis, il s'écoulerait un petit moment avant qu'ils puissent à nouveau chanter quoi que ce soit, et encore moins des insanités concernant la mort d'un homme.

Je remontai en voiture, déboutonnai mon col de chemise, remis calmement ma montre à mon poignet, puis vérifiai la tête que j'avais dans le rétroviseur de Valentina. Je n'étais pas blessé. Je n'avais même pas la migraine.

— Roulez, lui dis-je.

— Vous vous sentez mieux, maintenant que c'est fait ?

Le vent s'empara de la musique au loin et la balaya jusqu'à nos oreilles. C'était bien Pharrell Williams.

— Je me sens… (Je lui fis un grand sourire.) Je me sens comblé.

Et c'était vrai, je me sentais merveilleusement bien. Comme si j'avais marqué le but de la victoire dans un match important. Même les cigales locales semblaient être de la fête.

48

Alors que l'hélicoptère s'élevait dans les airs au-dessus de l'hôtel Astir, je retirai mes chaussures et mes chaussettes, resserrai ma ceinture de sécurité sur mon siège couleur crème et enfonçai mes pieds dans l'épaisse moquette, en un vain effort pour me détendre. Sur l'écran plat au-dessus d'un meuble en noyer vernis je pus voir s'afficher une carte de Paros et un indicateur d'altitude et de vitesse. En quelques minutes, l'île elle-même avait disparu dans une épaisse couche de ciel violacé et nous volions juste au-dessous du plafond de l'appareil, à cinq mille mètres, en direction du nord-ouest, à une vitesse de 240 km/h. Bercé dans un hélicoptère à quatre millions de dollars doté de tous les équipements les plus luxueux imaginables, j'aurais dû me sentir plus à l'aise. Au lieu de quoi j'étais aussi nerveux qu'une souris de laboratoire. J'ouvris les armoires à alcool et me servis généreusement d'une bouteille de cognac. Après quelques instants passés à étudier notre progression sur la carte, j'attrapai la télécommande et zappai sur une chaîne de la BBC retransmettant un match de football, Burnley opposé à je ne sais quelle équipe. En réalité, je m'en fichais. C'était un très bon cognac.

Une quarantaine de minutes plus tard, les patins de l'Explorer laissaient leurs marques sur le pont du *Lady Ruslana*, sans doute moins prononcées que celles que j'avais au fond de mon slip. Je sortis de l'appareil d'un pas hésitant et posai le pied sur le pont, qui me parut d'une robustesse rassurante. À l'intérieur du yacht, je fus accueilli par l'une des femmes d'équipage de Vik, qui me conduisit au pont inférieur, où je pus profiter d'un moment de tranquillité dans une cabine luxueusement meublée, seul avec Louise.

— Tu m'as tant manqué, me confia-t-elle.

Je la serrai dans mes bras, l'embrassai dans la nuque puis sur la bouche.

— Tu sembles tendu, observa-t-elle. Préoccupé.

Je niai vigoureusement, mais c'était la vérité, bien sûr. J'avais encore la tête à l'envers, ainsi que les tripes, et j'avais surtout l'esprit à mon iPhone : avant de répondre au SMS de l'inspecteur-chef Varouxis, j'étais très impatient de lire le mail émanant du téléphone de Natalia, que Prometheus m'avait retransmis.

— Je sais ce que c'est, continua-t-elle. Je vois ce visage-là presque tous les jours. C'est un visage de flic. Il me souffle que tu es confronté à un noir secret dont tu préférerais tout ignorer, ou à une question importante à laquelle tu as du mal à répondre. Si tu t'intéressais davantage à moi, tu aurais pu voir quelquefois la même expression sur mon visage. Je ne t'en veux pas. En réalité, c'est ma faute. J'aurais dû comprendre avant de venir à Athènes que tu aurais la tête ailleurs.

— J'aurais dû savoir que tu devinerais ce que j'ai en tête.

— Je suis un fin limier, tu te souviens ?

Je l'embrassai de nouveau.

— Je suis très content que tu sois ici. Mais j'ai besoin de faire pipi.

Pourtant, la première chose que je fis à peine entré dans la salle de bains fut de voir si je réussissais à ouvrir le mail de Natalia, maintenant que j'étais à proximité d'un meilleur signal wifi. Découverte irritante, je constatai qu'il était rédigé en russe et je compris que si je voulais qu'on me le traduise, il n'y avait que deux personnes à bord de ce bateau qui en seraient capables : Vik ou Phil. Je n'avais guère envie d'embêter Vik et décidai que je demanderais à Phil de m'en envoyer une traduction par mail avant le petit déjeuner, demain matin, quand j'aurais à recontacter la police.

Je ressortis de la salle de bains et embrassai à nouveau Louise, cette fois-ci en y mettant plus de sérieux.

— C'est mieux, fit-elle.

— Désolé.

— Viens, me dit-elle en me prenant par le bras. Allons rejoindre les autres. Mais je suis fatiguée. J'ai voyagé toute la journée. Et le vol a eu du retard. Donc si cela ne t'ennuie pas, je ne resterai pas longtemps. En plus, je meurs d'envie de me mettre au lit dans cette chambre.

Installés sur un assortiment de sofas couleur crème agencés en fer à cheval, savourant l'air marin du soir et un magnum de rosé Domaines Ott à la belle étoile, il y avait là Gustave Haak, Cooper Lybrand, Phil

Hobday, Kojo Ironsi, les deux hommes d'affaires grecs que j'avais déjà croisés et plusieurs filles qui louaient leur services, si jeunes et si musclées qu'on eût dit des membres de l'équipage en soirée de repos. Vik me présenta aux deux Grecs. Cinq minutes plus tard, j'avais déjà oublié leurs noms. Étant donné le cognac que j'avais bu précédemment, je demandai une bouteille d'eau. Je jugeai préférable d'essayer de m'éclaircir un peu l'esprit. Une bonne part de ce que j'allais dire à Vik et à Phil quand nous serions en tête-à-tête ne serait pas facile à entendre et je n'avais certainement aucune envie de gâcher la soirée des autres. Aussi, pendant un petit moment, je me laissai bien volontiers asticoter au sujet de ces rumeurs qui me bombardaient déjà nouveau manager du Malaga FC.

— La Costa del Sol, ça va te plaire, m'assura Phil. C'est probablement l'hiver le plus chaud de toute l'Europe. Mon bateau est au mouillage non loin de là. À Puerto Banús. C'est à peu près la seule région d'Espagne où il n'y a pas de chômage. C'est vraisemblablement pour cela que j'apprécie tant.

— Oublions la météo, fit Vik, à quoi ressemble-t-elle, cette équipe ?

Phil haussa les épaules.

— Propriétaire arabe, je crois. Kojo ? Quel est ton opinion à leur sujet ?

— Malaga ? (Il fit la moue.) Contre-performance. Les Qataris ont racheté le club en 2010 et Manuel Pellegrini en était le manager. Il s'en est bien sorti, il les a menés à la quatrième place de la Liga. Il a même réussi à les qualifier en Ligue des champions pour la première fois de leur histoire. Mais quelque chose a dû mal tourner, sans quoi il ne serait jamais parti pour Manchester City.

— Il me semble qu'ils ont réellement besoin de Scott, en conclut Gustave Haak.

— C'est un homme qui possède plus d'une corde à son arc, observa Vik.

— C'est aussi ce que je crois, fit Haak. La dernière fois que nous nous sommes parlé, il enquêtait sur la mort d'une prostituée dans le port. (Il cessa un instant de jouer avec les mèches de cheveux de l'une des jeunes demoiselles.) C'est la vérité, n'est-ce pas, Scott ? Et tout près de mon bateau, en plus, je crois.

Je jugeai préférable de ne pas aborder le sujet. J'avais très étrangement l'impression que l'idée de call-girls de haut vol retrouvées au fond du port avait causé une certaine contrariété chez au moins deux de ses filles. Poliment, je ramenai la conversation sur le sujet Malaga.

— J'ignore complètement d'où peut venir cette rumeur, dis-je. Paolo Gentile, probablement. Vous savez ce que c'est, les agents et leurs histoires en forme d'EEI.

— Une histoire en forme d'EEI ? Qu'est-ce que c'est ?

— Je me le demandais aussi, admit Lybrand.

— C'est la dernière formule à la mode pour désigner une arme de communication : une rumeur destinée à perturber les efforts de vos concurrents. Le football en est rempli. En un sens, elles sont presque aussi destructrices que les engins explosifs improvisés, en Afghanistan. Le moyen le plus rapide de faire en sorte que quelqu'un intègre un club A, c'est de lancer une rumeur selon laquelle il quitte le club B pour le club C. Il est plus facile de déstabiliser des footballeurs que de réveiller un bébé. Il suffit de faire doucement bruisser les billets de banque.

— De même, le meilleur moyen d'obtenir un bon prix de vente pour un joueur consiste à dire qu'il n'est pas à vendre, en aucune circonstance, renchérit Vik. N'est-ce pas exact, Kojo ?

Ironsi acquiesça.

— Si vous tenez à réussir quelque chose dans ce métier, il vaut toujours mieux ne jamais dire que vous en êtes capable avant d'y être arrivé. Et encore, parfois même pas.

— Tu sais, Scott, nous sommes très satisfaits de la manière dont tu as géré ce club, remarqua Phil. Tu jouis de notre confiance totale. N'est-ce pas, Vik ?

Vik éclata de rire et alluma un cigare.

— Là, tu l'inquiètes vraiment.

— Je sais. C'est pour cela que j'ai dit ça.

— Vous voudrez bien nous excuser, Louise, fit Vik. Quand Scott est fatigué et à notre merci comme cela, nous avons tendance à en profiter. Il est rare que nous ayons l'occasion d'en placer une. C'est plutôt nous qui avons l'habitude d'entendre le son de sa voix quand il nous vante les chances de notre équipe ou quand il minimise ses insuffisances.

— Cette dernière option étant la plus fréquente, ajouta Phil, non sans aigreur.

Louise me prit la main, la serra avec tendresse et m'embrassa le bout des doigts.

— Eh bien, je suis moi aussi un peu fatigué, alors, si cela ne vous ennuie pas, je vais aller me coucher. La journée a été longue.

— Je te rejoins très vite, lui promis-je.

Louise me lâcha un regard et me sourit.

— Non, franchement, insistai-je.

Poliment, les messieurs se levèrent.

— Vous allez parler football, remarqua-t-elle.

— Non, pas du tout.

— Bien sûr, fit-elle. À tout à l'heure.

Simultanément, ce fut aussi le signal pour Haak, Lybrand, les deux Grecs et la plupart des dames d'embarquer dans la vedette de Vik et de se rendre à terre ou à bord du yacht de Gustave, *Monsieur Crésus*. Et quand les filles restantes se furent aussi retirées dans les cabines du *Lady Ruslana* qui leur avaient été assignées pour la nuit, je demeurai seul avec Vik, Phil et Kojo.

Il y eut un long silence.

— Peut-être, reprit Kojo, que quelqu'un voudra bien me dire une chose : si nous ne parlons pas foot, de quoi diable allons-nous bien pouvoir discuter ?

49

L'effet du cognac se dissipait. Ou alors l'air marin m'éclaircissait la tête ; elle avait assurément besoin qu'on y fasse un peu le ménage. J'avais l'impression que mon esprit jonglait avec une balle de golf.

Vue du bateau, la côte grecque évoquait une autre galaxie et, pour ceux qui appartenaient à la sphère d'influence de Vik, c'était plus ou moins le cas. Le chômage, la crise financière, les travailleurs en grève – tout cela se situait bien plus loin du *Lady Ruslana* que les deux ou trois kilomètres de mer d'un noir d'encre qui nous séparaient du continent. Or, en dépit de tout, j'avais fini par apprécier les Grecs, et je me sentais presque coupable d'être à bord du palais flottant de Sokolnikov.

Je trouvai mon second souffle et nous discutâmes un petit moment du match à venir contre l'Olympiakos et de la manière dont j'avais l'intention de l'aborder.

— Je me méfie de la tactique, même dans les meilleures conditions, dis-je. Les matchs de football ont pour habitude de frôler l'absurde. Vous vous souvenez du *el trivote* ? Le triangle de pressing d'attaquants que

Mourinho appliquait au stade Bernabeu ? Cela n'a jamais vraiment fonctionné. Jorge Valdano, le directeur sportif du Real Madrid, qualifiait ce dispositif de bâton merdeux, vous vous souvenez ? Et pourtant, moi, pour ce match, j'ai une stratégie. C'est une idée dont je me suis déjà servi. Je n'ai pas de nom sophistiqué pour la désigner, comme Mourinho… Enfin, si j'en avais un, je l'appellerais le darwinisme du football. J'ai étudié quelques matchs récents des Rouges et j'ai repéré leur joueur le plus faible, leur milieu de terrain, Mariliza Mouratidis. Il est plus jeune que les autres. Et sa mère est à l'hôpital. Un hôpital grec. Par conséquent, je pense qu'il a la tête ailleurs. Je sais que je serais dans le même cas si ma mère était hospitalisée. En Grèce.

Je marquai un temps de silence en me remémorant que mon père se trouvait à l'hôpital, lui aussi. Puis je poursuivis mon laïus.

— Ensuite, il y a autre chose, je pense. La plupart des footballeurs veulent le ballon. Mouratidis, lui, n'a rien de plus pressé que de s'en débarrasser. C'est comme s'il refusait d'endosser cette responsabilité. Par conséquent, ce que nous allons faire, lorsqu'il aura la balle, nous irons le tacler deux fois plus fort et deux fois plus vite et, si possible, nos gars vont s'occuper de lui à plusieurs. En bref, on va lui tomber dessus comme une bande de petits durs de cour de récréation, et on va s'efforcer de le casser. On voit parfois les poulets de basse-cour procéder de la sorte. Ils encerclent le plus faible et le mettent à mort à coups de bec. À mon avis, il cédera sous la pression ou, plus vraisemblablement, il ripostera. Avec un peu de chance, il finira expulsé. Après notre match aller, nous n'avons rien à perdre.

Vik en gloussa.

— Ça me plaît.

— Nom de Dieu, quel salopard sans pitié tu fais, s'écria Phil.

— Pas du tout, dis-je. J'ai juste une méchante envie de gagner ce match. Appelez cela une volonté de revanche après les nombreuses contrariétés dont nous avons souffert depuis notre arrivée ici.

Après quoi, nous débattîmes de l'intérêt d'acheter Hörst Daxenberger et Kgalema Mandingoane. C'était une bonne chose, car cela retardait notre discussion au sujet du sort qu'avait véritablement connu Bekim Develi. Vik le connaissait depuis plus longtemps que quiconque et il avait une grande affection pour lui. Je n'étais pas impatient de lui apprendre que son ami avait été empoisonné.

L'acquisition de Daxenberger tombait sous le sens : il était très fort balle au pied, et tout aussi fort quand il courait après – le genre de joueur qui vous tient lieu de talisman. Thierry Henry était un peu comme cela. Dès qu'il entrait sur le terrain, l'équipe d'Arsenal en était aussitôt transfigurée. Ce n'était pas simplement qu'il était talentueux – tous les joueurs professionnels le sont –, cela tenait aussi à autre chose. Napoléon savait combien il était précieux d'avoir des généraux chanceux. De la chance, Henry en avait à revendre. Et cela déteignait sur ses équipiers. Quand il entrait sur le terrain, vous n'aviez plus besoin de vous signer ou de réciter des versets d'un Coran imaginaire.

Mandingo – ce nom ne me plaisait guère, mais je voyais bien qu'il était inutile d'argumenter contre – était plus difficile à vendre, et c'est pourquoi Kojo Ironsi avait téléchargé dans son iPad les meilleurs arrêts de ce gars-là, y compris celui que je l'avais vu réussir contre Stuttgart vendredi soir dernier. Je devais admettre que j'étais impressionné par ses aptitudes. Et quand je reçus un autre SMS de Simon me disant que s'il était sûr que Kenny pourrait jouer mercredi soir, sous antalgiques, il était maintenant plus ou moins convaincu que ce garçon avait le pouce brisé, cela leva les derniers doutes que je pouvais entretenir concernant l'achat de l'Africain. Le besoin d'un second gardien se faisait désormais sentir de manière aiguë.

Par la suite, quand il fut convenu que nous devions acheter ces deux joueurs, j'envoyai un SMS à Frank Carmona, lui proposant de payer une somme inférieure à la commission de transfert qu'il avait mentionnée, et un Kojo visiblement ravi, giflant l'air de son chasse-mouches comme s'il jouait de la queue, se retira à l'écart, dans un recoin du bateau, pour appeler Mandingo à Saint-Étienne avec la bonne nouvelle qu'il avait sans doute un nouveau club.

— Il a l'air content, remarqua Phil.

— À mon avis, il peut l'être, dis-je. Pense un peu à la commission qu'il va facturer à ce pauvre gamin. C'est le football, hein ? Le seul moyen légal qui reste de s'acheter un Noir.

Vik hocha vaguement la tête, ce qui me souffla une idée.

— Avez-vous décidé d'augmenter votre participation dans son école King Shark, Vik ? lui demandai-je.

— En fait, j'ai décidé de racheter toute la boutique. À partir de maintenant, nous aurons la primeur sur tous les joueurs de l'école.

— Alors, cet accord concernant Mandingo… en réalité, cela veut dire que vous vous verserez une commission à vous-même.

— Je suppose, en effet, oui.

— Nous avons une nouvelle pour vous, Scott, reprit Phil. Une nouvelle que vous aurez un peu de mal à accepter, du moins au début. Mais vous vous ferez à cette idée. Vik ?

— Kojo va devenir notre nouveau directeur technique, m'annonça Sokolnikov. C'est lui qui prendra les décisions relatives à tous les nouveaux joueurs.

— Ce seront ses décisions ? Ou les vôtres ?

— Nous avons de la chance de l'avoir, m'assura Viktor. Il connaît les joueurs mieux que quiconque. En plus, il arrive dans le cadre de l'accord avec King Shark. En un sens, nous nous offrons ses services pour rien.

— À l'avenir, ajouta Phil, vous devrez soumettre toutes vos intentions concernant l'embauche de nouveaux joueurs à Kojo Ironsi.

Je tins ma langue. Je n'étais pas tout à fait prêt à proférer des remarques qui me coûteraient mon poste.

— Dites-moi, fit Vik. Quels progrès avez-vous accomplis dans vos investigations sur ce meurtre ? C'est pour cela que vous étiez à Paros, n'est-ce pas ? Pour fouiller la maison de Bekim ?

Tâchant de surmonter mon irritation de voir le Ghanéen endosser ce que tout manager pouvait raisonnablement s'attendre à gérer lui-même, j'opinai, mais sans voir aucune raison de lui parler de Svetlana.

— J'ai bien avancé. Je pense être sur le point de réaliser une découverte capitale. Hier après-midi, j'ai découvert que la fille que l'on a retrouvée dans le port de Marina Zea s'appelait Natalia Matviyenko, dis-je. Elle vivait au Pirée, avec son petit ami, ou peut-être était-ce son mari… un type qui s'appelle Boutzikos. Et elle était escort, une call-girl de haut vol, originaire de Kiev.

— Excellent ! s'écria Vik. Toutefois, comment avez-vous découvert tout cela ?

— Il vaut probablement mieux que vous ne le sachiez pas, dis-je. Pour le moment.

— Je vois.

— Après tout, seuls l'équipe et le personnel d'encadrement ont interdiction de quitter la Grèce pour le moment. Phil et vous pouvez filer quand vous le souhaitez. Sans oublier notre nouveau directeur technique. Il vaut sans doute mieux que nous maintenions les choses en l'état.

— Oui, peut-être avez-vous raison.

— Avec un peu d'espoir, j'en saurai davantage sur Natalia et même, éventuellement, sur celui qui l'a tuée quand j'aurai eu l'occasion de traduire son dernier mail. Un message resté dans les brouillons de son téléphone. Pour une raison restée ignorée, elle ne l'a pas envoyé.

— Vous avez son téléphone ? me demanda Vik.

— Pas seulement son téléphone, j'ai aussi récupéré le contenu de son sac à main.

— Vous n'avez pas chômé, remarqua-t-il.

— Écoutez, je pense qu'il va falloir vous préparer à un choc, tous les deux. Je suis désolé d'être celui qui doive vous annoncer cela, mais le fait est là, je suis presque certain que Bekim a été assassiné. Dans le sac à main de Natalia, il y avait des EpiPen, des auto-injecteurs contenant une dose unique d'épinéphrine, pour les gens souffrant de graves allergies qui les exposent en permanence à un risque de choc anaphy-lactique. Des individus comme Bekim. Ces EpiPen lui avaient été prescrits. Pour une raison inconnue, cette fille, Natalia, les lui a pris quand elle est allée dans le bungalow de notre joueur à l'Astir Palace, la nuit avant sa mort. Mon hypothèse, c'est qu'elle a été payée pour les lui voler par quelqu'un qui a eu accès à Bekim le jour du match et qui l'a intoxiqué. Probablement la même personne qui a placé un pari conséquent sur l'issue de la rencontre, ou sur un évé-nement dans le cours de cette rencontre. Il me reste encore à découvrir ce que c'était. Quelqu'un situé en Russie, à ce qu'il semble. C'est ce que m'a dit mon contact à la Commission des jeux, en tout cas.

— Attendez une minute, fit Vik. Êtes-vous en train de nous expliquer que Bekim est mort… d'une réac-tion allergique ? Et pas du tout d'une crise cardiaque ?

— Non, ce que je dis, c'est que la crise cardiaque a très certainement été la résultante d'un choc anaphy-lactique. Ce qui aurait pu être évité si son état avait été connu.

— Pourtant, je connaissais ce garçon depuis plu-sieurs années, rappela Sokolnikov. Il ne m'a jamais rien mentionné de tel. À quoi était-il allergique ?

— Aux pois chiches.

— Aux pois chiches ? Vous plaisantez. Vous êtes sûr ?

— Catégorique. Et ce n'était pas une plaisanterie. Je ne suis pas certain qu'en Angleterre une allergie de ce type aurait été considérée comme un vrai problème. Mais ici, en Grèce… eh bien, les pois chiches sont un ingrédient de base. Ce qui me dépasse, c'est surtout qu'il ait choisi de s'acheter une résidence de vacances ici dans une île, l'un des endroits où il était le plus exposé à ce risque. (Je haussai les épaules.) Bon, ça, c'était tout Bekim.

— Cela expliquerait probablement pourquoi il ne se joignait jamais à nous pour un curry, expliqua Phil. On utilise aussi le pois chiche dans la cuisine indienne. Vous vous souvenez ? À la fin de la dernière saison, quand nous avions réservé chez Red Fort pour un dîner de fin de saison ? Dans Soho ? Et il a refusé de venir.

— J'avais oublié, admis-je. Quoi qu'il en soit, je ne sais pas si cette autopsie nous révélera grand-chose. Une allergie produit des symptômes suscep-tibles d'être facilement confondus avec un phénomène aussi ordinaire qu'une crise cardiaque. Il n'empêche, je mettrais ma main au feu que c'est ce qui l'a tué. Quelqu'un a contaminé son assiette avec des pois chiches. Peut-être pas plus de quelques grammes. Je crains fort que, pour un homme comme Bekim, cela ait été aussi mortel que si on avait empoisonné ses ali-ments au polonium.

Sokolnikov en frémit.

— Voilà un terme qu'aucun Russe vivant à l'étranger n'aime entendre prononcer, dit-il.

Je souris intérieurement. La nouvelle que je venais de leur annoncer les avait secoués plus que je ne l'avais imaginé.

— Pourquoi les médecins de notre équipe ne s'en sont-ils pas aperçus ? s'étonna Phil. Ils ont merdé, ou quoi ?

— Pas nécessairement, fis-je. En réalité, ce n'est pas forcément une affection pour laquelle ils effectuent des analyses. Ce serait plus une question qu'ils auraient pu poser lors de la visite médicale. Ce que je pense, en revanche, c'est que quelqu'un au Dynamo Saint-Pétersbourg a couvert la chose pour s'assurer que le transfert de Bekim à London City, en janvier, quand nous l'avons acheté, se déroule sans encombre. Et que cela s'est presque certainement fait avec la connivence du joueur.

— Je peux imaginer de qui il s'agissait, fit Vik. De l'un des propriétaires du club, Semion Mikhailov.

J'étais content de ne pas avoir à le dire moi-même. Personne n'aime annoncer à son milliardaire russe de patron qu'il s'est fait rouler en achetant les yeux fermés.

— Bien sûr ! s'indigna Phil. Ce salopard est retors, et il vous devait de l'argent, n'est-ce pas ? Vous avez accepté Bekim à titre de remboursement partiel d'une dette.

Viktor hocha la tête, l'air sombre.

— Ce qui, dans une affaire d'intoxication, fait aussi de lui le suspect numéro un. Semion Mikhailov est un gros joueur. Or, comme beaucoup de gros joueurs, il préfère jouer à coup sûr. Qui est mieux à même que lui de tirer avantage de notre match de Ligue des champions, ici, à Athènes ? Le téléphone de la fille. Vous l'avez ici, Scott ?

Je retrouvai le mail que j'avais reçu de Prometheus dans mon iPhone, et le tendis à Vik.

— Non, en revanche, j'ai le mail qu'elle a envoyé. D'après le champ des destinataires, il semble qu'il ait été destiné à plusieurs personnes.

— Ai-je raison de croire que la police ne détient aucune de ces informations ? me demanda-t-il.

— C'est exact, jusqu'à demain seulement. (Je jetai un coup d'œil à ma montre. Il était presque 2 heures du matin). Ou, pour être plus précis, jusqu'à aujourd'hui. Je vais devoir remettre le sac à main de Natalia et son contenu à l'inspecteur-chef Varouxis plus tard dans la matinée. Étant donné qu'il s'agit d'une enquête pour meurtre, notre avocate, Me Christodoulakis, estime qu'il serait peu judicieux de cacher ces pièces à conviction à la police plus longtemps.

— Et elle a raison, murmura Phil. Vous pourriez finir en prison pour un acte de ce genre. Nous pourrions tous finir en prison. C'est sérieux, Scott. Juridiquement parlant, vous devriez appeler la police tout de suite. Ne lisez pas ce mail, Vik. Si vous le lisez, cela vous rend complice de toutes les violations de la loi qui ont déjà été commises.

Peine perdue : Viktor lisait déjà le mail.

— Écoutez, Phil, dis-je. Je cherche à mettre une bombe sous les fesses de la police grecque, et j'espère que ce mail remplira justement cet objectif. Après cela, j'ai vraiment besoin de concentrer toute mon attention sur le match de mercredi. J'ai envie d'entrer au siège central de la police, plus tard dans la matinée, avec assez de preuves pour faire passer cette enquête à la vitesse supérieure. Peut-être même en y ajoutant le nom de la personne qui a poussé Natalia à faucher les auto-injecteurs de Bekim. Et peut-être même l'identité des types qui l'ont balancée dans le port décorée d'un bracelet de cheville en fonte. Cet inspecteur va devoir m'écouter parce que je détiens aussi des indices qui relient peut-être cette affaire à une série de meurtres plus anciens. Il s'avère que ce n'était pas la première fois que l'on jetait une jeune femme du quartier dans la marina. En 2008, il s'est déjà produit un épisode similaire. Le type qu'ils ont pincé pour ces crimes avait un complice qui n'a jamais été arrêté. Et je sais qui c'est. Avec un peu de chance, son nom figure dans ce mail.

— Seigneur, s'exclama Hobday.

— Qu'y a-t-il, Vik ? Avons-nous un résultat ?

— Oui et non, fit Sokolnikov. Ce mail qu'elle a essayé d'envoyer… il semble que ce soit une lettre annonçant son suicide.

50

— Alors de quoi avez-vous parlé ? me demanda Louise.

Elle portait à présent une petite nuisette noire qui évoquait le crépuscule d'une déesse érotique et s'appuyait sur un coude pour scruter attentivement mon visage, en quête d'indices.

— Avec Phil et Vik. Vous n'avez pas causé que de football, je parie.

Je retournai la tête sur l'oreiller.

— Il ne t'a pas viré, non ?

— Non, il ne m'a pas viré. Mais c'est presque aussi pénible que ça.

Je lui expliquai que Kojo Ironsi était désormais le directeur technique du club.

— Qu'est-ce que cela signifie ?

— Et d'une, je pense que nous allons compter beaucoup plus de footballeurs africains dans l'effectif. Toutefois, je suspecte que cela signifie aussi que Vik veut prendre toutes les véritables décisions footballistiques lui-même. Il pense probablement que Kojo sera plus enclin que moi à faire ce qu'on lui dit. Au moins lorsqu'il s'agit d'acheter et de vendre des joueurs.

— Mais là-dessus, il n'a pas tort, n'est-ce pas ?

— Qu'entends-tu par là ?

— Oh, allons, Scott. Tu étais hostile à la vente de Christoph Bündchen, et tu étais contre l'achat de Prometheus. Il me semble me souvenir que tu t'étais même opposé à l'achat de Bekim Develi. Je parie qu'il y a probablement eu aussi d'autres joueurs – d'autres dont je ne sais rien – que Viktor Sokolnikov voulait acheter ou vendre, et tu as bien dû torpiller l'idée. Lui faire sentir qu'il n'était qu'un imbécile. Tu sais très bien t'y prendre, parfois.

Je réfléchis un moment.

— Je n'avais pas envie de vendre Ken Okri à Sunderland, je pense. Ou de perdre John Ayensu.

— Et voilà. C'est l'argent de Viktor Sokolnikov, Scott. Tu devrais essayer de t'en souvenir. London City, c'est son jouet, pas le tien. Tout comme ce yacht ridicule.

— Qu'a-t-il de ridicule, ce yacht ? dis-je alors que je savais qu'elle avait raison, ce yacht était ridicule.

— Comme moyen de perdre d'énormes sommes d'argent, il n'y a pas grand-chose de mieux qu'un super-yacht. Excepté un club de football de Premier League. Il me semble qu'un club de foot reste le plus gros éléphant blanc que puisse se payer un milliardaire. Un mammouth bien laineux et bien blanc, sans doute.

— Je ne sais pas. Appliquées au football, les lois de l'économie opèrent différemment. Je pense parfois que John Maynard Keynes aurait dû écrire un chapitre spécial consacré aux équipes de football. Dans les grands clubs, les pertes et profits ne signifient pas toujours ce qu'ils sont censés signifier.

— Peut-être, cela étant tu ne serais pas le premier manager empêché d'acheter ou de vendre les joueurs qu'il veut, non ? Mourinho n'a-t-il pas un problème similaire avec Abramovitch à Chelsea ? D'après ce que j'ai lu, ce n'est pas Man U qui lui a signalé qu'il ne pouvait se payer Wayne, c'est le Russe.

— Tu es très bien informée, tout d'un coup.

— Écoute, si ce n'est pas toi qui choisis le joueur, tu ne peux être tenu pour responsable quand il ne réussit pas à marquer. Ce n'était pas Mourinho qui avait acheté Fernando Torres. Donc, on ne peut pas lui en vouloir quand Torres échoue. Réfléchis, en un sens cela te permettra de t'éviter le crochet auquel les journaux pendent les managers.

— Cela se peut.

— Bien sûr que oui. Cela te donne une chance de te concentrer sur ce qui se passe sur le terrain. Pour que tu puisses faire ton vrai travail. Sans parler du mien.

— J'imagine que tu as raison.

— Au fait, comment tu t'en sors, puisque tu fais mon métier ?

— Je ne suis pas un vrai détective.

— Personne n'en est un. Du moins, pas comme ils fonctionnent à la télé. Tu sais ? Avec des indices et tout ce qui va de pair : cela prend du temps de découvrir des choses.

— En réalité, Louise, j'en ai découvert beaucoup. Et tu avais raison, à propos de ce que tu disais tout à l'heure à ma descente d'hélicoptère. Il y a des choses que j'aimerais vraiment ne pas savoir. (Je lui fis part de ce que j'avais appris.) Maintenant, il va me suffire de tout faire concorder.

— Il semble que tu aies eu un long week-end très productif. La plupart des flics se reposent, le septième jour. Même ceux qui sont de service. Toi, tu parais presque sur le point de résoudre l'affaire, je suis impressionnée.

— Il y a encore beaucoup de choses que je ne sais pas, reconnus-je.

— Il faudra t'y habituer, me prévint-elle. Même quand une affaire passe au tribunal, tu constateras que tu ne sais pas encore tout. On ne peut jamais tout savoir. Le truc, c'est d'en savoir juste assez pour assurer une condamnation. Trop souvent, il arrive qu'on envoie un type au trou sans connaître la moitié de l'histoire.

— Je ne le sais que trop, dis-je.

Elle grimaça, l'air contrit.

— Je suppose que la question est la suivante : Natalia s'est-elle réellement suicidée, ou quelqu'un l'a-t-il poussée à écrire ce mail ? Après tout, s'attacher un poids aux chevilles et se lâcher dans le port juste parce que vous êtes déprimé d'avoir joué un rôle dans la mort de Bekim, cela paraît un peu extrême.

— Tout suicide est extrême, *sui generis*.

— Si je savais ce que cela veut dire, je serais éventuellement d'accord avec toi.

— Qui possède des caractéristiques uniques. En outre, tu disais que Natalia avait des tendances dépressives. Et qu'elle n'avait pas les mains liées. Et qu'elle avait bel et bien volé les auto-injecteurs de ton joueur.

Elle l'a trahi. Donc elle se sentait coupable. Cela ne me paraît pas totalement improbable. Seulement triste. La vraie question est de savoir qui l'a poussée à commettre ce vol. Et, au fait, avant d'aller voir ce flic grec, tu devrais demander à quelqu'un de te traduire ce mail convenablement. Le faire traduire par Sokolnikov, c'est un peu comme d'inviter le renard à garder les poules.

— Tu veux dire, simplement parce qu'il est ukrainien, comme elle ?

Elle haussa les épaules.

— Tu l'as dit. Et, après tout, ce n'est pas comme s'il n'avait jamais recours à ces filles à louer. Ces filles, sur le bateau, ce soir. Elles n'étaient pas déléguées de la Croix-Rouge, tu sais. Tu ne trouves pas qu'il est un tout petit peu suspect ?

— J'ignore quoi penser de lui. Ce que je sais, c'est que je ne referai plus jamais ça : essayer d'élucider un crime tout en dirigeant une équipe. Apparemment, personne ne me sait gré de ce que j'ai fait. Au contraire, tout se passe comme si c'était moi qui leur créais un putain de problème.

— Je te l'ai dit : il faudra t'y faire. En tant que policier, quelquefois, la seule récompense pour avoir accompli ton travail consiste à être traité comme un criminel. Regarde les reportages qui ont été publiés sur Hillsborough, sérieusement, tu aurais cru que c'était la police du Yorkshire qui avait tué tous ces pauvres fans de foot[1]. C'est sûr que la police a foiré. Oui, mes

---

1. Le 15 avril 1989, dans le stade de Hillsborough, à Sheffield (Yorkshire), un mouvement de foule lors d'un match Liverpool-Nottingham Forest fit quatre-vingt-seize victimes.

collègues ont été stupides. Par contre, ce ne sont pas des meurtriers.

— Tu ne penses pas que je risquerais de finir dans une taule grecque pour ce que j'ai fait, non ?

— Il est un peu tard pour commencer à songer à cela maintenant, mon chéri. (Elle eut un geste désabusé.) Se livrer à une perquisition illégale, suborner un témoin, dissimuler des éléments de preuve… toutes choses que tu as commises… l'affaire devient sérieuse, Scott. Ils pourraient même affirmer que tes actes ont eu pour conséquence de faire obstruction à leur propre enquête. Et là-dessus il se pourrait qu'ils aient raison, en plus.

— Nom de Dieu. Aide-moi à me tirer de là, Louise. Tu es flic. Donne-moi un conseil. Qu'est-ce que je dois raconter à cet inspecteur de police grec ?

— Tu veux dire, comment vas-tu t'y prendre pour éviter qu'il se sente le dernier des cons ?

— Exactement.

— Je pense qu'il faut un peu moins le prendre sur le mode « il m'a semblé que vous ne faisiez franchement pas grand-chose pour résoudre cette affaire, les gars, alors j'ai décidé d'intervenir et de vous aider à vous en sortir, pauvres buses », et un peu plus sur le mode « je suis confus, messieurs, mais il semble que je sois tombé sur des informations qui, à mon humble avis, seraient susceptibles de présenter un intérêt pour votre enquête et j'ai pensé qu'il était de mon devoir de vous en parler dès que possible ». Un discours de cet ordre devrait fonctionner. Tu as une avocate grecque, n'est-ce pas ? Alors emmène-la avec toi. Arrange-toi pour qu'elle le leur dise en grec.

— Non. Je ne pense pas que ce soit une bonne idée. Elle n'aime pas beaucoup la police.

— Personne n'aime la police. Ou l'aurais-tu oublié ?

— Oui, enfin, elle est avocate. Ils sont censés être dans le même camp.

— Je regrette, ce n'est vrai que la moitié du temps.

— Mon principal problème est celui-ci : il ne semble exister aucun moyen d'expliquer à l'inspecteur-chef Varouxis que Natalia se serait suicidée sans aussi lui révéler que Bekim Develi a probablement été assassiné. Je veux dire, il est tout aussi probable qu'il maintienne l'assignation à résidence de l'équipe en Grèce pour le meurtre de mon joueur que pour celui de cette fille. En somme, je vais lui fournir une version de rechange qui, en réalité, sur le long terme, risque de ne pas nous aider. On se fait enfiler par-devant au lieu de se faire enfiler par-derrière. Quoi qu'il en soit, par-devant ou par-derrière, de toute manière, on se fait baiser.

— C'est un peu du jargon de juriste, mais je crois que tu formules très bien le problème. (Elle réfléchit un instant.) Écoute, rien ne m'empêche de venir avec toi, si tu veux. Ne parlant pas grec, à défaut, je pourrais lui montrer ma carte de police. En professionnelle qui s'adresse à un collègue. Je pourrais même lui proposer de le sucer si jamais il finissait par se montrer un peu trop lourd.

— Cela risquerait de fonctionner.

— Il est grec. Bien sûr que ça va fonctionner. Ces gens-là ont inventé la sodomie et la fellation.

— Ça me paraît un bon plan.

Je bâillai et elle s'allongea en travers sur moi, me logea un sein contre la bouche et me laissa lui sucer un moment le téton. C'est bizarre comme j'avais oublié combien cela pouvait être réconfortant dans les situations de stress véritable.

— Je vais te souffler un bon conseil, ajouta-t-elle. Entre détectives. C'est un truc qui marche à chaque fois, quand je suis sur une affaire. Dors un peu. Les choses te paraîtront bien plus claires demain matin.

51

Le sac de Natalia et tout son contenu, y compris les EpiPen de Bekim Develi, étaient étalés devant moi, à côté d'un cendrier où était posée ma cigarette encore fumante. J'avais eu besoin d'en tirer deux ou trois bouffées pendant que je racontais mon histoire à l'inspecteur-chef Varouxis, et le filet de fumée flottait maintenant dans sa direction. Je tendis la main et l'écrasai.

— Alors, si vous me permettez de résumer, fit Varouxis. Vous affirmez qu'un Rom a ramassé un sac à main de femme sur le quai du port de Marina Zea et, comprenant qu'il avait pu appartenir à la jeune fille qui s'est noyée là-bas, il l'a remis à votre avocate, Me Christodoulakis, en échange de la récompense de dix mille euros.

— C'est exact, dis-je. Il s'appelle Mircea Stojka et il vit dans le camp de Roms de Chalandri.

Je fis glisser un bout de papier sur la table, sur lequel était écrite l'adresse de cet homme.

Varouxis examina l'adresse en tenant le papier à bout de bras, comme s'il avait oublié sa paire de lunettes.

— Je connais. Le camp est tout près de la Monnaie. Là où nous fabriquons l'argent. Ironie des choses. Vous devriez y emmener votre patron, un de ces jours. Qu'il voie comment vivent certaines personnes depuis que la récession a frappé ce pays.

J'étais au GADA, sur la rue Alexandras, à l'intérieur de la salle de réunion du dernier étage, avec Varouxis, Louise et un inspecteur subalterne que je n'avais encore jamais rencontré, et qui était aussi la plus petite des personnes présentes dans la pièce. Il s'appelait Kaolos Tsipras et il examinait le sac à main de Natalia, d'où j'avais au préalable retiré les billets de banque. Il était impossible d'imaginer que quiconque l'ait restitué en y laissant mille euros en espèce fût-ce en échange d'une récompense substantielle. Depuis la dernière fois que j'avais vu Varouxis, il avait rasé la ridicule petite touffe qui lui tenait lieu de barbe, révélant ainsi, sous la lèvre inférieure, une cicatrice à la Harry Potter en travers du menton. Il se tenait appuyé contre le rebord de fenêtre, fumant une de ses cigarettes, bras croisés, les manches de sa chemise bleue retroussées et le bouton du col défait. Il paraissait avoir travaillé toute la nuit. Son iPad était posé sur le rebord de fenêtre, à côté de lui. De temps à autre, il jetait un œil par les carreaux crasseux, vers le stade Apostolos-Nikolaidis, où London City allait bientôt affronter l'Olympiakos, comme s'il avait envie de pouvoir m'exiler tout en haut de ces gradins délabrés.

— Et vous affirmez également que, lorsque vous avez consulté son iPhone, vous êtes tombé sur une lettre de suicide en forme de mail, resté dans les brouillons de son compte ? Que vous avez déjà traduit du russe en anglais.

— Oui. Et en grec. Bon, naturellement, je savais que j'allais venir ici aujourd'hui, et je me suis dit que je pourrais vous permettre d'accélérer votre enquête.

— C'était très attentionné de votre part, monsieur.

Je haussai les épaules.

— Bien sûr, je sais qu'en réalité je n'aurais pas dû toucher du tout à ce téléphone, inspecteur-chef. Et je suis vraiment désolé de cela. Mais sincèrement, il ne me semblait pas très nécessaire de se soucier des empreintes. Il était clair que M. Stojka avait déjà amplement manipulé le téléphone. Je le sais parce qu'il nous a expliqué qu'il avait dû le manier pour contourner le code, avec l'intention de revendre l'appareil au marché noir. Il nous l'a remis uniquement parce qu'il savait que nous verserions à titre de récompense une somme bien supérieure à celle qu'il aurait obtenue contre un iPhone neuf.

Varouxis hocha la tête, patiemment.

J'avais déjà croisé suffisamment de policiers dans ma vie pour savoir que le Grec ne croyait pas un traître mot de mon histoire. Dans toutes les langues, un soupir de lassitude et un regard dubitatif ont le même sens. Mais ayant si peu progressé dans sa propre enquête, il n'allait pas me réclamer des explications, du moins pas encore. Il n'empêche, je me sentis tout de même obligé de suivre le conseil préalable de Louise, et de faire encore un peu plus amende honorable.

— Je vous dois encore de plus amples excuses, inspecteur-chef. Vous aviez tout à fait raison : Natalia Matviyenko était bien connue de Bekim Develi. Du moins, c'est l'impression que laisse la lettre annonçant son suicide. Ce n'est pas votre avis ?

— Auriez-vous l'amabilité de me lire à nouveau son mail à voix haute, monsieur Manson, je vous prie ?

— Certainement, inspecteur-chef.

— Permettez-moi, fit Louise, et, prenant une autre feuille de papier posée sur la table, elle entama la lecture du ton de voix huppé de celle à qui l'on donnerait le bon Dieu sans confession.

« C'est l'horreur et le désespoir. Je croyais savoir ce que c'était que se sentir déprimé, mais je vois maintenant que je me trompais. Au stade où j'en suis, j'ai atteint un endroit très sombre de mon âme d'où on ne peut revenir et j'ai juste envie d'aller dormir et de ne plus jamais me réveiller, jamais. Alors j'écris ce mail parce que je veux expliquer certaines choses et m'excuser auprès de tous ceux qui m'ont aidée ces derniers mois. Vous avez vraiment tous essayé de faire en sorte que j'aille mieux, mais je sais maintenant que je ne peux plus continuer de vivre. J'arrive au bout de ce que je suis capable de supporter. Je suis vraiment, vraiment désolée de ce qui s'est passé. Je me sens si coupable. S'il vous plaît, pardonnez-moi. C'est moi qui ai tué Bekim Develi. Si je ne lui avais pas pris ses EpiPen, alors il serait peut-être encore en vie. Je n'avais pas du tout l'intention de lui faire du mal parce qu'il a toujours été très gentil avec moi, toujours été un bon ami. On m'avait raconté qu'il se sentirait peut-être un peu mal et c'est tout.

J'ignorais absolument qu'en réalité il risquait de mourir. Si j'avais su que c'était même possible, jamais je n'aurais fait ça. Quand j'ai vu ce qui s'est passé pendant le match de football, j'ai été horrifiée. Et quand j'ai appris qu'il était mort, j'ai eu envie de mourir moi aussi. Rien de ce que je pourrais tenter ne le ramènera à la vie. Comme d'habitude, j'ai provoqué une énorme catastrophe. Mais le pire, c'est que je n'arrête pas de penser à la petite amie de Bekim, Alex, et à son magnifique bébé, le petit Peter. Bekim était si fier de lui. Il m'a montré tant de photos de lui que j'ai maintenant son visage imprimé dans ma tête. Je suis responsable, c'est moi qui ai privé Peter de son père. Peter ne connaîtra jamais son père. La simple vérité, c'est que je ne peux pas supporter cette idée. Pas maintenant. Jamais. Je suis désolée, mais je ne peux pas vivre avec le souvenir de ce que j'ai fait. »

Louise soupira et reposa la feuille de papier qu'elle lisait. Je vis bien que cette lecture l'affectait.

— Malgré ce qu'a écrit Natalia, dit-elle, il est évident qu'elle ne l'a pas tué. Mais elle semble s'être attribué la responsabilité d'un acte à l'évidence commis par un autre : la personne qui l'a incitée à faire cela, et qui a dû trafiquer la nourriture ingérée par Bekim, ici, en Grèce.

— Il est dommage qu'elle n'ait pas aussi écrit le nom de cet individu, observa Varouxis.

— Le plus curieux, ajoutai-je, c'est que j'ai parlé au nutritionniste de l'équipe, Denis Abaïev, et il affirme que la seule chose que Bekim a consommée avant le match était un milk-shake protéiné à la banane que Denis a confectionné lui-même en utilisant des ingrédients qu'il avait apportés dans l'avion d'Angleterre. C'était au moins deux heures avant le match.

— Ce qui signifie que cela n'a guère pu être la cause de la réaction allergique qui a coûté la vie à votre joueur, en déduisit Varouxis. Mais à la lumière de cette nouvelle information, je souhaiterais reparler au nutritionniste de l'équipe.

Je hochai la tête.

— Naturellement.

— Vous ne pensez pas qu'il pourrait simplement s'agir d'une coïncidence ? suggéra l'inspecteur Tsipras. Que le décès de M. Develi soit dû en fin de compte à des causes naturelles. Et qu'il n'ait rien à voir avec le vol de ses auto-injecteurs.

Varouxis considéra son subordonné avec une expression de déception et de lassitude.

— Les policiers ne croient pas davantage aux coïncidences qu'ils ne croient à la bonté des inconnus. Pas quand existent toutes les preuves d'un pari placé sur l'issue du match, ainsi que l'inspecteur Considine vient de nous l'expliquer. Par un Russe. En Russie. Il est tout à fait possible que ce pari ait été placé par la même personne qui possède l'équipe pour laquelle jouait Bekim Develi, Semion Mikhailov, lequel avait probablement connaissance de son état. Non, quelqu'un s'en est bel et bien pris à ce joueur. Et ce quelqu'un était de mèche avec cet individu, Semion Mikhailov. Je pense que nous pouvons tomber d'accord là-dessus.

— Oui, bien sûr, fit Tsipras.

— J'aimerais vous montrer quelque chose, ajouta Varouxis.

Il récupéra son iPad sur le rebord de fenêtre et l'activa d'un geste de l'index. Quelques secondes plus tard, Louise et moi regardions une courte vidéo noir et blanc montrant ce qui ressemblait à une Mercedes Benz quittant l'hôtel de l'équipe à Vouliagmeni.

— C'est une vidéo de surveillance qui vient de faire surface, prise par une caméra proche de l'entrée principale de l'établissement. Nous sommes presque certains que Natalia est la personne assise sur la banquette arrière du véhicule. Malheureusement, on ne peut véritablement distinguer la plaque d'immatriculation, le conducteur ou la silhouette assise à côté de la jeune femme, qui pourrait bel et bien être la personne qu'elle mentionne dans sa lettre : l'homme qui l'a incitée à voler ces auto-injecteurs.

Je visionnai plusieurs fois la brève séquence avant d'en conclure que ces images pleines de grain ne m'apprenaient rien de plus sur ce qui était précisément arrivé à Bekim Develi.

— J'imagine que vous n'avez aucune idée de l'identité de la personne dans le véhicule, monsieur Manson, dit Varouxis.

J'étais maintenant assez près de lui pour renifler le parfum de son après-rasage, qui me rappelait un désodorisant très agressif, du type de ceux qu'on respire parfois dans les taxis, comme une odeur de fleurs artificielles.

— Aucune idée.

— Vous n'avez pas connaissance d'un de vos joueurs qui aurait loué une berline Mercedes pour se rendre quelque part ce soir-là ?

— Comme je vous l'ai dit précédemment, ils étaient censés se coucher tôt, avant un gros match.

— Oui, bien sûr.

— Vous pourriez questionner toutes les sociétés de location de limousines d'Athènes pour voir si elles se souviennent d'être allées chercher une femme russe à l'hôtel ce soir-là, suggéra Louise.

— Oui, nous allons certainement procéder en ce sens, merci, fit Varouxis. Quoi qu'il en soit, en l'occurrence, nous pensons que la personne dans la voiture serait plus probablement le souteneur de Natalia, ou une sorte de pervers sexuel qui aurait pu être son client suivant.

— Qu'est-ce qui vous permet de l'affirmer ? s'enquit Louise.

Varouxis repassa la vidéo, puis l'arrêta d'un tapotement de doigt.

— Si vous observez la plage arrière de la voiture, vous verrez… là, si je peux l'agrandir un peu plus… malgré le grain, vous pouvez distinguer ce qui paraît être un fouet. C'est, je crois, ce que l'on appelle parfois en anglais un martinet.

— En effet, acquiesça Louise.

— De nouveau, je dois vous le demander, reprit Varouxis : Vous n'avez personne dans votre équipe qui serait susceptible de se livrer à ce type de pratiques sadomasochistes ?

Je fis non de la tête.

— Personne. Y avait-il sur le corps de Natalia des signes qu'elle ait été fouettée ? lui demandai-je ensuite, sachant pertinemment qu'il n'y en avait aucun.

La vision, les bruits et les odeurs de la dépouille mortelle de la jeune Russe durant l'autopsie nocturne du Dr Pyromaglou subsisteraient longtemps dans mon esprit.

— Je veux dire, vous n'aviez rien mentionné de tel auparavant.

— Aucun signe, confirma Varouxis. Du moins pas à notre connaissance. Toutefois, maintenant que la grève des médecins est terminée, nous devrions au moins être en mesure d'organiser une autopsie dans les règles, de Bekim Develi comme de Natalia Matviyenko. Dès aujourd'hui, je l'espère.

— Le fouet n'était peut-être qu'un accessoire, pour pimenter un jeu sexuel.

— Frapper quelqu'un ne me paraît pas être un jeu sexuel de très bon goût, remarqua Louise. À moins naturellement qu'elle ne s'en soit servi pour le fouetter, lui. Là, je comprendrais. Une femme frappant un homme à coups de martinet. Il y a plusieurs de mes supérieurs, à Scotland Yard, à qui j'aimerais donner le fouet.

— Je n'avais pas songé à cela, avoua Varouxis. Peut-être était-ce lui qui se faisait fouetter, en effet, et pas elle.

— Cela expliquerait pourquoi elle n'avait pas de zébrures sur le corps, commenta Louise. Elle en aurait certainement si elle avait été fouettée. Il me semble impossible que cette sorte d'activité sexuelle ne laisse pas de marques. Peut-être devriez-vous ouvrir l'œil la prochaine fois que vous verrez votre équipe sous la douche, monsieur Manson, et guetter d'éventuelles marques révélatrices. Ce qui sera le cas mercredi soir prochain, non ?

— Je vais certainement garder cela en tête, dis-je.

52

— Il y a un autre élément que nous devons vous communiquer, monsieur l'inspecteur, dis-je prudemment, et c'est lié à l'une de vos anciennes affaires. C'est-à-dire, peut-être pas si vieille. Le dossier Thanos Leventis.

Varouxis se raidit.

— Qu'en est-il ?

— Je pense qu'il pourrait exister certaines similitudes entre cette affaire bien précise et la mort de Natalia Matviyenko.

— Principalement le fait qu'une des victimes a été jetée dans le port de Marina Zea, ajouta Louise. À savoir Sara Gill. Une Anglaise.

— Je me suis entretenu avec Mlle Gill, précisai-je. Au sujet de l'agression commise contre elle en 2008.

— Vous lui avez parlé ?

— Nous lui avons parlé tous les deux. (Louise s'exprimait sur un ton ferme.) Dans le but d'essayer d'établir un lien avec la mort de Natalia Matviyenko.

— Et qu'en avez-vous conclu ? demanda Varouxis.

— Il n'existe aucun lien, lui répondit-elle. En revanche, je crois être maintenant en position de formuler, par l'intermédiaire de l'ambassadeur de Grande-Bretagne, une requête officielle auprès de votre gouvernement pour que la Brigade spéciale des crimes violents, ici, à Athènes, rouvre ce dossier.

— Puis-je vous demander pourquoi ?

— D'après ce que Mlle Gill m'a expliqué, reprit Louise, vous êtes parvenu à la conclusion, certes tout à fait compréhensible, qu'en raison de la gravité de ses blessures, son témoignage était fortement sujet à caution. Elle admet elle-même qu'elle était alors très perturbée. Et que son récit des faits n'avait pas grand sens, en apparence.

L'inspecteur confirma d'un hochement de tête et alluma une cigarette, calmement.

— En réalité, ce n'est pas moi qui ai pris la décision de ne pas approfondir sa version des faits, soulignat-il. C'était la décision de mon supérieur, le lieutenant général de police. Mais je vous en prie, poursuivez.

— Le contexte est différent, à présent, dit Louise. Elle s'est remise et se souvient de quantité d'autres aspects relatifs à ce qui lui est arrivé. En particulier, nous pensons maintenant qu'elle est en position d'identifier le second agresseur.

— Nous ?

— Lors d'une conversation par Skype que j'ai eue avec elle samedi soir, Mlle Gill m'a fourni une description de l'homme qui l'a agressée, dis-je. Une description très détaillée. D'après ce qu'elle m'a expliqué, je suis plus ou moins certain d'avoir rencontré l'homme qui l'a violée.

— Et qui cela pourrait-il être ? Non. Attendez une minute. Tsipras ?

— Oui, monsieur ?

— Je crois préférable que vous quittiez la pièce, dit Varouxis. Je pense que si M. Manson ici présent s'apprête à formuler des propos diffamatoires contre quelqu'un, il vaut mieux qu'il le fasse devant un seul et unique témoin. Au nom des relations diplomatiques entre nos deux pays, je n'aimerais pas que M. Manson se crée davantage d'ennuis.

— Très bien, monsieur.

Tsipras se leva et sortit.

— Bon, reprit l'inspecteur-chef après que son subordonné nous eut laissés entre nous. Qu'avez-vous en tête ?

— Il s'appelle Antonis Venizelos, et il travaille pour…

— Je sais pour qui travaille Antonis Venizelos. Tout le monde dans cet immeuble connaît Antonis Venizelos. C'est un homme très apprécié. Il nous procure des billets gratuits pour tous les matchs du Panathinaïkós. Il vient constamment ici, au siège central de la police, comme si c'était une annexe de ce stade, de l'autre côté de la rue. (De la tête, l'inspecteur désigna la fenêtre.) Alors, dites-moi ce qui vous fait penser que c'est lui l'autre agresseur de Mlle Gill ?

— Elle m'a précisé que l'homme était poilu. Très poilu. Comme Venizelos. Un individu à l'haleine très sucrée. Venizelos croque sans arrêt des graines de cardamome et fume des cigarettes mentholées. Elle m'a aussi décrit un homme vêtu d'un T-shirt imprimé d'un logo similaire à celui des Nations unies. Elle a évoqué une sorte de couronne de branches d'olivier. À ceci près qu'entre les branches, ce n'était pas une carte du monde, mais plutôt ce qui ressemblait à une sorte de labyrinthe. Je suis certain qu'elle m'a décrit un T-shirt d'Aube dorée, organisation néo-nazie dont Venizelos a longtemps été membre. C'est du moins ce que m'a appris mon entraîneur adjoint. Mais le détail plus révélateur, c'est qu'elle a mentionné un homme qui posséderait trois sourcils. D'emblée, c'est ce détail qui a rendu son témoignage sujet à caution. Toutefois, Venizelos a une cicatrice très marquée, qui lui barre un sourcil et laisse très nettement l'impression qu'il en aurait trois au lieu de deux. Considérant que Thanos Leventis conduisait l'autocar de l'équipe réserve du Panathinaïkós, il est très possible qu'il ait fait la connaissance d'Antonis Venizelos. Je sais aussi, suite aux conversations que j'ai eues avec lui, que Venizelos défend des opinions très misogynes. Franchement, je pense qu'il déteste les femmes autant qu'il déteste les Pakistanais ou les Roms. Je ne peux affirmer avoir la certitude à cent pour cent que c'était lui, inspecteur-chef. Et vous avez ma parole que je n'ai en tout cas pas fait part de mes soupçons à Mlle Gill. Toutefois, je pense que dans le cadre d'une séance d'identification, il y a de fortes chances pour qu'elle soit en mesure de le reconnaître.

Varouxis alluma une autre cigarette et réfléchit une minute.

— Mais enfin, je pense que vous connaissiez déjà le nom de l'homme que j'allais nommer, continuai-je. C'est pourquoi vous avez prié l'inspecteur Tsipras de quitter la pièce, n'est-ce pas ?

Le policier garda le silence.

— Si vous m'y autorisez, fit Louise, je vais ajouter un point. Il vaut certainement mieux que vous rouvriez le dossier de votre propre initiative que sur ordre de l'ambassadeur de Grande-Bretagne et de votre ministre de la Justice.

— En dépit de ce que vous venez de déclarer, le seul moyen pour moi de rouvrir cette enquête serait que je puisse mettre à profit le prestige que me vaudrait d'élucider la mort de Mlle Matviyenko ou celle de Bekim Develi. En de telles circonstances, personne ne pourrait contester ma décision de rouvrir le dossier de Sara Gill.

— Puis-je vous demander pourquoi quelqu'un contesterait cette décision ? s'enquit Louise.

— Mon supérieur, le lieutenant général de la police Stelios Zouranis, est le cousin de ce Venizelos. Il est aussi membre d'Aube dorée. Cet homme et cette organisation me déplaisent souverainement, mais j'ai les mains liées, du moins jusqu'à ce que je résolve cette affaire-ci. Dans cette hypothèse, le ministre m'écouterait, comprenez-vous. Il ne pourrait s'y opposer.

Louise opina.

— Nous comprenons.

— Antonis Venizelos a cette cicatrice qui lui barre le sourcil suite à une blessure reçue lors d'un match de football contre Thessalonique, en 2000, précisa le policier. Il a marché sur la cheville d'un autre joueur, un mauvais geste qui lui a valu un coup de boule d'un troisième, et il a eu seize points de suture. Cet homme a toujours été un très sale joueur. Et je dis cela en tant que supporter du Panathinaïkós. En fait, pendant un certain temps, après cet incident, on l'avait surnommé le Minotaure.

Il ouvrit la fenêtre et chassa un peu la fumée qui flottait dans la salle de réunion.

— En toute franchise, je vous dirai que j'ai toujours suspecté son implication. Et je serais profondément satisfait d'envoyer cet homme derrière les barreaux. Non pas seulement parce que c'est un violeur et un meurtrier, mais parce que les individus de son espèce représentent ce que notre société offre de pire. La haine et l'intolérance qui l'habitent sont contraires au véritable état d'esprit de cette nation. Nous avons certes inventé la démocratie, mais nous commençons à en oublier le sens. Pour faire reconnaître sa culpabilité, il me faudrait posséder plus de poids, et résoudre cette affaire serait certainement un moyen.

— Oui, je comprends ça.

— Je suis impressionné par tout ce que vous avez réussi à découvrir, monsieur Manson. Impressionné, mais peut-être pas si surpris, après la manière dont vous avez découvert qui avait tué João Zarco. J'aurais dû savoir que vous n'étiez pas le genre d'homme à rester assis les bras croisés. Je vous donne ma parole que si vous m'aidez, je vous aiderai.

Il me tendit la main. Je la serrai. Puis il serra celle de Louise.

— À nous trois, nous aboutirons peut-être à une issue satisfaisante, conclut-il. En fait, j'en suis pleinement convaincu.

53

Passé la discussion d'avant-match sur ITV – pourquoi ces types posent-ils toujours des questions aussi stupides ? –, je rejoignis mes joueurs.

À l'occasion du match contre l'Olympiakos au stade Apostolos-Nikolaidis, en face du GADA, je décidai d'enfiler mon survêtement noir sans aucune marque distinctive, un T-shirt assorti et une paire de baskets noires. Un costume en lin Zegna, une chemise blanche et une cravate en soie paraissaient fort peu appropriés pour ce qui s'annonçait à coup sûr comme une longue soirée de frénésie, et je voulais que tous mes joueurs comprennent clairement tout ce que j'allais leur dire au vestiaire : le match qui nous attendait réclamerait de leur part une prestation digne d'un combat de tranchée, solide sur le fond, et sans trop se soucier du style.

D'ailleurs, ce soir, côté style, les lieux n'avaient pas grand-chose à offrir. Le vestiaire d'Apostolos-Nikolaidis était aussi crapoteux que l'aspect extérieur du stade le laissait prévoir, en très net contraste avec la perfection des installations rutilantes, en aluminium brossé, dont nous jouissions à Silvertown Dock. Plusieurs patères étaient descellées ou absentes de leur support mural et, pour les vestes ou les chemises, il n'y avait que des porte-manteaux en fil de fer. Le sol était inégal, jonché d'allumettes calcinées, de mégots et de chewing-gums écrasés. Le distributeur de boissons réfrigérées n'était pas allumé, mais peu importait puisque, pour couronner le tout, il était vide : pas une bouteille d'eau. Il flottait dans l'air une forte odeur d'égout, les douches qui gouttaient étaient envahies de moisissure dans les angles et il y manquait plus de carreaux que de lettres dans un vieux jeu de Scrabble. Il n'y avait pas de climatisation non plus, rien que deux ventilateurs de type atelier d'usine qui soufflaient en tous sens les notes aux joueurs de Simon Page. Je me félicitai de n'avoir apporté que mon iPad.

— Bien, bande de pauvres braillards, s'exclama Gary Ferguson en balançant son sac de sport sur le banc, arrêtez de vous plaindre et enfilez vos tenues, bordel. Souvenez-vous juste, si ce trou à rats est réservé à l'équipe qui reçoit, alors imaginez à quoi ressemble le vestiaire de l'équipe visiteurs. Il y a sans doute une crotte qui flotte dans les toilettes. En fait, je sais qu'il y en a une, parce que c'est moi qui l'ai laissée flotter hier.

Il y eut de gros rires.

— Tu vas la bouffer, cette banane ? demanda Zénobe Schuermans.

— En fait, je prévoyais de la lancer dans la foule, fit Daryl Hemingway. Juste au cas où ils n'en auraient plus assez en réserve pendant le match.

— Estime-toi heureux qu'ils jettent des bananes, ici, fit Kenny Traynor. Quand les Hearts jouaient contre les Hibs, ces enfoirés leur balançaient des pièces de monnaie[1].

— À Anfield, ils lançaient des rouleaux de papier-toilette, ajouta Soltani Boumediene.

— Je te jure, fit Ayrton Taylor, si quelqu'un me lance une pièce, je lui renvoie.

— Écoute, mon gars, fit Gary, si quelqu'un ici lance une pièce sur le terrain, cela risquerait plutôt d'être une offre de rachat de leur foutu club.

Tout cela n'était que défoulement des nerfs à vif, et je leur accordai quelques instants de légèreté avant de les rappeler à l'ordre.

— Bien, fis-je, pourrais-je avoir toute votre attention, messieurs ?

J'attendis une longue minute avant de leur exposer ma stratégie – celle que j'avais décrite à Vik et Phil à bord du *Lady Ruslana*. Ensuite, je leur annonçai la vérité toute crue concernant nos chances. Comme beaucoup de vérités, celle-ci comportait un constituant de taille, qui n'avait à répondre à aucune logique. C'est le travail du manager : rappeler aux joueurs que le football fait partie de ces lieux magiques où la vérité est souvent plus étrange que la fiction.

— Rattraper un handicap de 4-1, ce n'est pas une mince affaire, leur rappelai-je. Cela paraîtrait compliqué même si nous jouions sur notre terrain, à Silvertown Dock. Mais ici, à Athènes, dans ce taudis

---

1. Heart of Midlothian et Hibernian FC sont deux clubs d'Édimbourg.

du tiers-monde que le Panathinaïkós appelle un stade, dans la capitale en piteux état d'un pays qui n'est qu'un foutoir total, qui a beau partir en couille, mais qui réussit encore quand même à aboyer très fort, je vous pose la question.

Je me tus un instant, que nous puissions tous entendre le vacarme du stade qui était comble, une masse de monde essentiellement grecque, à peu près 50 % de supporters de l'Olympiakos, 30 % de fans du Panathinaïkós espérant voir leur vieux rivaux se faire battre, 10 % d'admirateurs de London City, et 10 % de touristes impartiaux venus assister à ce qu'ils espéraient être un match de football captivant.

— Vous entendez ça ? C'est le boucan des chiens qui aboient. Et tous ces aboiements veulent dire une seule et même chose : personne ne s'attend à nous voir gagner. Personne, ici, en Grèce. Et personne non plus en Angleterre. Ils ont tous fait une croix sur nous. Je viens de recevoir un tweet de Maurice, à Londres : sur ITV, Roy Keane vient d'expliquer que nous avions moins de chances de passer le prochain tour que n'en avait le commando des *Canons de Navarone*. Ce qui est presque vrai. Pour ma part, messieurs, il est certain que j'ai l'impression d'avoir vécu notre version d'une tragédie grecque. Autrefois, on offrait un bouc au poète grec capable de raconter la meilleure histoire. Eh bien, leur bouc, ils peuvent se le garder. Parce que notre tragédie à nous, elle aurait pu nous valoir de remporter le Booker Prize, bordel de Dieu.

« Depuis dix jours, nous avons été contraints de rester éloignés de nos foyers et de nos familles. Nous avons eu des armées d'équipes de télévision et la presse qui sont venus nous infester comme un eczéma dans le slip. Nous avons eu la flicaille locale qui est venue nous poser des questions concernant les putes, la drogue et toutes sortes de conneries sans rapport aucun avec le football. Ils nous ont balancé des bananes sur le terrain et descendus en flammes dans les journaux. Notre champion, notre Ajax à nous, il est mort, et oui, ils se figurent alors que tout est plié. Vous ne me croirez pas, mais *Proto Thema* – la plus grosse vente des journaux du dimanche de Grèce – a osé écrire que ce match n'était que pure formalité. Que ce soir on faisait simplement acte de présence, rien que pour avoir de quoi nous occuper pendant que nous étions assignés à résidence à Athènes. À tout ça, moi je réponds : allez vous faire foutre. Nous sommes d'une autre trempe. Cette équipe ne fait pas « acte de présence ». Si on est présents, c'est pour jouer. Et quand on joue, c'est pour gagner.

« Ce soir, nous pouvons sûrement gagner. Je regarde autour de moi dans cette pièce, et je vois vos têtes, les têtes de types qui comptent sérieusement le gagner, ce match. Et je n'en attends pas moins de la part des hommes que j'ai choisis pour défendre la réputation de ce groupe. Alors, si vous voulez bien, on oublie les rumeurs au sujet des arbitres véreux. Il se peut qu'on joue contre douze hommes, plus le stade entier, mais ce n'est pas ça qui va nous empêcher de développer notre jeu.

« Cela étant, je n'espère pas qu'on réussisse à remonter ce score de 4-1. Je ne suis pas assez bête. Aucun de nous n'est assez bête. Le fait est que si ce soir nous l'emportons sur l'ensemble des deux matchs, ce sera le plus grand miracle auquel on aura pu assister dans cette région du monde depuis la découverte du trésor perdu des Troyens. Un putain de miracle en argent massif. Mais en parlant de miracles, permettez-moi de vous rappeler ceci, messieurs : nous sommes dans le pays de Léonidas et ses trois cents Spartiates, à la bataille des Thermopyles, le pays où les mythes et les légendes, et oui, même de sacrés miracles deviennent réalité. Mais vous savez, le jour où je suis allé admirer la statue de Zeus et le masque d'Agamemnon au Musée archéologique national, il n'y avait quasiment pas un Grec sur les lieux. Ce qui me fait penser que les Grecs ont peut-être oublié la puissance de leurs propres mythes, et qu'ils n'ont peut-être gardé aucun souvenir de l'histoire de Persée, de Thésée, de Jason et d'Orphée.

« Y a-t-il encore quelqu'un ici pour croire que Persée avait la moindre chance de tuer la Gorgone ? Pas les Grecs. Qui aurait cru que Thésée réussirait à pénétrer dans le labyrinthe et à tuer le Minotaure ? Certainement pas les Grecs. Et Jason, vous vous souvenez de lui ? Y aurait-il encore un seul Grec pour croire que ses Argonautes et lui avaient l'ombre d'une chance de trouver, et encore moins de rapporter la Toison d'or ? Non. Bien sûr que non, pas un seul. Et Orphée ? Quand il est descendu aux Enfers pour tenter de ramener sa femme, Eurydice, les Grecs ont aussi fait une croix sur lui, tout comme sur ces autres héros. Mais contre toute attente, il est revenu d'entre les morts. C'est pour cela qu'on les appelle des héros. Ils étaient dotés d'un grand courage et d'une grande force, et c'est envers et contre tout qu'ils ont accompli ces hauts faits qui forment la matière des légendes. C'est pour cela qu'ils sont restés dans les mémoires.

« Vous savez, *Les Canons de Navarone* est l'un de mes dix films préférés. Je suis incapable de vous raconter le nombre de jours fériés que j'ai flingués pour le voir. Mais j'aurais tendance à penser que notre ami Keane a oublié qu'à la fin des *Canons*, Gregory Peck, Anthony Quinn et David Niven réussissent bel et bien à s'en tirer, au bout du compte. Contre toute attente et par une chaude nuit de la mer Égée comme ce soir, ils ont réussi à les détruire, ces gros, ces imprenables canons, dans une explosion dramatique, spectaculaire.

« Et je me suis souvenu du propos que Jensen, le type qui les envoie en mission, leur tient au tout début du film, et que j'ai envie de partager avec vous : dans une guerre, tout peut arriver.

54

— Bonne chance.

J'avais ouvert la porte du vestiaire, et Kojo Ironsi se trouvait juste derrière. Au fond de moi, je mourais d'envie de le prier d'aller se faire foutre, mais je me plaquai un bête sourire sur la figure, aussi bête qu'une fausse moustache, et je serrai la grosse paluche qu'il me tendait.

— Merci, dis-je.

— Ce match... il représente beaucoup de choses, n'est-ce pas ? me dit-il.

— Non, pour l'instant, il représente tout.

— Vik et Phil sont dans une loge avec Gustav, m'informa-t-il. Et je les rejoins d'ici une minute, mais étant donné ma nouvelle fonction de directeur technique, j'ai eu envie de descendre vous saluer. Voir si je pouvais vous être utile en quoi que ce soit.

— Sympa de votre part.

— Je sais que vous n'êtes pas précisément ravi de ma nomination, Scott, mais j'espère sincèrement que nous serons en mesure de travailler ensemble.

— J'en suis convaincu. Accordez-moi juste un petit peu de temps pour me faire à cette idée, d'accord ?

— Bien sûr, comme vous voudrez.

Le Ghanéen gifla l'air de son chasse-mouches, et sa grosse Rolex en or refléta la lumière. Il portait une saharienne en lin marron clair et des sandales. Il ne lui manquait qu'une peau de léopard *karakul* et il aurait eu l'allure d'un dictateur africain de seconde zone.

— Il fait assez chaud dehors, ajouta-t-il. Presque un temps subsaharien. Et probablement tout aussi imprévisible. (Il observa un temps de silence.) Vous devriez veiller à ce que tous les joueurs soient bien hydratés, vous ne croyez pas ?

Je veillai surtout à tenir ma langue, et j'acquiesçai.

— Merci pour ce conseil utile, Kojo. Je n'y aurais jamais pensé tout seul. Même pas en rêve. Mais enfin, qu'est-ce que je sais, moi. Je ne suis que le pauvre manager.

Mais Ironsi n'entendit pas cette dernière repartie. Il était déjà occupé à saluer chaleureusement ses deux joueurs issus de King Shark : Prometheus Adenuga, comme de juste, et puis l'autre, Séraphin Ntsimi, sauf que celui-ci jouait pour l'Olympiakos. Kojo serra aussi la main d'un autre joueur de l'équipe adverse, leur arrière central à la beauté ténébreuse, Roman Boerescu.

J'ignore pourquoi, mais malgré toute l'animosité que m'inspirait Kojo, je fus impressionné de l'entendre s'exprimer en grec, et couramment, en plus. C'était probablement pourquoi je me les représentais brièvement, Séraphin et lui, avec Valentina et Natalia, à la place de Roman, à Glyfada. Qui était avec qui ?

Kojo avec Valentina ? Ou Kojo avec Natalia ? Ou les deux ? Le beau salopard, me dis-je, du moins jusqu'à ce que je me rappelle que, selon Valentina en tout cas, Kojo n'avait véritablement baisé avec aucune de ces filles. Pour ma part, je ne pouvais en dire autant.

Pendant une minute, les deux équipes attendirent patiemment dans le tunnel des joueurs, puis encore une minute supplémentaire. Il faisait si chaud que Kenny Traynor s'éventait avec un de ses gants. Vingt-deux gamins, les mascottes des deux équipes, qui tenaient les joueurs par la main, semblaient avoir aussi chaud et être aussi totalement impressionnés par tout le contexte. Je ne pouvais guère leur en tenir rigueur. Je déteste le tunnel des joueurs avant un match. La plupart du temps, vous n'avez aucune idée de qui sont la moitié des personnes présentes et de ce que ces gens font là.

Du coin de l'œil, j'entrevis Kojo qui discutait avec une jolie femme qu'une minute avant j'avais vue embrasser le Roumain sur la joue, ce qui m'avait semblé curieux : en temps normal, les WAG n'étaient pas admises dans le tunnel. Puis je vis qu'elle était chargée des mascottes, les enfants qui, à présent, guettaient tous son signal, le nez levé, comme si c'était leur maman. Et peut-être était-ce son rôle, en un sens. D'après ce que j'avais compris, elle venait de leur distribuer leurs friandises, ou ce qu'on distribuait aux gamins grecs quand ils prenaient part à une soirée football en Ligue des champions. Sous mes yeux, elle sourit et tendit la main au-dessus d'une petite tête pour délicatement placer la main d'une fillette très timide dans l'une des énormes paluches de Kenny Traynor.

Kenny se pencha vers moi.

— Ça ne me dérange pas, patron, me glissa-t-il, mais elle a une petite main toute collante.

— Mets tes gants, lui suggérai-je.

— Il fait si chaud, là-dedans, protesta-t-il.

— Là, j'aurai tout entendu, s'écria Simon. Un gardien qui se plaint d'avoir les mains trop collantes. Trouve ce que la gamine a eu pour le goûter, fiston, et ensuite tu t'enduis les gants avec. Les pattes collantes, ça nous fera un changement par rapport à ta paire de passoires habituelle.

Kenny trouva cela très drôle. Et Gary aussi. Pourtant, l'espace d'un instant, j'eus l'impression que mon sens de l'humour m'avait abandonné.

— Qu'est-ce que nous attendons ? m'entendis-je demander, non sans impatience.

Kojo répéta ma question à la femme, qui lui répondit en grec.

— Selon Mme Boerescu, ils sont incapables de trouver un CD de musique classique pour le système de sonorisation, fit Ironsi.

— C'est son épouse ?

L'Africain opina.

— Du Beethoven, ou je ne sais quoi.

Je regardai Boerescu, puis sa femme. Il y eut un court instant où j'envisageai d'aller voir Roman Boerescu pour lui annoncer, à portée de voix de sa femme : « Tu as le bonjour de Valentina. » J'imagine que si j'avais été grec, je n'aurais pas hésité.

— Ce n'est pas du Beethoven, expliquai-je à Kojo. C'est *Sadoq le Prêtre*, de Haendel.

— J'ai pas le sentiment que cet air ait beaucoup de rapport avec le sport, fit le Ghanéen.

— Je pense que c'est destiné à inspirer le respect, remarquai-je. C'est le genre de musique qu'on choisirait pour adouber un roi ou un prêtre. Ou la meilleure équipe d'Europe, je suppose.

— C'était quel genre de prêtre, ce Sadoq ?

Je haussai les épaules, avec un geste de perplexité.

— Pas la moindre idée.

— Je crois que ce devait être le premier grand prêtre du temple de Jérusalem, précisa Soltani Boumediene qui, bien qu'arabe, avait jadis joué pour Haïfa en Israël et connaissait ce genre d'histoires. Celui que construisit le roi Salomon, dans le temps, avant que les Romains ne débarquent et ne saccagent tout.

— Vous n'allez quand même pas me dire que ce Sadoq était juif ? s'indigna Kojo.

— J'imagine que si, répondit Soltani, s'il figurait dans l'Ancien Testament. (Il rit.) Je veux dire, je doute qu'il ait pu faire partie de l'Église de Scientologie.

Ironsi fit grise mine.

— Vaut mieux pas raconter aux musulmans que ce type était juif.

— En ce cas, lui dis-je posément, le mieux là-dessus est encore de la boucler, d'accord ?

— Si jamais ils apprennent qu'ils sont entrés sur ce terrain au son d'un morceau de musique où il est question d'un rabbin juif, m'avertit le Ghanéen, ils vont piquer une crise. Je suis sérieux. Qui sait ce qui peut froisser ces gars-là, à l'heure actuelle.

— Alors bouclez-la, putain, lui répétai-je.

— Je suis musulman, répliqua Soltani, et franchement, cet air ne me pose absolument aucun problème.
C'est juste un morceau de musique.

Mohamed Hachani, l'un des joueurs d'Olympiakos,
souffla quelque chose en arabe à Boumediene, mais
ce dernier se contenta d'un signe de dénégation de la
tête, les yeux sur le bout de ses crampons. Du coup,
Hachani adressa ce qui semblait être la même question, en grec, à Kojo, et ce dernier lui répondit à l'instant où la musique débutait enfin et où l'arbitre nous
faisait signe d'avancer. Les joueurs et les enfants
se dirigèrent d'un pas traînant vers l'extrémité du
tunnel. Hachani resta immobile et s'adressa de nouveau à Soltani, en arabe. Et, de nouveau, Soltani se
contenta de faire non de la tête, comme s'il préférait
ne pas répondre, ce qui lui attira une réaction pleine
d'acrimonie de la part de l'autre. Hachani empoigna
Boumediene par le maillot et hurla, cette fois en
anglais.

— Quel genre de musulman tu es, toi ? lui jeta-
t-il. Cette saleté de musique est une insulte à tous les
Arabes. Et toi, mon ami, tu es la honte de l'islam. Si
j'avais su que la musique de la Ligue des champions
parlait en fait d'un sale juif, jamais j'aurais accepté de
jouer dans ce tournoi. Et toi, tu devrais réagir pareil
que moi.

— Laisse tomber, lui fit l'autre. Et s'il te plaît, ne
jure pas, n'emploie pas de langage raciste comme ça
devant les enfants.

Se dégageant de la poigne de Hachani, Soltani
sourit gentiment à la mascotte qu'il tenait encore par
la main et se dirigea vers la sortie du tunnel.

Hachani ne se laissa pas si facilement envoyer sur les roses et, irrité que Soltani semble prendre à la légère un sujet qu'il jugeait pour sa part très sérieux, il se mit à vociférer en arabe, mais alors que notre joueur, d'une patience à toute épreuve, continuait de l'ignorer, il fut apparemment incapable de trouver d'autre exutoire à sa colère que de lui jeter une bouteille d'eau. Je fus soulagé de constater que Soltani continuait d'ignorer Hachani, et la tension entre eux parut retomber, mais avec le recul, j'aurais dû prévoir qu'il y aurait d'autres frictions entre ces deux-là et remplacer Soltani sur-le-champ.

Je suivis l'équipe hors du tunnel et sur le terrain, où il faisait si lourd et si chaud qu'on avait la sensation d'entrer dans une soupe, mais à cause des innombrables fusées rouges et vertes qui se consumaient dans les gradins, l'endroit exhalait d'autres relents, d'autres effluves, ceux des troubles civils, très vraisemblablement. Il y en avait tant, de ces fusées, que ma première pensée fut celle d'un nouveau désastre à la Bradford City, la mort de cinquante-six supporters après que les détritus, sous des gradins sans doute en meilleur état que ceux d'Apostolos-Nikolaidis, eurent pris feu à cause d'un mégot de cigarette négligemment jeté. C'était une autre différence de taille entre les stades anglais et ceux de Grèce. À Silvertown Dock, fumer n'était autorisé nulle part – pas plus, d'ailleurs, que dans aucun autre stade du championnat anglais –, mais en Grèce, où tout le monde fume, tout le monde fume au foot aussi. Et franchement, il vaut mieux qu'ils fument : tant qu'ils tirent sur une cibiche, ils ne peuvent proférer des injures racistes.

Les onze s'alignèrent patiemment, puis défilèrent devant chaque membre de l'équipe adverse en se serrant la main comme si nous étions tous des gentlemen sur les terrains de sport d'Eton. Je mis moi-même un point d'honneur à serrer celle de Hristos Trikoupis, qui réussit à s'excuser de son comportement des jours précédents quand je lui soufflai qu'avec moi, son secret était protégé – mais tout cela fut noyé par la reprises des hostilités entre Mohamed Hachani et Soltani Boumediene.

Simon Page me rapporta plus tard que lorsque Soltani tendit la main pour serrer celle de Hachani, le joueur de l'Olympiakos cracha dedans. Je n'avais pas réellement vu ce qui s'était passé, et personne non plus à la télévision, malheureusement, pas davantage que l'arbitre irlandais, à moitié endormi. Tout ce que vit cet Irlandais, ce fut le poing de Soltani cueillir le nez crochu de Hachani, qui l'avait sans doute amplement mérité.

L'arbitre n'hésita pas. Il brandit d'abord un carton jaune sous le nez de Boumediene, puis ce fut un rouge.

55

Mohamed Hachani en faisait tout un plat, trois services, vin et café compris. Il gisait encore sur le terrain, le visage dans les mains, comme s'il n'allait plus jamais se relever, ce qui aurait pu constituer une issue des plus satisfaisantes. Même ses coéquipiers souriaient, mal à l'aise, comme s'ils avaient compris que ce cinéma avait déjà duré trop longtemps. Peut-être se sentaient-ils gênés, et s'ils ne l'étaient pas, ils auraient dû. Après tout, aucun de nous, hormis Hachani, n'avait oublié que la dernière fois que nous avions vu un joueur couché aussi longtemps, il en était mort. Sa manière d'agir, en cet instant, paraissait irrespectueuse de la fin tragique qu'avait connue Bekim Develi.

Blackard, l'arbitre irlandais, était naturellement tout à fait dans son droit en expulsant Soltani, et toutes les protestations du monde – que le garçon s'était simplement vengé après s'être fait cracher dessus – ne changeraient rien à sa décision. Les arbitres du jeu moderne voyaient les gestes de représailles d'un assez mauvais œil, comme tous ceux qui avaient vu ce qui était arrivé Beckham après son coup de pied à cette crapule d'Argentin lors de la Coupe du monde 1998 s'en souviendront sûrement. Ce petit coup à la cheville avait suffi à faire s'écrouler Diego Simeone comme s'il avait été fauché par une balle de fusil. Difficile à croire qu'il soit maintenant le manager de l'Atletico Madrid. En plus, j'étais d'accord avec cette expulsion. Si les joueurs se vengeaient du moindre mauvais geste, personne ne taperait plus jamais dans un ballon.

Mais ça, ce n'était que le premier épisode. Ce qui se passa ensuite fut d'un tout autre ordre. Quand nous fîmes entrer Jimmy Ribbans à sa place, Blackard ordonna qu'il quitte le terrain et ensuite, quand je lui demandai pourquoi, il m'informa que London City ne pouvait pas remplacer le garçon qu'il venait d'expulser par un autre joueur. Les règles du jeu disent pourtant le contraire, et toute l'affaire vira aussitôt à la farce puisque je courus derrière l'arbitre comme une mouche après le cul d'un cheval alors qu'il se dirigeait vers le rond central, tâchant de lui expliquer la signification de la règle n° 5, le tout sous une tempête de sifflets et de quolibets d'au moins la moitié des spectateurs du stade.

— Vous ne pouvez pas faire ça ! hurlai-je.

— J'ai expulsé le joueur du terrain, me rétorqua-t-il, et l'affaire est close, monsieur Manson.

— Je ne discute pas de ça, espèce d'idiot.

— Et je vous signalerai à l'UEFA pour votre langage et votre comportement injurieux.

— Et moi je vais vous signaler pour votre ignorance des règles du jeu. Retirez la merde que vous avez dans les oreilles et écoutez-moi. J'essaie de vous éviter de passer pour un complet imbécile dans les journaux de demain. Ce qui sera votre cas si vous ne m'écoutez pas tout de suite. Comme vous n'aviez pas sifflé le coup d'envoi de la rencontre, la règle normale des expulsions ne s'applique pas. Que cela vous plaise ou non, ce sont les lois du football. Votre décision d'expulser Soltani Boumediene suppose que nous ne disposions plus que de deux remplaçants au lieu de trois. Et qu'il ne peut pas prendre part à ce match, ou – si par miracle nous devions nous qualifier – au prochain.

— Enfin, votre position n'a absolument aucun sens. Vous, écoutez-moi. Je n'aurais pas expulsé ce joueur si je pensais que vous alliez tout simplement le remplacer, non ?

— C'est vous qui le dites, l'arbitre. Quoi qu'il en soit, la règle est la règle. Et il n'y a pas matière à interprétation. Consultez vos officiels. Allez voir le délégué de l'UEFA et posez-lui la question si vous voulez. Mais si jamais vous avez encore envie d'arbitrer un match en dehors d'un champ de patates à Galway, je serais vous, je prêterais attention à ce que je suis en train de vous raconter. Ce que vous faites ne cadre pas avec le respect des règles. Et si vous ne faites pas attention, avant la fin de la semaine votre nom sera synonyme de crétinerie.

Après de longues palabres, durant lesquelles je reçus ordre de m'asseoir dans les gradins non pas une fois, mais trois, je finis par réussir à le persuader de lire les règles désormais affichées à l'écran de mon iPad. M. Blackard alla ensuite consulter ses cinq officiels de match et je regagnai notre abri de touche sous le chœur habituel des cris perçants de nos Grecs.

— Qu'est-ce qu'il dit ? s'enquit Simon.

— Il se drape encore dans sa dignité.

— Qu'est-ce qu'il t'a dit ? insista-t-il. Je t'avais prévenu, ce salopard de Blackard, ou je sais pas trop comment il s'appelle, est un ripou.

— Je ne pense pas qu'il soit ripou, dis-je. Je crois juste qu'il est stupide. Et ignorant. Et tête de lard. Et qu'il a peur de passer pour un con.

— Pour ça, il est un peu tard. Pourquoi Mohamed Hachani a glavioté dans la main de Soltani, d'ailleurs ?

Je lui expliquai l'affaire de la musique de la Ligue des champions, et que Hachani avait apparemment pris la mouche à ce sujet.

— Les gars aussi susceptibles que ce garçon n'ont rien à fiche dans le foot, décréta Simon. La prochaine fois, on aura des Hindous qui refuseront de remettre la balle en jeu parce qu'elle est en peau de vache. Ou des musulmans qui refuseront de courir sur le terrain parce que l'herbe est fertilisée avec du lisier de porc. Seigneur, quand je jouais pour Rotherham, il nous arrivait de fourrer une crotte dans la godasse d'un joueur. Pour rire, quoi. J'aurais bien aimé voir la gueule de Hachani, à l'époque.

— Ceci confirme ce que j'ai toujours suspecté. Les types du Yorkshire ont un sens de l'humour très raffiné.

— Ah ça, c'est bien vrai, ah ça oui.

— Concrètement, toute cette histoire, c'est la faute de Kojo. Si seulement il avait fermé sa gueule, rien de tout cela ne serait arrivé et Soltani serait encore sur le terrain. C'est lui qui n'a pas pu s'empêcher de pointer que Sadoq était juif.

— C'est pour ça qu'il est directeur technique, je suppose, releva Simon. Parce que concrètement, c'est un con. Nous sommes tous les deux d'accord là-dessus, patron. Mais maintenant qu'il est en place dans ce club, il sera très difficile de se débarrasser de cet enfoiré. Tout ce que tu pourrais dire à Vik à son sujet passerait pour une réaction de dépit.

— J'aimerais bien lui fourrer son foutu chasse-mouches dans le trou de balle.

— Ah, c'est ça, ce machin ? Je me demandais pour-quoi il se baladait partout avec ce bidule. J'avais pris ça pour une sorte de plumeau. Tu sais ? Façon Ken Dodd, avec sa touffe de cheveux et ses dents en avant.

Blackard acheva de s'entretenir avec ses officiels, fit signe à Jimmy Ribbans d'entrer sur le terrain et, pour la première fois de la soirée, j'eus le sourire, mais à la minute, ce qui me tirait un sourire, c'était sur-tout qu'on puisse confondre un chasse-mouches et un plumeau.

— Dieu merci, s'exclama Simon. On dirait que ce nullard d'Irlandais a fini par entendre raison. Maintenant, on va peut-être entamer ce foutu match.

Je jetai un œil vers les gradins derrière nous et découvris les visages de plusieurs milliers de Grecs hostiles qui se firent aussitôt un plaisir de me traiter de *malakas* et d'autres épithètes choisies, en rapport avec la couleur de ma peau. Je me demandai si un seul d'entre eux était capable de lire les nombreux slo-gans *Respect* et *Non au racisme* inscrits en grec et en anglais sur les panneaux publicitaires tout autour du terrain.

Une ou deux minutes plus tard, l'arbitre consultait sa montre et, avec un quart d'heure de retard sur l'horaire prévu, il siffla le coup d'envoi.

56

Suite à tout ce qui s'était passé avant, ce fut un soulagement de suivre une rencontre de football, même
si j'avais décidé qu'en réalité nous la jouerions sur
un tout autre registre. Dès l'entame de match, nos
joueurs furent très vite sur leur maillon le plus faible
– le milieu de terrain, Mariliza Mouratidis – comme
s'ils le jugeaient personnellement responsable de notre
assignation à résidence en Grèce, l'encerclant comme
une escouade de liquidateurs judiciaires.

— J'espère que ça va marcher, fit Simon. Tu sais
comment sont les arbitres en Coupe d'Europe. Ils te
sortent leurs cartons aussi vite que les businessmen
japonais leur carte de visite. Et après ce qui vient de se
passer avec cette enflure d'Irlandais, ce Tockard... il
mourra d'envie de sortir un autre de nos gars.

— Au contraire, répliquai-je. Je pense que ce qui
vient de se produire pourrait œuvrer en notre faveur.
Tockard a déjà l'air d'un abruti parce qu'il ne connaît
pas les règles. Tout au fond de son crâne, maintenant,
il va se le tenir pour dit. Il n'a aucun intérêt à passer en
plus pour un con.

Au cours du premier quart d'heure de jeu, deux tacles super brutaux se distinguèrent du reste. Mouratidis se rua à toute vitesse sur une longue balle de Roman Boerescu qui atterrit pile dans notre surface de réparation, en rebondissant un tout petit peu trop haut pour qu'il réussisse à la contrôler. Il leva les yeux, attendant qu'elle retombe un peu, qu'il puisse le cas échéant l'amortir de la tête pour la reprendre du pied, sans du tout repérer que Kenny Traynor – du haut de son mètre quatre-vingt-sept – avait déjà décollé du sol et, tel le dieu Mercure, filait dans les airs, le poing en avant.

Kenny cogna dans la balle, proprement et nettement, l'expédiant à quinze bons mètres de sa cage, au moins une seconde avant que son genou resté à la traîne ne cueille Mouratidis à la tempe et ne l'étende pour le compte. Fort heureusement, les oreilles de l'arbitre irlandais et des officiels, qui bénéficiaient d'un angle de vue idéal sur ce qui s'était passé, demeurèrent fermées aux beuglements inévitables des Grecs réclamant un penalty. Quiconque ayant suivi l'incident aurait compris que Kenny avait d'abord visé et touché la balle, au mépris presque téméraire de sa propre sécurité, à telle enseigne que tout le monde sur le banc de touche de London City fut soulagé de le voir se relever. Tout le monde, sauf les supporters de l'Olympiakos, scandalisés qu'on ne leur accorde pas leur penalty.

— Joli coup, dis-je. Voilà qui devrait donner amplement de quoi réfléchir à ce garçon.

— Sale *malakas* d'Irlandais, hurla quelqu'un à l'arbitre, quelques mètres derrière moi. Tu veux chausser tes lunettes au lieu de te les enfiler dans le trou du cul !

Mouratidis s'éternisa deux bonnes minutes sur le dos et, après quelques soins au bord du terrain, retourna dans le jeu sans aucun signe évident de blessure. Il fut peut-être regrettable pour ce garçon que l'incident suivant le conduisît au contact pour la possession de la balle avec Gary Ferguson, lequel avait le crâne le plus dur de tout le foot anglais. Ce type était capable de flanquer une tête dans un boulet de démolition et de poursuivre son chemin le sourire aux lèvres. Les deux hommes sautèrent pour la récupération d'un ballon aérien, la différence entre les deux étant que le ralenti montra plus tard la tête de Gary, arrivant avec plus d'énergie et de préméditation qu'un rocher catapulté par un trébuchet. On eût presque dit qu'il considérait le ballon comme un obstacle malencontreux à un coup de boule en bonne et due forme. Et Ferguson savait fort bien ce qu'il faisait. Il donna l'impression de viser la balle de la tête, avant que son crâne ne vienne heurter le front du jeune Grec.

Une fois de plus, Mouratidis finit au tapis, comme fauché par un uppercut de Mike Tyson, puis constata que Gary, sachant pertinemment combien les apparences étaient susceptibles d'influencer les arbitres faibles d'esprit, l'avait déjà coiffé au poteau de la simulation et se tenait le crâne en se tordant de douleur par terre, l'air de vouloir s'enrouler dans le gazon.

Inquiet, je jetai un œil au juge de ligne et fus rassuré de voir qu'il maintenait sagement son drapeau le long du corps.

— Nom de Dieu, maugréa Simon, alors que les deux masseurs se ruaient sur le terrain sous une quasi-tempête de sifflets. J'espère que ce salopard d'Écossais va bien.

— Il n'est pas blessé, lui dis-je. Une tête comme celle de Gary pourrait défoncer une muraille de château-fort. Il se tord de douleur comme ça pour s'éviter un jaune, c'est tout. Crois-moi, Simon, dès qu'il aura la certitude que la main de l'arbitre reste bien loin de sa poche de poitrine, il sera de nouveau sur pied comme si de rien n'était.

Une minute plus tard, ma prédiction se réalisa et, se tenant encore la tête comme pour bien sentir si ses implants capillaires commençaient à prendre, Gary revint vers la ligne de touche, accompagné de Gareth Haverfield. Je me levai du banc, attrapai une bouteille d'eau dans le sac et m'approchai d'eux. Gary m'arracha la bouteille des mains et, la tétine en plastique entre ce qui devait lui rester de quenottes, il marmonna :

— Je serais très surpris que cette buse se relève, patron.

— On ne veut pas le sortir du terrain, lui rappelai-je. Je te l'ai dit. On veut juste lui mettre les nerfs dès qu'il est sur la balle. Comme si c'était du cinquante mille volts. Comme ça, la prochaine fois que Prometheus lui court dessus, il jugera préférable de se tenir à l'écart.

Soulagé, je vis Mouratidis se relever et revenir clopin-clopant vers la ligne de touche. Je lançai un regard anxieux à Trikoupis, pour voir s'il n'allait pas faire entrer un autre joueur à la place du jeune Grec, mais aucun des footballeurs de l'Olympiakos n'était même en train de s'échauffer.

— Pigé, fit Gary, et, balançant la bouteille derrière lui, il regagna le centre du terrain au trot.

— Si ça continue, observa Simon, Mme Mouratidis ne sera plus si seule à l'hôpital, elle aura son fils pour lui tenir compagnie.

— C'est leur problème, dis-je. Le nôtre, c'est de gagner ce match.

Une fois encore, Mouratidis retourna sur la pelouse, apparemment pas trop amoché. Je restai au bord de ma zone technique à hurler des instructions, pour la plupart noyées sous le vacarme des gradins, puis je vis Gary parler à l'oreille de Prometheus, et le jeune Africain se tourna vers moi, avec un signe de tête entendu, comme s'il avait clairement compris quoi faire.

Une ou deux minutes plus tard, Prometheus se précipita sur un puissant dégagement de la main de Kenny, qu'on eût cru tiré avec une queue de billard tant il était millimétré, et, une fraction de seconde plus tard, il sprintait balle au pied droit au centre du terrain, tel un Wayne Rooney sous kétamine – avec cette manière qu'il avait de charger l'adversaire avec la puissance d'un taureau furieux, du temps où il venait d'intégrer Man U après son départ d'Everton. Mouratidis maintint la cadence sur dix ou quinze mètres avant une vaine tentative, presque puérile, de barrer avec le bras la route au jeune Nigérian qui ne voulut rien savoir et s'en débarrassa comme s'il se fût agi d'un pardessus usagé. Le Grec roula sous les pieds d'un autre joueur lancé en pleine course et ne se remit pas en mouvement avant que Prometheus eut achevé la sienne : à cet instant, la balle était déjà au fond des filets grecs.

Le but fut si rapide que je ne l'avais même pas vu. C'est souvent le cas des plus beaux buts, tout est fini avant qu'on ne se soit rendu compte de rien, et c'est pourquoi les managers ont souvent cet air si somnolents sous leur abri de touche. Parfois, on regarde sans voir ce qu'on regarde. Quoi qu'il en soit, la masse des supporters de l'Olympiakos, derrière leur but, continua d'entonner ses chants néandertaliens, et seuls ceux du Panathinaïkós éclatèrent d'une joie délirante en voyant leurs plus grands rivaux menés un but à rien au bout de tout juste vingt minutes.

— Ah, ça, c'est un putain de but ! beugla Simon.

Je me retournai dos au terrain et flanquai un double direct au toutou invisible qui me tournait autour des genoux, avant que Simon Page ne me serre dans ses bras et, dans une étreinte de catcheur à la puissance inquiétante, ne me soulève très haut. Il me reposa juste à temps pour que j'encaisse le choc d'un Prometheus qui se ruait dans mes bras, et j'avais de la chance d'être costaud car la combinaison de ces deux débordements eût sûrement endommagé un gaillard moins solide que moi.

— Merci, patron, hurla Prometheus. Merci d'avoir cru en moi, de m'avoir permis de croire en moi.

— Maintenant va m'en marquer un deuxième, et rappelle à ces enflures de Grecs à quel point tu es bon, lui hurlai-je en retour.

Frappant l'insigne du club sur sa poitrine du plat de la main, Prometheus fonça sur le terrain comme une flèche et je me dis que c'était moi, et non le directeur technique, qui avais aidé ce garçon à renouer avec sa série gagnante. C'est tout l'enjeu du coaching d'une équipe : faire en sorte que les joueurs se sentent suffisamment bien dans leur peau afin qu'ils soient à leur meilleur. Pour y parvenir, il leur faut autre chose que juste un bon coiffeur, et tous ceux qui prétendront le contraire sont des abrutis.

— Quatre-deux, beugla Simon.

Vingt minutes plus tard, presque à la mi-temps, Prometheus récidiva quand la frappe de mule de Jimmy Ribbans, des vingt mètres, ricocha sur leur poteau et, sans une seconde d'hésitation, notre jeune Nigérian se jeta tête la première sur le rebond et marqua – un but kamikaze, inscrit d'un plongeon stupéfiant, aussi courageux que spectaculaire : 4-3.

— Je ne sais pas ce que tu lui as raconté sur ce foutu bateau, fit Simon. Mais ça marche.

— Je me suis borné à lui donner une leçon d'histoire.

— C'est plus le même joueur. Maintenant, s'il veut bien m'en marquer un autre, moi je veux bien être la mère de son bébé.

Trikoupis paraissait ébranlé. Il convoqua son capitaine, Giannis Maniatis, au bord de la ligne de touche, et, survolté, lui débita quelques instructions, visiblement sans se rendre compte que la mi-temps n'était plus qu'à quelques minutes, et que, s'étant avancé de plusieurs pas hors de sa zone technique, il empiétait maintenant sur le terrain. Le sixième officiel, William Winter, tira le manager de l'Olympiakos par sa manche de chemise pour essayer de lui faire réintégrer la zone technique, mais l'autre ne se laissa pas faire. Il dégagea son bras, mais Winter le tira de nouveau hors du terrain et, peut-être parce que l'autre était anglais,

Trikoupis se retourna et lui hurla une bordée d'invectives à la figure.

Je suis à peu près certain que Winter ne parlait qu'un seul mot de grec, mais il lui suffisait d'en connaître un seul : *malakas* est le terme dont tous les officiels ont connaissance, et si l'UEFA les avait avertis de le guetter dans la bouche de certains joueurs et, naturellement, parmi la foule, aucun d'eux ne s'attendait à l'entendre sortir de celle du manager grec en personne.

Traiter le sixième officiel de branleur sous son nez eût déjà été assez gênant, mais, aggravant son cas, Trikoupis le bouscula. Winter recula de quelques pas en titubant, avant de s'affaler de tout son long sur le dos. C'est une donnée courante, dans le football moderne, de voir presque tous les joueurs, à un moment ou un autre, exécuter un plongeon dans l'espoir d'obtenir un coup franc ou un penalty, mais il est rare, dans le foot européen, de voir un officiel s'écrouler aussi facilement que Winter. Je me souviendrai toujours d'un match entre Newcastle et Southampton où Mohammed Sissoko envoya l'arbitre au tapis et, aux yeux du monde entier, on aurait juré que c'était l'arbitre qui venait de plonger. Heureusement, à la minute présente, le juge de ligne était posté juste à côté de William Winter et il leva immédiatement son drapeau pour faire intervenir Tockard qui, avisé de ce qui venait de se produire – ou de ce qui, du moins, semblait s'être produit –, sans nul doute ravi de pouvoir expulser un autre protagoniste qui ne soit pas à proprement parler un joueur, envoya Trikoupis dans les gradins.

Dégoûté, ce dernier expédia une bouteille d'eau d'un coup de pied. La bouteille s'envola et percuta un policier en tenue en pleine face. Le flic saisit Trikoupis par le bras et le conduisit hors du terrain. Les supporters de l'Olympiakos étaient fous de rage, et ceux du Panathinaïkós fous de joie.

— Il le coffre ou quoi ? m'écriai-je.

— Ah, bordel, j'espère bien, s'écria Simon. J'adorerais… j'a-do-re-rais que cette enflure dorme en prison cette nuit.

Nous nous efforçâmes de contenir notre joie, lui et moi, mais ce n'était pas facile. Alors que tout un groupe de Grecs quittaient leur abri de touche pour protester contre M. Tockard et le flic, Simon et moi battîmes en retraite vers le nôtre, nous occupant la bouche en la remplissant de chewing-gums et d'eau, observant les opérations à distance respectueuse. Ce n'était pas plus mal, car une fusée rouge jaillit dans les airs et atterrit tout près du drapeau de corner de notre moitié de terrain.

— On comprend un tas de choses d'un pays rien qu'à la façon dont les gens protestent contre l'inévitable, dit Simon, songeur. Je veux dire, il est évident que sur ce coup-là l'arbitre ne va pas changer d'avis. Mais ces bâtards ont l'air déterminés à discutailler.

— On voit bien pourquoi Zeus s'est tellement mis en pétard contre ces gens et pourquoi il aimait tant leur jeter des éclairs à tous les coins de rue, dis-je. Ils feraient perdre patience à un pape.

À présent, encerclé par l'encadrement technique de l'Olympiakos et les joueurs, l'arbitre ne tarda pas à envoyer le manager adjoint, Sakis Theodorikou, rejoindre Hristos Trikoupis dans les gradins.

— Pour leur discussion tactique de la mi-temps, ils l'ont dans le cul, remarqua Simon. J'imagine que c'est leur kiné qui va devoir s'en charger, maintenant. Ou alors peut-être Mme Boerescu, celle qui a préparé le goûter des gamins avant le match. Nom de Dieu, quelle belle femme. Elle peut venir me casser les couilles quand elle veut, celle-là. Tant que mes couilles sont là où il faut, c'est-à-dire confortablement posées sur son joli menton.

Une autre fusée en combustion croisa dans le ciel comme s'il y avait un navire en détresse à proximité. Complètement rétabli de sa vilaine chute, M. Winter s'éloigna de la mêlée qui continuait de fustiger l'arbitre, et, d'un coup de pied, expédia la fusée hors du terrain, où un agent de la sécurité tenta de l'étouffer sous la neige d'un extincteur.

— Ça commence à devenir sérieux, on dirait, fis-je. Espérons juste que ce nain de Tockard ne reporte pas la rencontre. Pas alors qu'on mène deux buts à zéro.

— Il n'oserait pas, quand même, non ?

— Rien ne l'en empêche, tu sais. La dernière fois qu'un match entre les Verts et les Rouges a été reporté, c'était il n'y a pas si longtemps, en mars 2012, quand les Verts ont mis le feu au stade.

— Quelle galère, fit Simon. Je sais que c'est important, le foot. Et je sais qu'on veut des joueurs qui se battront même quand il n'y a aucun enjeu, mais ça ne devrait pas être le cas des supporters, quoi, merde.

57

Le match reprit tant bien que mal et, deux minutes plus tard, l'arbitre irlandais siffla la mi-temps, ce qui eut pour effet de calmer un peu les esprits. De la climatisation et une petite tonne de Valium eussent été plus efficaces, probablement. Alors que nous nous acheminions à la queue leu leu vers le fond du tunnel, j'entendis une déflagration énorme, assourdissante, et quelqu'un me souffla que c'était un extincteur qui venait d'exploser. Il arrive parfois aux supporters grecs d'en décrocher un et d'y mettre le feu, me confirma quelqu'un d'autre, ce qui me sembla tellement dément et si dangereux que je faillis envisager de nous retirer sur-le-champ. Quel genre de pays met le feu aux extincteurs ? J'étais impatient de rentrer à Londres, par un moyen ou un autre, Londres où tout hooliganisme de cet acabit – Dieu merci – appartenait au passé, et où vous n'entendrez jamais de déflagration plus assourdissante que celle provoquée par la colère d'un David Beckham claquant la portière de sa Rolls-Royce.

Dans le taudis malodorant des vestiaires, je déclarai à mes joueurs que je ne voyais pour l'instant rien à leur dire qui soit susceptible d'améliorer leur façon de jouer, excepté un point :

— Imaginez juste un peu ce qui se passe en ce moment, côté vestiaire de l'Olympiakos. Le chaos, bordel, voilà ce qui leur arrive. La capilotade totale. Espérons que Trikoupis soit en cellule. C'est sans doute Giannis Maniatis qui doit se charger de causer à l'équipe. De leur signifier sa façon de penser. Qu'il garde probablement au chaud dans le tout petit espace qu'il a entre les sourcils.

— Et toi, patron, qu'est-ce que tu leur dirais ? me demanda Gary. Qu'est-ce que tu leur raconterais si c'était toi qui devais causer à leur équipe ?

— Oui, fit Ayrton, ça ferait du bien d'entendre ça.

— Mon Dieu, dis-je. Je ne saurais par où débuter. Mais je suppose que la première chose que je dirais aux types en rouge serait ceci : vous êtes une bande de *malakes*.

Tout le monde approuva avec une bonne humeur tapageuse.

— Ou alors une bande de mongols.

Nouvelles acclamations.

— Il a dit « mongol », glapit Ayrton Taylor en imitant l'humoriste Ricky Gervais, lui-même très friand de l'épithète.

— Non, sérieusement, les gars, Gianni va devoir expliquer à son équipe de fortement resserrer ses lignes arrière. C'est leur problème majeur. Leur façon de défendre sur nos deux coups de pied arrêtés… un vrai désastre. Si nous ne sommes pas parvenus à marquer aussi sur ces actions-là, c'est pur manque de chance. Ils m'ont l'air de plus s'intéresser à essayer de conserver la possession du ballon qu'à défendre. Il se peut que ce soit la tactique inspirée qu'ils ont concoctée pour ce soir. Nous priver de la balle et jouer à se refiler le bébé en espérant qu'on renonce à remonter au score. Mais ça ne leur réussit pas. Pour le moment, rien ne leur réussit. Même pas les dieux.

« Côté jeu aérien, ils sont tout simplement nuls. Une équipe de pygmées atteints d'acrophobie gagnerait plus de duels aériens qu'eux en première mi-temps. Et je sortirais sûrement ce morveux de Mouratidis. Maintenant que Gary lui a infligé une bonne vieille lobotomie façon Toxteth à l'ancienne, il a complètement perdu toute envie de se battre.

Ce qui fit sourire Prometheus à belles dents, et il flanqua une tape sur la nuque de Gary.

— Hé, fais gaffe, tu vas me décoiffer, bordel, protesta ce dernier, ce qui provoqua encore une salve de rires.

— Gary ? Tu ne décrocheras peut-être pas le Ballon d'or cette année, mais tu remporteras sûrement le ballon de plomb pour le meilleur coup de boule depuis que Zinédine Zidane a dégommé Marco Materazzi. Ils t'érigeront une statue, au Qatar, pourquoi pas. Cela étant, franchement, je ne sais pas qui je ferais entrer à la place de Mouratidis. Mme Boerescu, probablement. Elle ne pourrait pas faire pire que lui. Le cas échéant, elle pourrait offrir de tailler une pipe à l'homme de leur équipe qui marquera un but ce soir. Cela aurait pour effet de les faire un peu cavaler. En tout cas, j'en connais un que ça ferait cavaler, et c'est notre Big

Simon. Depuis qu'il l'a croisée dans le tunnel, il ne parle plus que d'elle lui suçant la queue.

Et tout le monde de s'esclaffer à nouveau.

— Franchement, ils ne jouent pas comme une équipe qui est entrée dans ce match retour en menant 4-1. Ils ont perdu jusqu'au dernier reste de sang-froid qu'ils auraient dû avoir en abordant ce match. Je veux dire, il leur suffisait de garder la tête haute, mais ils sont loin du compte. Pour le moment, ils se font étriller par notre bon vieux football de courses balle au pied. Pas un foot de passes. Un foot de courses. Du pur *Roy and the Rovers*[1]. Chaque fois que vous leur courez dessus, c'est comme si vous les découpiez menu. Dès que le jeu s'emballe, face à nos courses profondes, ils perdent les pédales. Alors je ne vous en dirai pas plus. Faites-moi courir ces couilles molles. Chopez la balle et courez-leur droit dessus comme Prometheus quand il a marqué son premier but, et je vous promets que vous emporterez le morceau.

Nous retournâmes sur le terrain, où nous découvrîmes que la police locale anti-émeutes, équipée de boucliers et de matraques, s'était déployée en force face aux fans de l'Olympiakos, au motif, je suppose, que les fans du Panathinaïkós risquaient quand même moins de raser leur propre stade par le feu. Un nuage de fumée âcre flottait comme un voile et le match reprit, tout le monde se demandant s'il s'achèverait ce soir.

---

1. Le titre de cette bande dessinée footballistique, parue en Grande-Bretagne de 1954 à 1993, est devenu une formule consacrée pour désigner un retournement de situation spectaculaire.

Mouratidis était toujours présent sur la pelouse, ce qui me parut une grosse erreur, mais je n'y prêtai pas plus attention que cela après ce que je venais de voir dans le tunnel. *Car j'en étais sûr, William Winter m'avait fait un clin d'œil.* Se pouvait-il qu'il soit de notre côté ? J'en étais encore à m'efforcer de comprendre ce que cela signifiait quand l'arbitre siffla la reprise. Immédiatement, l'Olympiakos se lança à l'attaque et, grâce à Giannis Maniatis, ils connurent leur meilleure occasion de la soirée. Elle aurait dû se transformer en but, tant l'action du capitaine grec fut de belle facture, avec l'enchaînement de deux tirs superbes : le premier vint percuter le poing énorme de Kenny Traynor et ricocha tout droit dans ses pieds ; le second aurait dû finir au fond des filets dès que Maniatis l'eut frappé, mais sans qu'on sache trop comment, Kenny décolla du sol, plongea, et récupéra cette fois proprement le ballon des deux mains. Le plus étonnant ne fut pas de voir Maniatis ne pas réussir à marquer, mais qu'un aussi grand gaillard que Kenny Traynor sache bouger aussi vite. J'ai vu des zèbres se déplacer avec moins de vivacité. Et le capitaine grec lui-même se sentit obligé d'aller serrer la main de notre gardien après son arrêt époustouflant.

À lui seul, ce geste très sportif fit beaucoup pour modifier l'atmosphère du match. En effet, ayant vu leur capitaine serrer la main de Kenny Traynor, les fans de l'Olympiakos l'applaudirent à leur tour, comme s'ils venaient de se rendre compte qu'ils n'avaient pas seulement assisté à un arrêt de toute beauté, mais qu'ils avaient aussi vu un sportif correct en la personne de leur propre capitaine monosourcil.

Simon frappa dans ses grandes mains et secoua la tête.

— Dieu de dieu, fantastique ! tonna-t-il. Qu'est-ce que je t'avais dit ? Les doigts qui collent. C'est ça qu'il faut, chez tout grand gardien. Dieu seul sait comment l'autre n'a pas marqué. Quel dommage que Kenny Traynor ne soit pas anglais, il ne nous gratifiera jamais d'une Coupe du monde.

Je ne répondis rien. Étant moi-même un Gaélique, je n'aurais pu contester le propos. Mais ce ne fut pas cela qui me réduisit au silence. Ce fut de prendre conscience qu'après ce que venait de dire Simon, je savais exactement comment on avait tué Bekim Develi. C'était là, sous mes yeux, depuis une heure, comme le film d'Abraham Zapruder à Dallas en 1963. Non seulement cela, mais je savais aussi qui l'avait tué.

Je demeurai un instant tout à fait immobile, avant de retourner m'asseoir sur le banc de touche, me sentant comme un homme qui vient de faire une attaque et qui vient de perdre la perception de la moitié de son monde. Si vous aviez placé un miroir devant moi, je n'aurais pas vu mon reflet. Le tintamarre de la foule me parut aspiré dans le vide, ainsi que l'oxygène autour de moi. Sur le terrain, je pouvais entendre les vers de terre ramper sous le gazon. Ces vers valaient subitement mieux que les gens qui avaient tué Bekim. Au-dessus de moi, la fumée semblait se déverser sur le stade comme un roulement de tonnerre. Sachant ce que je savais à présent sans l'ombre d'un doute, elle dégageait une odeur plus sucrée que l'aigreur que j'avais dans la bouche.

476

— Tu prends le match en charge, dis-je. Je regrette, je dois aller parler à quelqu'un. Tout de suite.

— Ça peut pas attendre, bordel ?

— Non, ça ne peut pas.

— Parler à qui ? s'étonna Simon alors que je m'éloignais à grands pas. Mais enfin, où tu vas ?

— Parler à Mme Boerescu. Je veux lui poser une question. Si je lui parle gentiment, elle me taillera peut-être une pipe.

58

Postés au bout du couloir qui conduisait à la loge de Vik, deux de ses gardes du corps et Charlie regardaient le match par la porte ouverte d'une autre loge, inoccupée.

— Tout va bien, patron ? me demanda-t-il.

— Je te dirai cela dans une minute, Charlie, après avoir parlé à mon patron à moi.

— M. Sokolnikov, oui, d'accord. Si vous avez besoin de mon aide en quoi que ce soit, faites-le-moi savoir. J'aime assez travailler pour vous, monsieur Manson. Vous êtes un type bien.

— Merci, Charlie.

Les gardes du corps me saluèrent d'un signe de tête, sans un mot, et j'en fis autant, non sans m'interroger : étaient-ils armés, et si c'était le cas, qu'auraient-ils fait s'ils avaient su ce que j'avais en tête ? Sauf que ce ne furent pas eux qui m'inspirèrent un temps d'hésitation lorsque j'ouvris la porte de la loge, mais Louise. J'avais oublié que Vik l'avait invitée à regarder le match avec lui, et elle était la seule personne dans cette pièce dont la bonne opinion qu'elle conserverait de moi m'importait réellement. Pour ce qui était de celles de Vik, de Phil, de Kojo Ironsi, de Gustave Haak et de son minus de lèche-bottes, je m'en moquais éperdument.

— Scott ! s'écria Sokolnikov. Mais enfin, qu'est-ce que vous fabriquez ici ?

— Oui, s'étonna Hobday. Tu as sûrement dû manquer ce but capital.

— Quel but ?

— Ayrton Taylor vient de marquer des trente mètres, m'annonça-t-il. Sans doute pendant que tu montais l'escalier.

— Quoi ?

Kojo Ironsi balaya une présence invisible de son chasse-mouches.

— C'était un tir magnifique, me dit-il d'un ton posé. Presque aussi beau que le premier but de Prométheus.

Je me dirigeai vers la fenêtre et, depuis ces altitudes réservées aux dieux, j'observai le terrain, où Ayrton était encore train de bondir comme un cabri d'un bout de la pelouse à l'autre, en faisant tournoyer un T-shirt orange de London City à bout de bras comme un lasso. Les supporters de l'Olympiakos étaient enfin réduits au silence.

— Merde alors.

— En effet, fit Vik. Nous en sommes à trois buts à zéro. Sur l'ensemble des deux matchs, quatre partout. Si les choses restent en l'état, grâce au but marqué au match aller la semaine dernière, nous accédons au tour suivant. N'est-ce pas merveilleux ? Je ne sais pas ce que vous leur avez raconté, Simon et vous, cette dernière semaine, mais les gars jouent avec toutes leurs tripes. Félicitations. Pour l'heure, je ne pourrais être plus ravi.

— C'est exact, acquiesçai-je. Nous passons. Bordel de Dieu. Nous allons nous qualifier. Je n'y crois pas.

— Il n'empêche, ajouta Phil, tu ne crois pas que tu devrais être en bas sur la ligne de touche à soutenir ton équipe ? Les conseiller ? Les encourager ? Sans te manquer de respect, il est un peu tôt pour fêter ça. Il reste encore au moins trente minutes de temps réglementaire.

Ma joie face à ce score laissa place à une autre sensation bien moins plaisante.

— Je ne suis pas monté ici pour fêter quoi que ce soit, lui signifiai-je. Ou pour venir quêter des louanges, Phil. Pas pour l'instant.

Louise se leva et voulut me prendre la main. Elle vit bien mon expression de colère, même si cela avait échappé aux autres. Je détachai ma main de la sienne, lui déposai un baiser sur le bout des doigts et tâchai de me contenir encore quelques instants.

— Alors je ne comprends pas, dit Sokolnikov. Pourquoi êtes-vous là ?

— Louise, fis-je, je pense qu'il vaudrait mieux que tu quittes la pièce un instant. Vous aussi, monsieur Haak, monsieur Lybrand. Il est préférable que ce que j'ai à dire reste entre les responsables du club. Vik, Phil, Kojo et moi-même. (Je souris, mais c'était un sourire froid.) Si cela ne t'ennuie pas.

— Sois prudent, me murmura-t-elle, et elle franchit la porte.

— Qu'ai-je fait pour te mériter, je me le demande, lui chuchotai-je.

L'air plus que perplexe, Gustave Haak et Cooper Lybrand se levèrent, mais, hésitant à la suivre, interrogèrent Vik du regard, guettant un signe de sa part avant de rester ou de sortir.

— Scott, s'il vous plaît, fit ce dernier. Ces messieurs sont mes invités. Vous me mettez dans une situation gênante. Je ne sais pas de quoi il s'agit, mais cela ne peut-il attendre la fin de la rencontre ?

— Je suis navré, Vik, non, c'est impossible. Voyez-vous si j'attends, je risquerais de perdre un peu de la colère que j'éprouve, et je ne serai alors peut-être plus capable d'aller au bout.

— Voilà qui me paraît bien sinistre, remarqua Phil.

Vik eut un regard vers Haak et Lybrand, puis un signe de tête.

— Peut-être, si vous voulez bien attendre en bas, les gars. Vous feriez bien de prier aussi Louise d'attendre avec vous. (Il haussa les épaules.) Dès que nous en aurons terminé, je vous envoie un SMS, d'accord ?

— Soit, fit Haak, et il franchit la porte, avec Cooper Lybrand sur ses talons, comme un petit toutou.

— Le football n'est pas vraiment ma tasse de thé, de toute manière, lâcha ce dernier. Je préfère le base-ball.

— Espèce de branleur, marmonnai-je après leur départ.

— Tu choisis on ne peut plus mal ton moment, Scott, remarqua Hobday.

— Tu as raison. Mais pour ces choses-là, on ne peut pas toujours choisir son moment à la perfection.

Tu ne sais rien, et, l'instant d'après, c'est comme si tu allumais la lumière, tu vois tout très clairement, mais tu ne peux attendre le moment d'agir qui te paraît le plus approprié.

— J'ai rarement vu quelqu'un d'aussi foutrement jaloux, lâcha-t-il.

— Pourquoi dis-tu cela ?

— Je présume que cet accès de mauvaise humeur est entièrement lié à Kojo ici présent. Et à sa nomination au poste de nouveau directeur technique du club ? Il nous a rapporté que tu avais pesté contre lui dans le tunnel des joueurs, avant le match.

— Quelle prévenance de sa part.

Je décidai de ne rien dire de son rôle dans l'expulsion de Soltani. Cela ne semblait guère revêtir d'importance, eu égard à ce que j'avais à leur révéler maintenant. Mais cela me renseigna sur le genre de collègue perfide qu'aurait pu faire ce Kojo Ironsi.

— Si tu t'apprêtes à nous offrir votre démission, me répliqua Hobday, cela aurait pu aisément attendre la fin du match.

— Oui, en effet, il s'agit de Kojo.

L'intéressé posa son cigare et se leva. Nous étions tous debout, à présent.

— Mais cela ne concerne certainement pas sa nomination au poste de directeur technique du club. Et il n'est pas non plus question que je vous offre ma démission. Du moins jusqu'à cette minute. Pourtant, maintenant que tu l'évoques, Phil, il va falloir voir comment les choses se goupillent, hein ? Mais pourquoi ne leur expliquez-vous pas pourquoi je suis là, Kojo ? Vous avez dû deviner, je suppose ?

— Moi ?

— Oui, vous. Vous êtes peut-être sans scrupule, mais vous n'êtes pas stupide.

— Je ne comprends pas du tout de quoi vous voulez parler, Scott. Comme je vous l'ai dit précédemment, j'espère sincèrement que nous pourrons travailler ensemble, mais je commence à en douter. Sérieusement, Vik, il me semble que ce monsieur a un peu disjoncté.

— Je refuse de travailler avec vous, Kojo. Jamais, même pas en rêve. Même pas si vous aviez tous les joueurs de la planète sous contrat. Et je vais vous expliquer pourquoi. Je veux dire, à part le fait que vous êtes un putain d'escroc…

— Bien sûr que c'est un putain d'escroc, Scott, fit Vik. Pensez-vous sérieusement que je ne le sache pas déjà ? Je sais tout des entourloupes de ce fumier. En premier lieu, comment croyez-vous qu'il ait obtenu ce foutu poste dans mon club ?

— Quoi ?

— Il m'a forcé la main, c'est pour ça que je l'ai engagé. Il m'a menacé de révéler une importante opération d'investissement que j'ai conclue avec Gustave Haak et le gouvernement grec. Une opération qui se prépare depuis des mois. Un investissement dont il vaut mieux que personne ne soit informé. Surtout ici, en Grèce. Du moins pour le moment.

— Vik, s'il vous plaît, fit Kojo. Vous présentez cela comme un chantage. Ce n'était rien de tel. Je me suis borné à souligner que si je signais un accord de confidentialité, que je serais en mesure de signer dans la seule hypothèse où je serais effectivement employé par vous, je n'aurais alors guère de latitude de parler de votre transaction. En réalité, j'essayais de vous protéger, vous et notre relation. Je vous ai déjà expliqué tout cela.

— Fermez-la, Kojo, rétorqua Sokolnikov. Quand je souhaiterai vous entendre, j'appuierai sur le bouton. C'est pour ça que j'ai payé, non ? (Puis il me transperça du regard, plissant les paupières. C'était la première fois que je voyais ce type en colère.) Une opération était en cours de négociation, et Ironsi en a eu vent, un jour où il était mon invité, à bord de mon yacht. Une transaction que je ne souhaite voir perturber en rien. En rien du tout. Vous saisissez ?

— Et peut-être moins Scott en saura-t-il sur cette transaction, mieux cela vaudra, lui suggéra Hobday. Vous ne pensez pas, Vik ?

— Le salaire de directeur technique de M. Ironsi et ce que j'ai payé pour le rachat de King Shark sont une goutte d'eau dans l'océan comparés à l'opération que je viens de conclure ici. Alors, j'ignore ce que vous êtes venu m'apprendre à son sujet, mais franchement, je n'en ai rien à foutre. Vous m'entendez ? Il aurait pu détourner des fonds du réseau Oxfam, je n'en aurais rien à battre. D'accord ? Alors pourquoi n'oubliez-vous pas ce que vous vouliez nous raconter et ne retourneriez-vous pas suivre le reste du match depuis l'abri de touche, qui est votre place ?

Je hochai la tête. Et j'aurais pu faire très exactement ce qu'il venait de me suggérer – du moins après le match – si Kojo ne s'était pas planté son gros cigare dans sa gueule de rapace en me souriant.

La dernière fois que j'avais flanqué un coup de poing aussi violent dans la figure de quelqu'un, j'étais dans l'aile C de la prison de Wandsworth – l'aile d'accueil des prisonniers. Je ne me souviens même pas de son nom, tout ce que je sais, c'est qu'il a bénéficié d'une livraison express. C'était une saloperie de Blanc couvert de plus de tatouages qu'une vitrine de tatoueur, qui détestait Arsenal et n'arrêtait pas de me traiter de sale nègre. Et cela ne m'aurait pas dérangé, si ce n'est que ce jour-là, il m'a aussi envoyé un mollard – une bonne grosse huître bien verte, la goutte d'eau visqueuse qui a fait déborder le vase, si j'ose dire. Selon l'infirmier de l'hôpital de la prison, je lui avais si méchamment fracturé le nez que son pif avait le profil d'une danseuse du ventre, et ils avaient dû lui coller une telle épaisseur de bandages jusque dans les narines que le jour où il les lui avait tous retirés, ils avaient cru qu'il s'était changé en Paul Daniels, le magicien.

Toutefois, Kojo savait encaisser un direct à la face et, pendant une ou deux minutes, on s'en est donné, lui et moi, échangeant coups de poing et de coups de pied, comme deux catcheurs en cage, au Troxy, l'ancienne salle de cinéma devenue salle de spectacle, sur Commercial Road, dans l'East End de Londres. Enfin, après avoir moi-même encaissé deux coups assez appuyés à la tempe, les oreilles sifflant comme une bouilloire, je l'assommai d'un crochet court et il ne se releva plus.

À ce moment-là, les gardes du corps avaient fait irruption, pistolet au poing, mais le combat étant à l'évidence terminé, Vik leur fit signe de ressortir.

— Dehors, dehors, beugla-t-il. Sortez, nom de Dieu. Nous allons régler ça nous-mêmes.

Je me baissai, ramassai la pochette en soie de la poche poitrine de la saharienne du Ghanéen, m'en essuyai le visage et les phalanges, et la jetai.

— J'ai besoin d'un verre, dis-je. J'ai salement besoin d'un verre. Ça vous dérange si je me sers ?

Je me versai une coupe de champagne, la vidai d'un trait, m'assis et poussai un soupir de soulagement.

— Maintenant que c'est fait, je me sens beaucoup mieux.

59

Vik et Phil me considérèrent avec un mélange de frayeur et d'horreur, à tel point que j'éclatai d'un rire sonore. Ensuite, il y eut une immense clameur, dehors, et je me levai d'un bond pour aller voir à la fenêtre mais ce n'était pas un but, juste les Grecs qui rouspétaient encore à propos d'autre chose. Je me retournai face à mes employeurs et secouai de la tête.

— J'ai cru qu'on venait encore de marquer, avouai-je. Mais ce n'était rien.

— Seigneur, Scott, fit Vik. Êtes-vous devenu fou ?

— Ça se peut. Maintenant, demandez-moi pourquoi je l'ai cogné.

Vik leva les yeux au ciel, secoua la tête.

— Je vous ai déjà répondu, fit-il, haussant le ton. Je sais que c'est un escroc, et, franchement, je me moque de ce qu'il a fait.

— Ah, c'est un peu plus qu'un escroc, notre directeur technique. C'est un meurtrier. C'est lui qui a manigancé ce qui est arrivé à notre ami commun, Bekim Develi.

Ironsi se redressa sur un coude et s'adossa contre le mur.

— Ce n'est pas vrai, Vik, protesta-t-il en cherchant le mouchoir qui n'était plus dans sa poche poitrine. Je n'ai jamais tué personne.

— Vous savez, fis-je, je dois vous concéder ce point, Kojo, c'est presque la vérité. Presque.

— Tenez.

Phil Hobday récupéra le mouchoir là où je l'avais laissé tomber et le lui lança. Kojo essuya son nez qui saignait et demeura silencieux.

Sokolnikov lui servit une coupe de champagne, prit une chaise retournée, la cala sur ses pieds et s'y assit.

— Et si vous vous calmiez un peu, Scott ? fit-il. Calmez-vous, et exposez-nous de quoi il retourne.

— J'admets que je suis assez remonté, repris-je. Très bien. Alors voilà. Je vous fais le récit du match, la totale, les quatre-vingt-dix minutes. Dimanche, quand j'étais à bord de votre yacht, je vous ai expliqué que quelqu'un avait convaincu Natalia Matviyenko de voler les EpiPen de Bekim Develi dans son bungalow à l'Astir Palace, la nuit précédant son décès. Ce quelqu'un, c'était notre ami Kojo, ici présent. Kojo, qui l'a ramenée de l'hôtel dans une Mercedes conduite par un chauffeur, après qu'elle eut chipé ces auto-injecteurs, suivant les ordres. Je le sais parce que lundi matin, la police m'a montré une vidéo de surveillance.

— Ce n'était pas moi, se défendit le Ghanéen.

— Il est vrai que personne ne peut voir votre visage sur ces images, Kojo. Le flic grec, l'inspecteur Varouxis… il vous a pris pour un client comme un autre, venu se payer une séance de sexe un peu spéciale, en raison du fouet placé sur la lunette arrière de la limousine. Sauf que ce n'était pas du tout un fouet. C'était ce stupide chasse-mouches qui ne vous quitte jamais, n'est-ce pas ?

— Je ne vois pas de quoi vous voulez parler, bon sang, se plaignit l'autre en se séchant le nez avec son mouchoir. Et je ne connaissais aucune Natalia.

— Nous pouvons facilement vérifier auprès des sociétés de limousines pour voir si vous avez loué un véhicule ce soir-là. N'est-ce pas ? Et vous connaissiez déjà Natalia après un déplacement que vous aviez effectué, ici, à Athènes, il y a tout juste quelques mois. J'ai un témoin, qui était avec vous. Une autre prostituée.

— C'est ça, votre témoin ? ricana l'Africain. Une autre prostituée ?

— M. Ironsi a dîné avec elle et cette autre fille, l'un de ses joueurs… Séraphin Ntsimi, qui joue pour le Panathinaïkós… et Roman Boerescu, qui évolue au sein de l'Olympiakos, naturellement. Au cas où cela vous aurait échappé, c'est celui qui a failli marquer contre nous, ce soir. Oh, et si vous avez oublié qui était Natalia, c'est la prostituée qui s'est noyée dans le port, tant elle était bouleversée par ce qui est arrivé au pauvre Bekim. Ils étaient bons amis, apparemment. Je compatis tout à fait à son sort. Je suis moi-même assez bouleversé par cette histoire. Mais enfin, au point où nous en sommes, vous l'aviez sans doute deviné.

Je pris une profonde inspiration et tentai de maîtriser la montée d'adrénaline qui me parcourut le corps au point que j'en tremblai un peu. Une grosse part de ma personne avait une forte envie de régler son compte à Kojo pour ce qu'il avait fait. Le faire saigner du nez me paraissait loin d'être suffisant.

— Pourquoi aurait-il commis un acte pareil ? s'étonna Vik.

— Exactement, souffla l'intéressé.

— L'argent. C'est toujours ce qui le pousse à agir, d'accord ? L'argent. Au cas où vous n'auriez pas remarqué, il a désespérément cherché à lever des fonds ces derniers mois. Au motif qu'il aurait accumulé de très lourdes dettes de jeu. Vous vous souvenez que je l'ai rencontré dans un restaurant parisien ? Taillevent. Il m'a dit ce soir-là qu'il allait en Russie se chercher un associé… pour tenter de se décharger en partie du poids de sa King Shark Football Academy sur un partenaire qui aurait les poches très bien remplies. Quoi qu'il en soit, il s'avère qu'il a trouvé ce partenaire. Sauf que ce n'était pas exactement le genre de comparse qu'il recherchait. Votre vieil ami Semion Mikhailov, propriétaire du Dynamo Saint-Pétersbourg, et lui ont misé une enveloppe très conséquente sur les marchés non agréés, liée au résultat de notre premier match contre l'Olympiakos. Mikhailov savait Bekim allergique et il a persuadé Kojo de l'aider à faire de ce pari contre London City une affaire sûre. En mettant un contrat sur la tête de notre meilleur joueur. Un joueur que Mikhailov, comme par hasard, savait très vulnérable.

— Vik, se plaignit Ironsi. Il faut me croire. Tout ça n'est que pure invention. Je n'ai jamais fait un tel pari.

— Peut-être pas vous en personne, mais vous y étiez mêlé. Et vous aviez une bonne excuse pour être ici à Athènes et vous charger de la sale besogne de

Semion Mikhailov, n'est-ce pas, Kojo ? London City venait d'acheter Prometheus et nous jouions contre l'Olympiakos pour une place en Ligue des champions. Et vous avez aussi cherché à nous vendre un autre joueur. Vous avez même été invité à bord du yacht de Vik pour en discuter. Ce qui était également très commode pour vous, car cela vous évitait de demeurer à terre et de devenir un suspect potentiel comme le reste d'entre nous.

Vik parut un instant peiné.

— Dérober des auto-injecteurs, c'est une chose, remarqua-t-il. Mais ce n'est pas de cela que Bekim est mort. Comme vous l'avez expliqué vous-même dimanche soir, quelqu'un a trafiqué sa nourriture avec des pois chiches. Une dose peut-être guère supérieure à quelques grammes. Je ne vois pas comment Kojo aurait pu procéder. Le jour du match, il est resté avec Phil et moi toute la journée. En plus, l'équipe a son nutritionniste. Tout le monde a fait très attention à ce qu'il a mangé avant le match. Suivant vos propres instructions.

— Oui, je n'avais moi-même pas compris cette partie des choses. Jusqu'à ce soir, dans le tunnel des joueurs, avant la rencontre, où j'ai aperçu Mme Boerescu. Il s'avère qu'elle est employée par l'Olympiakos pour s'occuper des enfants sur le terrain avant le match. Vous voyez ? Ceux qui accompagnent les équipes sur la pelouse. Je viens de lui parler. Une femme plaisante. Selon elle, c'est Kojo Ironsi qui a payé leur collation de ce soir. Et qui a généreusement payé la collation de la semaine dernière… le soir de la mort de Bekim Develi. En temps normal, on ne distribue rien à grignoter à ces enfants. Au motif que tout le monde en Grèce est à court d'argent. Mais Kojo, lui, a trouvé que c'était trop dommage et il a décidé d'endosser ces frais.

À présent, le Ghanéen était silencieux. Non sans mal, il se releva et s'assit sur une chaise. Il me regarda avec des yeux fatigués, injectés de sang, puis les laissa retomber, comme si j'étais sur la voie de la vérité.

— Mais il ne s'est pas contenté de payer pour cela. En réalité, il a tout fourni. Là encore, selon Mme Boerescu, il a téléphoné à un restaurant du Pirée et commandé personnellement les plats. N'était-ce pas aimable de sa part ? Apparemment, il a même été remercié pour sa générosité dans le programme du match. En grec, bien sûr, de sorte que personne n'a rien remarqué. Et rien de très sophistiqué, comprenez-vous. Juste le genre de nourriture que les gamins grecs adorent. Plein de boissons gazeuses, bien sûr, et seulement un plat au menu : du houmous, avec des chips et de la pita. C'est exact, du houmous. Qui est composé de pois chiches. Si bien que lorsque les gosses rejoignent nos gars dans le tunnel des joueurs, ils ont les mains toutes collantes de cette substance pâteuse. Je vous pose la question : s'organiser pour que ce soit des enfants qui empoisonnent un type, cela ne relève-t-il pas du cynisme pur ? Et quand il a marqué un but dans les cinq premières minutes du match... ce but à l'extérieur, si capital... Bekim a fêté l'événement, comme il s'était mis à le fêter depuis tout récemment : il s'est sucé le pouce. En guise de célébration de la naissance de son bébé, son petit garçon, Peter. Enfin, même s'il ne se l'était pas sucé, rien que se toucher le nez et les lèvres aurait suffi à lui causer un choc anaphylactique. Alors, comment je me débrouille, Kojo ? Est-ce que tout ça éveille quelques vagues souvenirs en vous ?

— Est-ce vrai, Kojo ? s'enquit Sokolnikov.

L'autre ne répondit rien.

— Peut-être devrais-je encore vous rafraîchir un peu la mémoire ? (Je lui décochai un coup de pied dans la cuisse.) Alors, qu'en dites-vous, monsieur Ironsi ?

— Ça va, ça va, beugla-t-il. Du calme, voulez-vous ? Écoutez, ce gars-là, personne n'avait l'intention de le faire mourir. C'était un accident. Ce n'était certainement pas un meurtre, comme Scott le prétend. Bekim Develi était seulement censé ne pas pouvoir continuer le match. S'il ne s'était pas sucé le pouce, si ce pays n'était pas dans un tel merdier, il serait encore en vie et s'en serait tiré sans trop de bobo. Et personne n'avait demandé à cette idiote de lui faucher tous ses auto-injecteurs. Juste un. Pour que je puisse vérifier que Semion ne se trompait pas, concernant son allergie. Enfin, même si elle les lui a bien tous volés, il n'aurait pas pu en emporter avec lui sur le terrain, hein ? Lui subtiliser ses EpiPen, c'était juste s'assurer de la réalité des faits concernant son état. Aller se noyer… c'était complètement excessif, comme réaction. Personne n'aurait pu prévoir une issue pareille. Sans cela, vous seriez tous rentrés à Londres, et la mort de Bekim aurait juste été une tragédie du football de plus. Un autre Fabrice Muamba.

— Sauf que Muamba est toujours en vie, rétorquai-je.

— Bien, est-ce tout ? s'étonna Vik.

J'eus un geste désabusé.

— Bon Dieu, vous voudriez quoi d'autre, en plus ?

Viktor respira à fond, vida son verre et se rendit à la fenêtre de la loge, où il sortit une pince à billets de sa poche. Je l'avais déjà vue et, l'espace d'un instant, je crus qu'il allait graisser la patte de quelqu'un. Au lieu de quoi, il en retira la liasse de billets qu'il avait sur lui et se mit à caresser cet accessoire en or massif entre ses doigts.

— Je n'ai pas beaucoup d'amis, dit-il avec calme. Quand on est aussi riche que je le suis, l'amitié se présente toujours casquette à la main, la tête baissée, en multipliant les courbettes, et sollicitant un prêt, une faveur ou un contrat d'affaires. Mais Bekim Develi était mon véritable ami, et cela remontait à loin... Scott a raison à ce sujet. Il ne réclamait jamais rien. En fait, c'était le seul type qui ne me laissait jamais rien payer, qui m'achetait même des cadeaux. C'était Bekim qui m'avait acheté cette pince à billets. J'ignore comment il avait pu mettre la main sur ce petit objet. Elle est en or dix-huit carats, elle vient de chez Cartier, et c'est un cadeau du président Nixon à Leonid Brejnev, en 1973, lorsque les deux dirigeants se sont rencontrés, à Washington. Bekim savait que j'aimais les petits objets comme celui-ci, des objets qui renferment la grande histoire dans leur ADN.

« En ce sens, il était très attentionné. Il semblait vraiment m'apprécier pour ce que j'étais, vous voyez ? À mes yeux, c'est une chose rare, messieurs. Et aujourd'hui complètement inouïe. Cela me bouleverse vraiment d'apprendre que c'est ainsi qu'il est mort, et de savoir pourquoi. Sans parler de ce qui est arrivé à la fiancée de Bekim, Alex, par voie de conséquence. Semion Mikhailov, je peux m'occuper de ce salopard à ma manière. La question est plutôt, qu'allons-nous faire de vous, Kojo ?

— Nous allons remettre cette ordure à la police, voilà ce que nous allons en faire, dis-je. C'est vrai, la plupart des preuves que nous détenons sont de l'ordre du probable, du possible et des éventualités. Néanmoins, grâce à cet aveu devant trois témoins, je ne doute pas une minute de pouvoir plaider le dossier de manière assez convaincante devant ce flic, lors de notre prochaine entrevue.

— J'en suis convaincu, glissa Kojo. Mais à la minute où vous ferez ça, naturellement, je prierai mon avocat de publier un communiqué très détaillée sur les projets que Vik et ce Gustave Haak ont mis sur pied dans ce pays. Vous pensez que je n'oserai pas, Vik ? Oh, si, je vais oser. Je peux vous le promettre.

Viktor ne réagit pas. Il échangea un regard avec Hobday, puis laissa échapper un soupir.

— Mais laissez-moi vous exposer ce qu'ils préféreraient que vous ignoriez, Scott, continua le Ghanéen. Laissez-moi vous parler des îles erythréennes. Votre patron et Gustav Haak viennent d'acheter un archipel au gouvernement grec pour un euro. C'étaient les Grecs qui se trouvaient sur le yacht l'autre soir. Je sais qu'un euro, cela ne semble pas être beaucoup d'argent, et ce n'est en effet pas grand-chose, mais voyez-vous, Haak et Sokolnikov représentent un groupement d'investisseurs internationaux qui possèdent déjà la totalité de ce pays. Au sens tout à fait littéral. Ils ont acheté de la dette souveraine grecque depuis 2012 et en possèdent presque tout, ce qui signifie qu'ils sont bel et bien propriétaires de ce pays, sans en porter le titre. S'ils balançaient aujourd'hui toutes ces obligations d'État, la Grèce finirait aux oubliettes. Le gouvernement grec fera donc ce qu'on lui dira de faire, par crainte que Vik et ses amis ne liquident ce pays. Et ce qu'on va lui dire, c'est ceci : les îles erythréennes, quelque part juste au nord de Corfou, seront gérées selon un régime de zone exonérée d'impôts, pour ses amis et lui. Par la suite, ce sera comme une version grecque de Monaco, je suppose. Ces endroits-là font fureur, actuellement. En Chine, ils appellent cela un port franc. À Cuba, c'est une zone économique spéciale. Imaginez, Scott. Vous valez douze milliards de livres, comme Vik. Ou vingt milliards, comme Haak. Et vous ne payez aucun impôt, nulle part. Ce ne serait pas sympa ? Non seulement cela, mais s'ils parviennent à leurs fins, personne n'en saura foutre rien jusqu'à ce que tout soit fin prêt. Sauf vous et moi, bien sûr. Nous, nous serons au courant.

Viktor ne dit toujours rien.

Dehors, ce fut un tonnerre d'acclamations : c'était la fin du match. Les fans du Panathinaïkós célébraient l'humiliation de leurs rivaux tant honnis. Il y eut encore une explosion sonore, le mugissement de plusieurs cornes de brume et une sirène de police au loin. Phil lança un regard inquiet par la fenêtre, qu'un objet venait de heurter.

— Il semblerait que London City vient de se qualifier, remarqua-t-il.

Cela semblait ne plus avoir guère d'importance, maintenant, du moins pas pour moi, non, plus aucune.

— Dites-moi que vous n'allez pas rejeter cette merde à la mer, Vik, dis-je.

Ironsi était tout sourire. Il paraissait déjà capable de déchiffrer ce qui allait se produire alors que j'en étais incapable.

— Oui, Viktor, continuez, fit-il. Dites-lui donc que l'amitié signifie davantage pour vous qu'un tas de dollars et de *cents*.

— Peut-être que Kojo n'avait pas l'intention de tuer Bekim, Viktor, dis-je, mais dans ma conception des choses, ce salopard a commis un acte presque aussi répugnant : il a contribué à mettre votre meilleur ami à mort, pour en tirer profit. Un homme que je connaissais et que j'admirais beaucoup. Il devrait être puni. La justice devrait suivre son cours.

Vik se tourna vers la fenêtre et grimaça.

— Ne soyez pas sot, Scott, me lâcha-t-il. Franchement, je suis un peu surpris de vous entendre parler de justice, surtout vous. Il n'existe que la loi, et nous savons tous les deux ce qu'elle vaut, en Grèce, aujourd'hui. Pour faire la loi, il faut de l'autorité, et je crains fort que l'autorité – la véritable autorité – ait cessé de revêtir le moindre sens dans ce pays. Regardez par cette fenêtre. Les supporters de l'Olympiakos s'attaquent maintenant à la police anti-émeutes à coups de cocktails Molotov. Mais qui cela surprend-il ? Quand les tribunaux et les avocats sont eux-mêmes en grève, il est certain que ce ne sont pas le désordre, le chaos et l'anarchie qui font défaut. On peut les lire, peints sur les murs. On peut les sentir brûler dans l'atmosphère. Et on peut les voir laver votre pare-brise aux feux rouges. Pourquoi le contester ? Nous savons l'un et l'autre que j'ai raison.

« Donc. Voici ce qui va se passer. Kojo, vous et moi, nous avons encore un contrat de travail et un accord de confidentialité. Vous continuerez d'être payé par moi, mais je compte ne plus jamais vous revoir. Et certainement pas dans mon club de football, ni dans aucun autre club, en l'occurrence. Je m'attends à ce que vous disparaissiez, Kojo. Allez quelque part où vous pourrez réellement vous servir de ce chasse-mouches… quelque part en Afrique, ce serait très bien, je pense… et où vous pourrez toucher votre salaire. Et souvenez-vous toujours de ceci : j'ai le bras long, mais j'ai la mémoire encore plus longue.

Ironsi se leva.

— Et mes affaires, sur le bateau ? Mon ordinateur ? Mes vêtements ?

— Je prierai le capitaine de mon yacht de vous faire déposer votre valise à terre, à l'Astir Palace, demain matin à 8 heures. Maintenant, sortez.

Le Ghanéen ramassa son chasse-mouches et sourit.

— Félicitations, Scott, fit-il. Ce soir, vous avez gagné. Mais enfin, peut-être n'avez-vous rien gagné. Comme disait quelqu'un, tant que personne n'a perdu, un match n'est pas gagné.

Après le départ de l'Africain, il y eut un silence prolongé, surtout de ma part, car je ne savais que dire, même si je savais exactement quoi faire, maintenant.

— Quatre à zéro, fit enfin Hobday. Incroyable.

Il me regarda, puis Vik.

— Et Scott ? demanda-t-il. Je crois que son contrat comporte la même clause de confidentialité, s'il veut bien prendre la peine de le lire.

— Scott Manson ? Viktor prononça mon nom comme s'il voulait le sonder, mesurer s'il sonnait avec assez de loyauté dans cette pièce. Je ne sais pas, Phil. En réalité, cela ne tient qu'à lui, n'est-ce pas ? Il s'est montré fort habile. Peut-être se révèle-t-il trop habile pour le football. Peut-être est-ce son problème, en tant que manager. Mais franchement, nous ne détenons pas beaucoup de preuves matérielles, en l'espèce. Si vous voulez mon avis, ce flic, Varouxis, se satisfera du sui-cide de la fille et du nom de cet autre type. Celui qui a tué ces prostituées, en 2008, ou à je ne sais quelle période évoquée par Scott.

— Les meurtres d'Hannibal, compléta Phil.

— Précisément. C'est lui. Et c'est une bonne prise, dirais-je… résoudre un crime non élucidé dont per-sonne ne se doutait. Tout policier rêve de réussir un exploit pareil. Oui, il devra se contenter de cela. Parce que pour ma part, je n'ai en tout cas entendu aucun aveu de la bouche de Kojo. Et vous ?

Phil secoua la tête.

— Non. Rien du tout.

Viktor réfléchit un moment, puis il agita l'index dans ma direction.

— Tout le reste de ce que nous avons entendu ce soir ne représente que pures conjectures, continua-t-il. La fille… Natalia… s'est suicidée. Nous le savons déjà grâce au mail non envoyé que nous avons retrouvé dans son iPhone. Et maintenant que la police le sait, elle ne peut guère nous retenir plus longtemps. Mais nous ne découvrirons probablement jamais qui a empoisonné Bekim Develi. Vous pourriez presque dire que c'est la main de Dieu. Les compagnies d'assurances ont une formule similaire pour décrire ce genre de situation, n'est-ce pas ?

— Je crois qu'elles appellent cela « force majeure », précisa Phil.

— Oui, admit Viktor, vous avez raison. Et en russe, naturellement, c'est un peu différent. Mais mieux vaut la main de Dieu que celle d'un enfant innocent, ne croyez-vous pas ? Après tout, je suis sûr que Scott ici présent n'apprécierait guère qu'on sache que, dans cette affaire, des hommes cupides et sans scrupules se sont servis de la main d'un très jeune enfant comme d'une arme meurtrière. Imaginez ce que ce serait que d'être cet enfant-là, d'avancer dans la vie en sachant que vous êtes la personne qui a tué Bekim Develi. Non, c'est une croix qu'aucun enfant ne devrait jamais avoir à porter. Vous n'êtes pas d'accord, Scott ?

Je lâchai un profond soupir et défis la fermeture Éclair de mon haut de survêtement. Après tous ces efforts, je mourais de chaud. Et ce n'était peut-être pas que ça. J'étais peut-être aussi un peu malade, sauf que cela n'avait rien à voir avec la chaleur, ou avec le fait d'avoir envoyé Kojo au tapis. Nous venions de nous qualifier pour le prochain tour, et j'aurais dû être aux anges. Au contraire, je n'avais qu'une envie, trouver un trou et ramper dedans.

Je pris une bouteille de Krug, bus au goulot, un geste calculé que je savais insultant pour l'un et l'autre, rotai bruyamment, puis secouai la tête.

— L'ennui, avec les riches…

Viktor gémit comme s'il avait déjà entendu ce sermon. Et il était très probable que ce fût le cas.

— Faites attention, me dit-il, vous n'êtes pas exactement un pauvre, Scott.

— Non, en effet. Et vous avez tout à fait raison de me rappeler cette vérité, Vik. J'imagine que c'est la différence entre votre genre d'argent et le mien. Vous voyez, je n'ai jamais réellement eu à assumer l'idée que, si les circonstances s'y prêtaient, je ne reculerais devant rien et qu'il n'y aurait personne que je n'hésiterais à piétiner pour conserver cet argent, ou pour en accumuler encore davantage. Cela vous parle-t-il, à l'un ou à l'autre ? Non, et, je ne sais pourquoi, cela ne me surprend pas.

Je leur fis un signe de tête à tous les deux.

— Vous aurez ma lettre de démission demain matin, messieurs. Mais pour le moment, je vais dire au revoir à mon équipe, avant de passer le reste de la soirée avec ma fiancée.

60

Même quand vous gagnez, même quand vous dominez, vous ne savez jamais quand va retentir le coup de sifflet final. Demandez un peu à Roberto di Matteo, l'entraîneur adjoint de Chelsea, qui sut mener le club vers un doublé mémorable en 2012, puis fut promptement limogé après un début de saison 2012-2013 un peu incertain. Ou à Vicente del Bosque, éjecté par le Real Madrid tout juste quarante-huit heures après sa victoire dans la Liga en 2003. Dans les deux cas, c'était assez rude. Dans le football, le succès engendre rarement le succès, plus souvent de grandes espérances, et rien d'autre. Et, comme le veut l'histoire, les grandes espérances conduisent souvent à la déception.

Après sept petits mois à mon poste – un de moins que Di Matteo –, j'avais déjà quelques cheveux gris, alors que je n'en avais pas un seul auparavant. Le fait est qu'après une semaine consacrée à combiner l'entraînement d'un club de football et mon travail de détective amateur, j'étais moulu, et je n'attendais qu'une chose, un bon petit moment de repos.

Évidemment, la plupart des entraîneurs de football se font virer ou démissionnent parce qu'un autre club leur fait une offre qu'ils ne peuvent refuser, mais il est sans doute assez rare qu'un manager claque la porte d'un club juste après avoir assuré sa qualification pour le tour suivant de la Ligue des champions, et lorsque Louise et moi débarquâmes au terminal 5 de Heathrow, sans le reste de l'équipe, la presse anglaise se précipita sur l'affaire comme une colonie de fourmis. Et pas seulement sur cette affaire, d'ailleurs.

Ma fiancée eut le mérite de ne jamais répéter ce qu'elle m'avait dit à bord du yacht de Vik, quand j'étais apparemment sur le point de découvrir très exactement ce qui était arrivé à Bekim Develi : en ce monde, rien ne se résout comme vous pensiez que cela devrait se résoudre – ou comme il faudrait. Mais elle avait raison. Il n'en est jamais ainsi. Je n'éprouvais absolument aucune satisfaction d'avoir découvert comment était mort Bekim Develi et qui était derrière cet acte, et jamais je n'aurais pu prévoir que résoudre cette affaire pourrait me paraître d'une totale vacuité. Je me demandais presque à tout moment pourquoi je m'étais même donné cette peine. À cet égard aussi, elle avait raison.

Quant à moi, j'aurais pu raconter quantité de choses sur ces événements d'Athènes à la masse de journalistes présents à Heathrow, mais je n'avais guère envie de consacrer davantage de temps à me soucier des manœuvres financières louches qui m'avaient incité à démissionner de London City. Tout cela était derrière moi, désormais, et j'avais la sensation d'être débarrassé d'un grand poids pesant sur mes épaules.

Je décidai plutôt de limiter mes commentaires au football. Il y a des moments dans l'existence où seul le foot paraît important. Quand tout le reste semble futile, dénué d'importance, et quand vous vous dites que c'est sans doute la seule raison pour laquelle les terrains sont plats, l'herbe coupée ras, l'unique raison pour laquelle on a inventé la gravité. En outre, honnêtement, je n'aurais pas su comment expliquer la dette souveraine de l'État grec.

— Je n'ai pas démissionné pour aller entraîner un autre club de football, déclarai-je aux reptiles qui nous attendaient. Je n'ai pas démissionné parce que je voulais plus d'argent ou plus de pouvoir de décision pour acheter les joueurs que je voulais. Je n'ai pas démissionné à cause des résultats de Leicester City ou parce que nous avons perdu le match aller contre l'Olympiakos, à Athènes. Je n'ai même pas démissionné parce que la police a choisi de retenir toute notre équipe en Grèce, sans aucun motif valable. Contrairement à ce que certains journaux ont laissé entendre, j'ai démissionné en raison de ma profonde divergence de vues avec le propriétaire du club sur la manière dont celui-ci devait être géré et, sans manquer de respect à M. Sokolnikov, cela ne devrait surprendre aucun de ceux qui aiment ce jeu. Après tout, le football suscite beaucoup de passions chez une multitude d'hommes et de femmes, et parfois cette passion en conduit certains à tirer cette conclusion : ils sont incapables de continuer à travailler ensemble. C'est aussi simple que ça. Cela dépend juste de la boule sur laquelle on tombe lors du tirage au sort.

504

« J'adresse mes meilleurs vœux de réussite à tout le monde à Silvertown Dock. Ils ont amplement mérité le résultat d'Athènes. Dans l'ensemble, c'était un privilège et un plaisir de travailler avec tous ces garçons, et je me plais à penser que nombre d'entre eux étaient aussi mes amis. Et le restent encore, je l'espère. Mais ce sont surtout nos supporters qui me manqueront. C'est surtout à eux que je pense. Après la mort de João Zarco, ils m'ont témoigné toute leur affection et m'ont apporté leur soutien sans compter. Rien que pour cela, je veux les remercier, en toute humilité.

— Scott ? me demanda l'un des journalistes, votre démission a-t-elle un quelconque rapport avec la mort de Bekim Develi ?

— Oui, en effet, mais uniquement dans la mesure où elle m'a conduit à reconsidérer mes priorités. Bekim Develi était un homme que j'appréciais et que j'admirais énormément. Comme tout le monde, je crois. Suite à cette tragédie, j'ai décidé de me recentrer sur ce qui est important dans ma vie, et sur ce que je veux accomplir. Je pense que c'est normal. Je crois qu'après un événement aussi épouvantable que celui-là, personne ne doit être surpris de voir quelqu'un choisir d'opérer certains changements dans sa vie. J'ai toujours été en mesure de me prendre en charge, et, à dire vrai, c'est exactement ce que je suis en train de faire : je me prends en charge.

— Puisque vous parlez de vous prendre en charge, intervint un autre journaliste, peut-être voudriez-vous nous commenter l'article du *Sun* signalant que vous auriez physiquement agressé deux citoyens anglais dans l'île de Paros. Selon la rumeur, ils vous poursuivraient en justice. Votre démission a-t-elle un quelconque rapport avec cet épisode ?

— Il n'y avait que deux gus, là-bas ? J'ai oublié. Écoutez, j'ai eu une petite dispute avec des loubards qui considéraient la mort de Bekim Develi comme un prétexte à moquerie. Du moins, c'est ce que laissaient entendre les chansons qu'ils ont entonnées. Je manque peut-être cruellement d'humour, je ne sais pas, mais si vous voulez mon avis, ils méritaient tous les deux une bonne raclée.

— Que vous réserve l'avenir, Scott ?

— Je ne suis pas sûr que vous m'ayez bien écouté, mon ami. Lequel d'entre nous peut sincèrement affirmer ce que lui réserve l'avenir ? N'est-ce pas la leçon à tirer de la mort de Bekim ? Que rien n'est sûr ? Après tout, il n'avait que vingt-neuf ans, bon sang. Et c'est un peu l'aspect essentiel de ce que je vous disais à l'instant. Je n'ai donc pas l'intention de me remettre tout de suite à entraîner une équipe. Franchement, de toute manière, je ne suis pas convaincu qu'on voudrait de moi. Je crois que mes causeries à la mi-temps tiennent plus du chef Gordon Ramsay que d'Henri V. Mon père possède une entreprise de vêtements de sport et, pour le moment, je vais consacrer un peu plus de temps à le seconder. Mais cela ne signifie pas qu'entre le jeu et moi, ce soit le désamour. Nullement. Le football signifie tout pour moi.

— Puis-je vous demander quelle sera votre prochaine destination, Scott ? L'Espagne ? Malaga ? D'après une rumeur insistante, vous accepteriez un poste en Espagne. Vous parlez un excellent espagnol.

Je soupirai, souris, avec un mouvement de tête un peu incrédule.

— Je parle aussi allemand, italien et français. En revanche, il semble que mon anglais ne soit pas si bon. N'ai-je pas déjà répondu que, dans l'immédiat, je ne reprendrais l'entraînement d'aucun club ? Toutefois, puisque vous me le demandez si gentiment, je vais vous révéler quelle sera ma prochaine destination.

Je regardai Louise, lui souris chaleureusement, prit sa main dans la mienne et l'embrassai avec tendresse.

— Ce sera simplement celle-ci. Demain après-midi, ma fiancée et moi, nous allons marcher dans King's Road et, si nous réussissons à nous procurer des billets, nous irons à Stamford Bridge assister au match de Chelsea contre Tottenham Hotspur. Selon toute vraisemblance, ça va être un super match. Mais pour une fois, je suis heureux de pouvoir dire que je me moque vraiment de savoir qui va gagner.

Le Livre de Poche s'engage pour l'environnement en réduisant l'empreinte carbone de ses livres. Celle de cet exemplaire est de :

430 g éq. CO$_2$

PAPIER À BASE DE FIBRES CERTIFIÉES

Rendez-vous sur www.livredepoche-durable.fr

Composition réalisée par PCA

Achevé d'imprimer en octobre 2017, en France sur Presse Offset par
Maury Imprimeur – 45330 Malesherbes
N° d'imprimeur : 221963
Dépôt légal 1re publication : novembre 2017
LIBRAIRIE GÉNÉRALE FRANÇAISE – 21, rue du Montparnasse – 75298 Paris Cedex 06